LABYRINTHES

WILKIE COLLINS

LA FEMME RÊVÉE

Traduit de l'anglais par
Émile Forgues, avec l'approbation de l'auteur

LIBRAIRIE DES CHAMPS-ÉLYSÉES

Préface

La fascination que continuent d'exercer les œuvres du romancier victorien Wilkie Collins sur les lecteurs du XXIème siècle ne surprendra que ceux qui ignorent encore ces fabuleux chefs-d'œuvre d'intrigue et de psychologie que sont *La Dame en blanc* ou *La Pierre de lune*. Mais le public des amateurs de littérature de mystère n'a pas été le seul à rendre hommage à ce pionnier d'un genre aujourd'hui proliférant : ses propres disciples ne se sont pas privés de le couvrir de louanges, à commencer par la grande Dorothy Sayers qui considérait qu'en comparaison des œuvres de Collins, « la fiction moderne paraissait bien mince et mécanique ». Chesterton le loua pour le diabolisme de ses intrigues, et, plus près de nous, les deux Baronnes du crime anglais, P.D. James et Ruth Rendell, envisagent leur propre contribution à la fiction criminelle comme un prolongement de l'œuvre de Collins, reconnaissant ainsi à celui-ci une force indémodable.

Il est certain que, presque un siècle et demi après la parution de *La Dame en blanc* — 1866 —, la complexité, voire la rouerie des structures narratives imaginées par Collins ne peut que séduire le lecteur désireux d'associer son plaisir au dévoilement progressif d'un drame humain sortant de l'ordinaire. À l'heure où la littérature psychologique de notre pays s'enlise dans un conformisme déprimant, ces histoires sorties d'un imaginaire victorien particulièrement aiguisé montrent qu'il est souvent nécessaire de recourir aux plus noirs exemples de destinées pour mieux faire apprécier la beauté de la vie. Et c'est peut-être dans ses nouvelles, composées à partir de 1851 et devenues très vite des modèles du genre, que Collins a su faire étalage de son immense talent de peintre du genre humain. Non certes, des personnalités ordi-naires, mais de celles dont le souvenir nous réveille la nuit tant les passions et les phobies qui les dévorent nous semblent familières. Il y a de l'avant-freudisme dans certains des textes rassemblés ci-après, et qu'on pourrait analyser avec les instruments les plus modernes... C'est le cas par exemple de *La Femme rêvée*, dont l'argument recoupe l'une des grandes hantises hitchcockiennes. La vie de Wilkie Collins ne fut pas des plus faciles, et l'on peut dire que son excentri-cité même — un célibat organisé autour de son amour passionné pour deux femmes dont l'une fut la mère des enfants morganatiques — et l'on trouve dans le monde de fiction sans pareil qu'il a créé le reflet d'une intimité tourmentée parce qu'incompatible avec les mœurs de son temps. Aussi bien convient-il de voir en celui qui fut sans doute le premier véritable auteur de *thriller* anglais un romancier d'une grande modernité, par l'audace de formes narratives qui enchantèrent Borgès, mais aussi et enfin grâce à un regard lucide posé sur la mécanique humaine.

François Rivière.

LA FEMME RÊVÉE

I

Je n'étais pas installé depuis plus de six mois dans le district où j'étais allé chercher une clientèle de médecin, lorsqu'on me pria de me rendre dans une ville voisine de ma résidence, pour une consultation avec plusieurs de mes confrères, appelés à délibérer sur une maladie fort grave.

La nuit d'avant, à la suite d'une longue course, mon cheval s'était abattu et, par bonheur, s'était blessé plus grièvement qu'il n'avait blessé son maître. Privé des services de cet animal, je partis en diligence pour ma nouvelle destination — dans ce temps-là les chemins de fer n'existaient pas encore — et je comptais bien revenir de la même manière, dans le courant de l'après-midi.

La consultation terminée, je me rendis dans le principal hôtel pour y attendre le passage de la voiture publique. Elle arriva, mais au grand complet, à l'intérieur comme sur l'impériale. Il ne me restait d'autre ressource que de m'en revenir, avec le moins de frais possible, en prenant un tilbury de louage. Le prix qu'on me demanda me parut tellement abusif que je résolus de chercher une auberge de moins haut parage, et de voir si je ne pourrais pas trouver à tirer meilleur parti d'un établissement moins prospère.

J'en eus bientôt découvert un comme je le souhaitais, enfumé, tranquille, décoré d'une enseigne à la vieille mode qu'on n'avait certainement pas repeinte depuis bien des années. Le maître d'une pareille bicoque ne devait pas se montrer dédaigneux du mince profit qui n'avait pu tenter son riche confrère ; nous tombâmes en effet d'accord, et tout aussitôt il sonna la cloche de la cour, afin de faire préparer le tilbury.

— Est-ce que Robert est revenu de sa course en ville ? demanda l'hôtelier, s'adressant au garçon que cette sonnerie avait fait accourir.

— Non, monsieur, il n'est pas rentré.

— Il faut, alors, réveiller Isaac.

— Réveiller Isaac ! répétai-je. Voilà qui semble bizarre... Est-ce que vos palefreniers ont pour habitude de passer la journée dans leur lit ?

— Celui-ci, du moins, agit ainsi, me répondit l'hôtelier, qui se souriait à lui-même d'un air passablement étrange.

— Sans compter qu'il rêve... ajouta le garçon. Je n'oublierai jamais l'effet qu'il m'a fait, la première fois que je l'ai entendu.

— N'y prenez pas garde, interrompit le maître de l'hôtel... et allez le réveiller sans retard !... Voici un gentleman qui attend que sa voiture soit prête.

L'attitude du maître et celle du valet en disaient beaucoup plus long que leurs propos. Je commençai à soupçonner que j'étais peut-être sur la trace de quelque phénomène intéressant pour un homme de ma profession, et l'envie me prit de voir le palefrenier avant qu'on ne l'eût tiré de son sommeil.

— Un moment... repris-je. Je voudrais voir dormir cet homme... Je suis médecin de mon état, et si ce sommeil, ces rêves extraordinaires que vous signalez chez lui proviennent de quelque affection cérébrale, je pourrai vous renseigner sur le traitement à lui faire suivre.

— Je crois bien, monsieur, que vous trouverez son mal à l'épreuve de toute espèce de traitement, dit l'hôtelier, mais s'il vous convient de le voir, rien n'est plus facile, à coup sûr.

Il me fit traverser une cour et descendre aux écuries par un corridor voûté, puis il ouvrit une porte, et restant lui-même dehors, me fit entrer dans la pièce où elle donnait.

Je me trouvai dans une écurie à deux box. L'une d'elles était occupée par un cheval qui broyait à grand bruit son froment. Étendu sur la litière, dans l'autre, un vieillard dormait.

Je me penchai pour l'examiner de près. C'était une figure flétrie et marquée au sceau du malheur. Les sourcils étaient rapprochés par une contraction pénible ; la bouche comprimée et la commissure des lèvres dessinaient un arc fortement courbé. Les joues labourées de rides profondes et les rares cheveux gris épars sur le crâne racontaient à leur manière tout un passé de souffrances et de chagrins. Au moment où mon premier regard tomba sur lui, sa respiration avait quelque chose de convulsif, et l'instant d'après il se mit à parler tout endormi :

— Veillons ! l'entendis-je dire tout bas, en paroles rapides, entre ses dents serrées. Veillons sans relâche... à l'assassin !...

Il porta lentement en travers de son cou un de ses bras amaigris, frémit légèrement de la tête aux pieds et se retourna sur la paille. Puis son bras redescendit, sa main s'ouvrit d'elle-même toute grande et alla se cramponner à la litière, du côté où il était tourné, comme si, dans son rêve, il s'accrochait à un rebord quelconque. Je vis ses lèvres se mouvoir et je me penchai de plus belle, pour saisir au vol les mots qu'il laissait encore échapper.

— Des yeux gris clair... murmurait-il. La paupière gauche un peu tombante, des cheveux blonds à reflets dorés... C'est bien cela, chère mère !... De beaux bras blancs recouverts d'un léger duvet... Une petite main de dame, avec des ongles roses... Le couteau... Toujours le couteau maudit !... D'abord d'un côté, puis de l'autre... Ah ! démon que vous êtes !... Où est le couteau ?...

Sa voix s'était élevée à ce dernier mot, et tout à coup il parut plus agité. Je le voyais se tordre sur la paille, son visage flétri se crispait, et il jeta les deux mains en avant avec un soupir pantelant. Elles frappèrent le fond de la mangeoire sous laquelle il dormait, et le choc le réveilla. J'eus à peine le temps de me glisser par la porte encore entrouverte et de la pousser derrière moi pendant qu'il se frottait les yeux et reprenait peu à peu connaissance.

— Savez-vous quelque chose du passé de cet homme ? demandai-je au maître de l'hôtel.

— Mais oui, monsieur... J'en sais assez long pour mon usage... et c'est une histoire comme vous n'en entendrez pas tous les jours. Bien des gens ne veulent pas y croire. Elle n'en est pas moins vraie, cependant... Tenez, regardez-moi ce pauvre diable... continua-t-il, poussant de nouveau la porte de l'écurie... Ses nuits d'insomnie le laissent tellement fatigué que le voilà déjà retombé dans le sommeil.

— Ne le réveillez point ! repris-je. Je ne suis pas autrement pressé de monter en voiture. Attendons que l'autre palefrenier soit revenu de sa course... Vous pourrez bien, d'ici là, me servir une collation quelconque, avec une bouteille de vin d'Espagne. Je suppose aussi que vous ne me refuserez pas de me tenir compagnie et de m'aider à la vider.

Ainsi que je l'avais prévu, le vin de mon hôte lui réchauffa le cœur et lui délia la langue. Il devint peu à peu communicatif en me parlant de cet homme endormi dans son écurie, et je lui soutirai graduellement toute l'histoire. Si extravagante et si incroyable qu'elle puisse paraître, on la trouvera relatée ici, telle que je l'entendis alors, et, si je ne me trompe, dans toute la vérité de ses détails.

II

Il y a quelques années, un homme placé par le sort dans une condition plus que médiocre, du nom d'Isaac Scatchard, habitait un des grands ports situés sur la côte occidentale de l'Angleterre. Logé dans une maison des faubourgs, il n'avait pour vivre que les gages qu'il pouvait se procurer çà et là comme garçon d'écurie, et de temps à autre, quand la fortune lui souriait, les profits qu'il trouvait comme palefrenier chez les particuliers qui, à titre provisoire, réclamaient ses services.

Quoique parfaitement probe, dur au travail, honnête dans tous les sens du mot, il ne réussissait guère dans sa profession. Parmi ses voisins, sa « male chance » était devenue proverbiale. Il manquait toujours, sans qu'il y eût de sa faute, des occasions favorables, et les maîtres qui le gardaient le plus longtemps chez eux appartenaient invariablement à cette classe aimable des « mauvais payeurs ». Isaac-le-Chanceux, ainsi avait-il été surnommé dans son quartier, et personne n'aurait osé soutenir que ce fût là une appellation gratuite, ou donnée mal à propos.

Ayant plus que sa part de guignon à supporter, Isaac n'avait qu'une consolation pour lui venir en aide — encore était-elle de l'ordre le plus aride et le plus négatif —, c'était de n'avoir ni femme ni enfants qui vinssent accroître ses anxiétés, et ajouter à l'amertume des échecs réitérés qui marquaient chacune de ses tentatives. Peut-être était-ce par pure insensibilité, peut-être sa générosité lui avait-elle interdit d'associer qui que ce fût à la fatalité dont il était victime, mais d'une manière ou d'une autre, le fait est qu'il était arrivé à la moitié de sa carrière probable ici-bas sans avoir courbé le front sous le joug de l'hyménée et, ce qui est plus remarquable encore, sans qu'on eût jamais pu, de dix-huit à trente-huit ans, lui assigner, avec l'ombre d'une raison, une maîtresse quelconque.

Quand il se trouvait sans condition, il vivait seul chez sa mère veuve. Mrs Scatchard était, dans son humble caste, une femme au-dessus de la moyenne, et par son intelligence et par sa manière de vivre. Elle avait, comme on dit, « connu de meilleurs jours », mais jamais elle n'y faisait la moindre allusion devant les personnes qui, poussées par une vaine curiosité, venaient parfois la visiter, et bien que parfaitement polie pour quiconque se trouvait en rapport avec elle, jamais elle ne recherchait l'intimité de ses voisins. Elle subvenait — non sans difficulté — à ses besoins restreints en faisant pour les tailleurs ce qu'ils appellent le « gros ouvrage », c'est-à-dire la besogne la plus simple et la moins payée, s'arrangeant toujours, du reste, pour que son fils retrouvât chez elle un abri décent, toutes les fois que sa mauvaise fortune le ramenait malgré lui au foyer maternel.

Par une glaciale saison d'automne, à la veille de son quarantième anniversaire, et se trouvant disponible comme il arrivait, hélas, trop fréquemment — toujours sans avoir le moindre reproche à se faire —, Isaac Scatchard partit à pied de chez sa mère pour se rendre assez loin à l'intérieur du pays, chez un

13

gentleman dans le château duquel on lui avait signalé comme vacante une place de palefrenier en sous-ordre.

Son jour de naissance échéant à quarante-huit heures de là, Mrs Scatchard, toujours attentive et bonne, lui fit promettre, avant de le laisser partir, qu'il s'arrangerait pour revenir passer auprès d'elle cette journée de fête qu'ils célébreraient ensemble au mieux de leurs modiques ressources. Il lui était facile de se conformer à ce désir, même en supposant qu'à l'aller comme au retour, il s'arrêtât pour coucher.

Il quittait son domicile un lundi matin et, soit qu'il obtint la place, soit qu'elle ne lui fût pas accordée, il devait être revenu pour son dîner d'anniversaire, le mercredi suivant, vers deux heures de l'après-midi.

Arrivé trop tard, le lundi soir, pour se présenter à la personne au service de laquelle il voulait entrer, il passa la nuit dans l'auberge du village. Le mardi matin, de bonne heure, il se présenta au château pour y solliciter la place vacante. Son guignon habituel se montra fidèle au nouveau rendez-vous, et inexorable, comme d'habitude. Les excellentes attestations écrites dont il était muni ne lui servirent de rien ; sa longue course se trouva un grand effort en pure perte : la veille, un autre valet d'écurie avait été installé.

Isaac, résigné à ce genre de désappointements, accepta la chose avec une parfaite résignation. D'une intelligence naturellement un peu lourde, il avait cette insensibilité, cette flegmatique patience qui sont l'ordinaire apanage des esprits difficiles à remuer. Il remercia l'intendant qui avait bien voulu lui accorder audience avec sa politesse habituelle, son imperturbable sang-froid, et repartit sans avoir laissé paraître le moindre abattement sur son visage toujours impassible.

Avant d'entreprendre son voyage de retour, il prit à l'auberge certains renseignements d'où il résultait qu'il gagnerait quelques miles en prenant une route tout récemment ouverte. Muni d'instructions complètes et fréquemment répétées sur les tours et détours qu'il fallait faire, il entreprit ce nouveau voyage pédestre et marcha toute la journée, sauf une halte de vingt minutes, accordée à un très frugal repas dont une tranche de pain et un morceau de fromage firent tous les frais.

Comme la nuit arrivait, il se mit à pleuvoir et le vent s'éleva. Pour surcroît d'infortune, notre voyageur se trouvait dans un district qui lui était tout à fait inconnu, et il pouvait arbitrer à quelque chose comme une quinzaine de miles la distance qui le séparait encore de son logis. La première maison où il lui parut possible de se renseigner était une auberge située bien loin de tout voisinage, sur le bord de la route et à la lisière d'un bois épais. Malgré son apparence isolée, elle se révéla sous un jour très favorable à un voyageur égaré, affamé, dévoré par la soif, trempé de pluie, et dont les pieds étaient notablement endoloris. L'hôtelier avait bon air et se montra fort civil : le prix qu'il demandait pour un lit n'avait rien d'exorbitant. Isaac, par conséquent, décida qu'il passerait la nuit dans ce gîte confortable.

La tempérance était un des instincts de son organisation. Il ne demanda pour souper que deux tranches de lard, une autre de bon pain bis et une pinte d'ale. Après cette modeste collation, il n'alla pas immédiatement se mettre au lit, mais demeura au contraire en tête à tête avec son hôte, parlant de sa mauvaise chance si obstinée et des tristes perspectives qu'elle lui faisait entrevoir. Abordant ensuite d'autres sujets, il se mit à bavarder chevaux, courses, jockeys, etc. Ni lui, ni le maître de l'auberge, ni les rares ouvriers qui vinrent passer tour à tour quelques minutes dans la salle commune ne dirent rien qui pût le moins du monde exciter l'imagination très limitée et très calme de l'honnête Isaac Scatchard.

On ferma l'établissement peu après 11 heures. Isaac fit avec l'hôte sa tournée d'inspection, tenant la chandelle pendant qu'on verrouillait, au rez-de-chaussée, les portes et les fenêtres. Il remarqua, non sans quelque surprise, la solidité inusitée des barres, crampons et boulons vissés qui assujettissaient les volets garnis de tôle.

— Comme vous avez pu voir, lui dit l'aubergiste, nous vivons ici un peu loin de tout. Jamais encore on n'a essayé de forcer la maison, mais il est toujours plus sûr de se précautionner à l'avance. Quand aucun voyageur ne couche ici, je suis le seul habitant mâle de la maison. Ma femme et ma fille n'ont pas grand courage, et la domestique se fait un point d'honneur d'imiter ses deux maîtresses... Encore un verre d'ale, avant de rentrer dans votre chambre ?... Non ?... Eh bien ! je ne comprends guère, je vous l'avoue, comment un homme aussi sobre que vous ne trouve pas à se placer aisément... Voici l'endroit où vous allez coucher... Vous êtes, ce soir, notre unique locataire, et vous conviendrez, je pense, que la dame de céans s'est mise en frais pour que vous fussiez bien installé... Vous persistez à refuser ce dernier verre d'ale ?... À merveille, alors... et bonne nuit !...

Il était 11 heures et demie à l'horloge du corridor quand ils montèrent dans cette chambre à coucher dont la fenêtre donnait sur le bois situé derrière la maison.

Isaac ferma la porte, posa son flambeau sur la commode et fit, avec la lenteur de l'homme fatigué, ses préparatifs pour la nuit. La bise glaciale soufflait encore, et les gémissements monotones qu'elle envoyait par bouffées dans la profondeur du bois avaient, au sein du silence nocturne, quelque chose d'attristant et de solennel.

Isaac, à son grand étonnement, ne pouvait fermer l'œil. Il résolut en se couchant de garder sa chandelle allumée jusqu'au moment où il se sentirait gagné par le sommeil, car il trouvait un accablement insupportable dans la pensée de rester éveillé en pleines ténèbres, d'écouter à loisir cette plainte du vent, les frémissements du feuillage.

Le sommeil, cependant, le prit sans qu'il s'en aperçût. Ses yeux se fermèrent, et toute conscience de son être fut perdue pour lui sans qu'il eût songé à éteindre sa lumière.

La première sensation qu'il éprouva, après cet anéantissement passager, fut celle d'un étrange frisson qui le parcourut de la tête aux pieds, et d'une angoisse de cœur telle que jamais il n'en avait éprouvé auparavant. Le frisson n'avait fait que troubler son sommeil ; le serrement de cœur l'éveilla instantanément. En une seconde, il passa du repos à la veille, les yeux grands ouverts, et ses perceptions mentales ranimées, soudain éclaircies, comme par miracle.

La chandelle s'était peu à peu consumée jusqu'au dernier débris de suif, mais la mèche venait justement de s'abattre et jetait encore dans la chambre, pour quelques instants, une lumière très nette, quoique vacillante.

Entre le pied du lit et la porte fermée, une femme était debout, un couteau dans la main, le regard arrêté sur Isaac.

Le malheureux, frappé de terreur, ne pouvait articuler un seul mot, cependant il ne perdit pas un moment la clairvoyance surnaturelle de ses facultés et ne quitta pas la femme des yeux. Tandis qu'ils se contemplaient obstinément l'un l'autre, elle ne prononça pas une parole, mais elle se mit à s'avancer très lentement vers le côté gauche du lit.

Isaac l'observait : c'était une belle femme blonde, avec des cheveux couleur de chanvre, les yeux gris clair et la paupière gauche un peu plus abaissée que l'autre. Il remarqua ces détails qui se gravèrent dans sa mémoire avant qu'elle n'eût fait le tour du lit.

Toujours silencieuse, sa physionomie n'exprimant rien, ses pas n'éveillant aucun bruit, elle approchait de plus en plus... puis s'arrêta, et lentement, lentement leva son couteau... Avec le bras droit, il para d'instinct le coup qui menaçait de le frapper à la gorge, mais quand il vit le poignard s'abaisser pour de bon, il porta la main au bord du lit, du côté droit, imprimant ainsi à son corps un vif mouvement qui le déplaça fort à propos, juste à la seconde où le couteau s'enfonçait dans le matelas, à un pouce environ de son épaule...

Les yeux d'Isaac demeurèrent fixés sur le bras et la main de cette femme tandis qu'elle dégageait lentement l'arme plongée dans le lit. Le bras était blanc, d'une forme élégante, et sur la peau, d'un grain serré, un joli duvet fin étendait sa couche légère. La main était celle d'une femme du monde, et pour ajouter à la grâce de ces mignonnes proportions, elle avait, au-dessous et autour des ongles, ces teintes rosées que les peintres et les poètes prêtent à l'Aurore comme un de ses attributs distinctifs.

Elle dégagea le fer meurtrier et retourna lentement au pied du lit. Là, elle s'arrêta un moment pour regarder Isaac puis, continuant sa marche, toujours muette et sans que sa physionomie eût pris la moindre expression, sans que ce beau visage impassible trahisse une pensée quelconque, sans que ce pas furtif produise le plus léger bruit, elle passa sur la droite du lit, du côté où Isaac s'était précipité le moment d'avant.

Arrivée près de lui, elle leva son couteau une fois encore, et naturellement il se rejeta vers le côté gauche. Elle frappa comme la première fois en droite ligne, avec un mouvement de bras perpendiculaire et une implacable résolution.

Cette fois, ce fut le couteau qui attira l'attention d'Isaac. On eût dit un de ces grands eustaches à ressort, qu'il avait eu fréquemment l'occasion de voir dans les mains des ouvriers de campagne, lesquels s'en servaient pour découper leur pain et leur lard.

Les frêles doigts de la femme qui en était armée occupaient à peine les deux tiers du manche, qui était — ainsi qu'il put le constater — taillé dans une corne de cerf — propre et brillante comme la lame elle-même — et tout neuf, à en juger par son apparence.

Pour la seconde fois elle retira le couteau, qu'elle cacha dans les larges manches de sa robe, puis s'arrêta devant le lit, ayant l'air de guetter sa victime. Isaac la vit un instant debout, dans cette attitude, puis la mèche dont les derniers jets de lumière l'éclairaient encore s'affaissa dans la bobèche du flambeau. Il ne resta plus qu'une petite étoile bleuâtre et la chambre retomba dans l'obscurité.

Une seconde — peut-être moins d'une seconde — et, pour la dernière fois, la mèche immense dégagea quelques clartés. Au moment où elles permirent à Isaac de voir ce qui se passait à la droite du lit, ses yeux avides étaient encore fixés dans cette direction... mais ils ne purent rien discerner : la belle femme au couteau avait disparu.

La conviction qu'il était resté seul affaiblit la terrible étreinte qui jusqu'alors l'avait empêché d'ouvrir la bouche. L'acuité surnaturelle qu'une peur intense avait communiquée à ses facultés leur fut tout aussitôt retirée.

Sa cervelle se troubla, son cœur battit d'une façon désordonnée ; ses oreilles, pour la première fois depuis l'apparition de cette femme, s'ouvrirent au bruit du vent engouffré sous les arbres. Pénétré de la réalité de l'incident et sûr du témoignage de ses yeux, il bondit hors de son lit en criant : « Au meurtre ! À l'assassin ! Réveillez-vous !... » puis s'élança du côté de la porte, à l'aveuglette, frayant sa route comme il put dans l'obscurité qui l'enveloppait.

La porte était fermée de l'intérieur, très exactement dans l'état où il l'avait laissée en se mettant au lit.

Ses cris, cependant, avaient mis en l'air toute la maison. Il entendait les clameurs effarées, incohérentes, que les femmes poussaient à tous les étages. Il vit le maître de la maison qui, un bougeoir allumé dans une main, son fusil dans l'autre, longeait le corridor avec précaution.

— Qu'y a-t-il donc ? lui demanda l'homme, hors d'haleine.

Isaac ne put répondre qu'à voix basse :

— Une femme avec un couteau... dit-il, haletant. Dans ma chambre, une belle femme aux cheveux blonds... Deux fois... Oui, deux fois... Elle a cherché à me frapper...

Les joues blêmes de l'hôtelier blêmirent encore. À la lueur vacillante du bougeoir, il examina Isaac d'un regard attentif, puis le sang revint à ses joues et il changea de voix aussi bien que de couleur.

— On dirait qu'elle vous a manqué deux fois, dit-il alors.

— J'ai pu éviter le couteau en me dérobant lorsqu'il s'abattait sur moi... mais chaque fois il s'est enfoncé dans le lit, répondit-il de la même voix effarouchée.

L'hôtelier entra immédiatement dans la chambre

21

avec son flambeau. Moins d'une minute après, il reparut dans le corridor, en proie, bien évidemment, à une violente colère.

— Le diable vous emporte, vous et votre femme au couteau !... Il n'y a pas sur les draps la moindre trace d'une coupure quelconque... Que signifie de venir ainsi faire peur à toute une famille, sous prétexte d'un rêve absurde ?...

— Je vais m'en aller, dit Isaac d'une voix faible. Je préfère la route, la pluie et la nuit noire à cette chambre où il me faudrait rentrer, après tout ce que j'y ai vu... Prêtez-moi un flambeau pour m'aider à retrouver mes vêtements, et dites-moi ce que j'ai à payer.

— À payer ? s'écria l'hôtelier qui, tout en grommelant, éclairait son locataire tandis que celui-ci s'habillait en hâte. Vous trouverez en descendant votre note inscrite sur l'ardoise... Je ne vous aurais pas reçu pour tout l'argent que vous avez sur vous si j'avais pu prévoir d'avance vos cauchemars et vos criailleries... Regardez-moi ce lit !... Où voyez-vous trace d'un coup de couteau ?... Regardez-moi cette fenêtre !... Le verrou en est-il brisé ?... Regardez à la porte — que je vous ai entendu fermer vous-même à double tour... Le pêne ou la gâche sont-ils forcés ?... Et vous parlez d'une femme venue pour vous assassiner avec un couteau !... Vous devriez avoir honte de vous-même.

Isaac, sans un mot, se hâtait de passer l'un après l'autre tous ses vêtements. Ils descendirent ensemble, une fois sa toilette achevée.

— Deux heures et vingt minutes, ou peu s'en

faut, dit l'aubergiste quand ils arrivèrent devant l'horloge... Joli moment pour mettre sens dessus dessous une famille d'honnêtes gens !

Isaac paya son compte. Son hôte, qui l'avait escorté jusqu'à la porte principale lui demanda, non sans une dédaigneuse grimace — tout en défaisant successivement les diverses pièces du solide appareil sous la protection duquel ils avaient dormi — s'il ne craignait pas que la femme au couteau ne fût embusquée de ce côté.

Ils se séparèrent ensuite sans qu'une seule parole eût été échangée. Il ne pleuvait plus, mais la nuit continuait à être sombre et le vent soufflait plus froid que jamais. Qu'importaient, du reste, à Isaac, l'obscurité, le froid, la difficulté de retrouver sa route ?

Jeté au milieu d'un désert pendant une tempête, il y eût encore trouvé du soulagement à la suite de souffrances comme celles qu'il venait de subir dans cette chambre d'hôtellerie.

Cette belle femme, armée d'un couteau, que pouvait-elle être ? Une vaine chimère née d'un rêve, ou bien quelqu'une de ces créatures que, sous le nom de fantômes, un monde inconnu envoie au nôtre ? De ce mystère il ne put rien tirer, pas même quand midi fut sonné, le mercredi, et lorsque, après avoir fait plusieurs fois fausse route, il se retrouva sur le seuil du cottage maternel.

III

Sa mère, empressée, vint au-devant de lui. Sur son visage, aussitôt, elle vit que quelque chose allait mal.

— J'ai manqué ma place, dit-il, mais c'est là mon bonheur habituel. La nuit dernière, j'ai fait un mauvais rêve. Peut-être ai-je été régalé d'une apparition... Quoi qu'il en soit, j'en ai presque perdu la tête, tant j'ai eu peur... Et je ne me sens pas encore bien remis.

— Isaac, votre figure m'effraye... Approchez du feu !... Venez raconter à votre mère tout ce qui s'est passé.

Il était aussi pressé de parler qu'elle pouvait être pressée de l'entendre, car pendant toute la route il s'était promis que sa mère — bien autrement intelligente, bien autrement instruite que lui — serait à même d'éclaircir plus ou moins ce mystère dont il ne pouvait se rendre aucun compte. Le souvenir du rêve était encore très vif en lui, bien qu'à tous autres égards le trouble le plus complet existât dans ses idées.

À mesure que son récit avançait, le visage de Mrs Scatchard devenait de plus en plus pâle. Elle ne songea pas une seule fois à l'interrompre, mais quand il eut fini, elle approcha son siège de celui où il était assis, lui passa un bras autour du cou, et lui dit :

— C'est aujourd'hui mercredi, c'est ce matin que vous avez fait ce mauvais rêve... Quelle heure était-il quand vous avez vu cette belle femme arriver près de vous, le couteau à la main ?

Isaac réfléchit à ce que lui avait dit l'hôtelier en passant devant l'horloge de l'auberge. Puis, calculant approximativement le temps qui avait dû s'écouler entre le moment où ils étaient sortis de la chambre à coucher et celui où il avait, avant de partir, acquitté sa petite note, il répondit :

— Il devait être à peu près 2 heures du matin.

Sa mère, dégageant le bras dont elle l'avait étreint, frappa ses deux mains l'une contre l'autre avec un geste de désespoir.

— Le mercredi où nous sommes est précisément votre anniversaire, mon pauvre Isaac... Et c'est à 2 heures du matin que vous êtes venu au monde !...

L'intelligence de l'honnête palefrenier n'était pas assez subtile pour que les craintes superstitieuses de sa mère y pussent exercer une influence contagieuse, mais il fut abasourdi et quelque peu ému de frayeur quand il la vit, se levant tout à coup de sa chaise, ouvrir sa vieille écritoire, y prendre une plume, de l'encre, du papier, et dire ensuite, s'adressant à lui :

— Votre mémoire n'est guère fidèle, Isaac, et maintenant que je suis vieille, la mienne ne vaut pas beaucoup mieux. Or je désire que ce rêve que vous avez fait nous soit à tous les deux, dans quelques années, aussi présent qu'il nous l'est aujourd'hui même... Répétez-moi ce que vous venez de me dire à la minute, quand vous me décriviez précisément cette femme armée d'un couteau !

Isaac se rendit à ce désir, s'émerveillant de ce que sa mère transcrivait avec un soin minutieux, et mot pour mot, ce qui sortait de ses lèvres.

Des yeux gris clair, écrivit-elle quand ils furent

25

Wilkie Collins

aux détails de l'apparition... *La paupière gauche un peu tombante... Des cheveux couleur de chanvre, avec un reflet doré... Des bras blancs revêtus d'un léger duvet... Une petite main de femme bien née, avec une teinte rose marquée sous les ongles... Un couteau à ressort, le manche en bois de cerf, et qui semble n'avoir pas servi...*

À ces indications détaillées, Mrs Scatchard voulut ajouter celles de l'année, du mois, du jour de la semaine, et jusqu'à l'heure de la matinée où la femme était apparue en rêve devant les yeux de son fils. Puis elle enferma soigneusement le manuscrit dans son écritoire.

Ni ce jour-là ni à aucune autre date, Isaac ne put obtenir qu'elle veuille bien revenir sur l'incident bizarre qui le préoccupait. Elle gardait strictement pour elle-même les pensées que ce rêve avait pu lui suggérer et déclinait même toute allusion au papier qu'elle avait serré dans son écritoire. Isaac se lassa bientôt des efforts qu'il faisait pour l'amener à rompre ce silence obstiné. Peu à peu, d'ailleurs, le travail du temps qui use et efface toute chose emporta l'impression que le songe avait d'abord produite sur lui. Il n'y pensait plus qu'avec une insouciance toujours croissante. Bientôt, il cessa tout à fait d'y penser.

Dans ce résultat final entrèrent pour beaucoup certains événements qui vinrent améliorer sa position et dont le début suivit d'assez près cette nuit terrible qu'il avait passée dans l'auberge dont nous avons parlé. Il fut enfin récompensé de sa lutte obstinée contre la mauvaise fortune par son entrée dans une excellente place où il demeura sept années consécutives, au bout desquelles son maître, venant à mourir, lui laissa, outre un excellent certificat, une annuité convenable, récompense qui lui était bien due pour avoir sauvé la vie de sa maîtresse, compromise dans un accident de voiture.

Ce fut ainsi qu'Isaac Scatchard revint auprès de sa vieille mère, sept ans après son fameux rêve, avec un revenu viager qui les mettait tous deux à l'abri de la misère et les affranchissait de toute dépendance.

Sa mère, dont la santé dépérissait depuis quelque temps, profita si bien des soins qui lui étaient prodigués et du bien-être où la plaçait, libre de tout souci, sa nouvelle position pécuniaire, que lorsque revint l'anniversaire de la naissance d'Isaac, elle se vit en état de prendre place à table et de dîner avec lui, dans un confortable tête-à-tête.

Ce jour-là, vers la fin de la soirée, Mrs Scatchard s'aperçut qu'une fiole de médecine tonique — dont elle usait habituellement et dont elle croyait avoir encore une dose ou deux — se trouvait absolument vide. Isaac s'offrit immédiatement d'aller la faire remplir chez le pharmacien. C'était par une nuit d'automne, pluvieuse et froide, comme dans cette mémorable occasion où, venant à perdre son chemin, il avait dû chercher asile dans une auberge isolée.

Alors qu'il entrait chez le pharmacien, il fut légèrement heurté par une femme qui en sortait. Elle était pauvrement mise, mais quand il l'aperçut, son visage le frappa, et il tourna la tête pour la regarder descendre le perron de la boutique...

— C'est cette femme qui attire votre attention ? lui dit l'apprenti qui, pour le moment, se trouvait seul au comptoir... Ou je me trompe fort, ou elle a quelques mauvais projets... Elle me demandait du laudanum pour mettre sur une dent malade. Le patron est sorti et ne doit rentrer que dans une demi-heure... J'ai répondu qu'en son absence, je n'étais pas autorisé à vendre du poison, surtout quand je ne connais pas les gens qui le demandent... Elle s'est mise à rire d'une singulière façon et m'a déclaré qu'elle reviendrait quand mon maître serait de retour... Si elle compte qu'il lui donnera ce qu'elle désire, je crois bien qu'elle sera désappointée... C'est un cas de suicide, monsieur, aussi clair qu'on en ait jamais vu...

Ces paroles irritèrent chez Isaac la curiosité soudaine que lui avait fait éprouver le coup d'œil jeté sur le visage de la femme dont il était question. Sa fiole regarnie, lorsqu'il se retrouva dehors, il ne put s'empêcher de chercher des yeux si elle n'était pas dans la rue. Il la vit effectivement se promener de long en large sur le trottoir opposé.

Tout en traversant pour l'aller rejoindre, Isaac — à son grand étonnement — sentait battre son cœur, plus ému qu'il n'aurait osé l'avouer.

Il lui demanda si elle avait besoin de quelque secours. Elle lui montra son châle déchiré, ses misérables vêtements, son chapeau déshonoré par mainte souillure et tout bosselé puis, se rapprochant d'un réverbère et plaçant sous la lumière qu'il projetait un visage pâle et sérieux mais d'une incontestable beauté, elle lui demanda avec un sourire sardonique :

— N'ai-je pas l'air d'une femme bien heureuse, et bien pourvue de tout ce qu'il lui faut ?

Elle prononça ces mots avec une netteté d'accent et une justesse d'intonation qu'Isaac n'avait jamais rencontrées ailleurs que chez les femmes bien nées. Ses moindres gestes avaient aussi la grâce négligée qui est l'apanage des personnes élevées dans le monde.

Malgré cette pâleur que la misère lui donnait sans aucun doute, sa peau délicate et fine révélait une existence jusque-là passée, en grande partie du moins, parmi les douceurs de la vie opulente. Jusqu'à ses mains, mignonnes et soignées — bien qu'elle ne portât pas de gants —, qui n'avaient encore rien perdu de leur blancheur primitive.

Petit à petit, continuant ses questions, il obtint l'histoire mélancolique de cette infortunée créature. À quoi bon la placer ici ? Elle est consignée en toutes lettres dans une foule de rapports de police et dans maints paragraphes de journaux consacrés aux « tentatives de suicide ».

— Je m'appelle Rebecca Murdoch, dit la femme en terminant son récit. Il me reste justement neuf pence, et je les avais destinés à m'assurer, chez ce pharmacien devant lequel je passais, une place pour l'autre monde... Je n'y serai jamais plus mal que dans celui-ci... Pourquoi donc ne pas risquer le voyage ?...

Sans parler de la tristesse et de la compassion bien naturelle que de telles paroles éveillaient dans son cœur, Isaac se sentit, pendant que la femme lui parlait ainsi, sous le coup d'une mystérieuse influence qui troublait absolument ses idées et lui ôtait à peu près l'usage de la parole.

Tout ce qu'il put trouver pour répondre aux propos insensés qu'elle venait de lui tenir en dernier lieu fut qu'il l'empêcherait bien d'attenter à ses propres jours, dût-il pour cela ne la plus quitter de la nuit. Le tremblement de sa voix et le brusque intérêt qu'elle semblait trahir parurent produire une certaine impression sur son interlocutrice.

— Je ne vous donnerai pas tant de peine, lui répondit-elle quand il réitéra cette espèce de bienveillante menace. En me parlant avec un peu de bonté, vous m'avez suggéré la fantaisie de vivre encore. Laissons de côté les vaines protestations et les promesses menteuses. Vous me croirez bien sans cela... Soyez demain, vers midi, à la prairie aux Foulons, et vous m'y trouverez encore en vie, toute prête à répondre de moi... Non... non... gardez votre argent !... Mes neuf pence me suffiront bien pour me procurer l'abri dont j'ai besoin.

Avec un signe de tête amical, elle le quitta. Il ne tenta point de la suivre, certain qu'elle n'avait pas voulu le tromper.

C'est bizarre... Je ne saurais m'empêcher de la croire, se dit-il en revenant, comme étourdi, du côté de sa maison.

En y entrant, il était encore tellement absorbé par ce nouvel incident qu'il ne prit pas garde à ce que faisait sa mère. En son absence, elle avait ouvert sa vieille écritoire et lisait attentivement un papier encore déposé à l'intérieur de ce petit meuble.

Depuis qu'elle avait consigné par écrit les détails

qu'il lui avait donnés de vive voix sur le rêve dont il a été parlé, chaque fois que revenait l'anniversaire de ce rêve — qui était en même temps celui de la naissance d'Isaac —, elle avait coutume de relire et de méditer ce singulier document.

Le lendemain, Isaac se rendit à la prairie aux Foulons.

Il n'avait fait que rendre justice à son inconnue en lui accordant une confiance implicite. Elle se trouvait là, l'heure sonnant, toute prête à répondre d'elle-même. Les faibles défenses qui protégeaient encore le cœur d'Isaac contre la fascination produite sur lui par le moindre mot, le moindre regard de cette femme tombèrent et s'effacèrent devant elle en cette mémorable matinée.

Quand un homme, jusqu'alors insensible à l'influence féminine, contracte au milieu de sa vie un attachement de cet ordre, il lui arrive bien rarement — seules les circonstances lui prêtent un tel secours — de pouvoir s'affranchir du joug auquel le soumet une passion dont il n'avait pas même l'idée.

Pour Isaac, à l'âge de vingt ans, c'eût déjà été un fort dangereux attrait que le plaisir d'entendre une femme — dont le langage choisi et les manières élégantes laissaient encore entrevoir le rang qu'elle avait dû occuper avant sa triste déchéance — lui parler familièrement, avec une reconnaissance affectueuse et presque tendre. Mais c'était bien autre chose — un piège auquel il devait infailliblement succomber — que cette affection dégradante, conçue en pleine maturité, alors que les sentiments de tout ordre, une fois implantés dans l'être moral, poussent de tous côtés les racines les plus vigoureuses. Il ne fallut pas beaucoup de furtives entrevues dans la prairie aux Foulons pour porter à son comble ce fol entraînement.

Moins d'un mois après l'avoir rencontrée pour la première fois, Isaac Scatchard avait pris un parti qui, en donnant un nouveau but à l'existence de Rebecca Murdoch, lui assurait une chance de recouvrer le bon renom qu'elle avait perdu. Il lui avait promis de l'épouser.

Elle ne s'était pas seulement emparée de son cœur, elle dominait en même temps son intelligence. Il lui avait, en quelque sorte, remis la clef de tout ce qu'il avait en fait de pensées. Elle le dirigeait en tout et pour tout, à ce point qu'elle lui donna ses instructions pour les ménagements à garder quand il ferait vis-à-vis de sa mère les premières ouvertures se rapportant à leur prochain mariage.

« Si tout d'abord vous lui dites qui je suis et comment vous m'avez rencontrée, insinuait cette femme pétrie de ruse, elle remuera ciel et terre pour rompre nos projets d'union... Présentez-moi comme la sœur d'une personne autrefois employée dans la même maison que vous. Demandez-lui de me voir avant d'entrer dans aucun autre détail, et confiez-moi tout le reste... Je prétends me faire aimer d'elle mieux qu'elle n'aime personne — si ce n'est vous — avant qu'elle ne sache rien de ma vie passée. »

Le motif de cette tromperie suffisait pour la sanctifier aux yeux d'Isaac. Grâce au stratagème qu'on lui proposait, il serait débarrassé d'une de ses anxiétés les plus vives, et aussi des remords qui venaient parfois l'assaillir au sujet de sa mère. Il manquait pourtant quelque chose à son bonheur, quelque chose dont il ne pouvait se faire une idée nette, dont il perdait à chaque instant la vague perception et qui, néanmoins, se faisait sentir perpétuellement, non pas — chose étrange ! — en l'absence de Rebecca Murdoch, mais au contraire lorsqu'elle était là, présente à ses regards.

Envers lui, elle se montrait la bonté même : elle ne lui faisait jamais sentir l'infériorité de son esprit ou de ses manières, elle manifestait le désir le plus flatteur de lui plaire dans les moindres bagatelles. Mais nonobstant toutes ces séductions, jamais il ne se sentait complètement à son aise avec elle.

Lors de leur première rencontre, il s'était mêlé à l'admiration que son visage lui inspirait l'involontaire soupçon que ce visage ne lui était pas absolument inconnu. Et sur cette incertitude inexplicable qui le hantait et le gênait, la familiarité survenue depuis n'avait eu aucune action.

Déguisant la vérité selon la recommandation qui lui avait été faite, il annonça son mariage à sa mère le jour même où il s'était engagé, avec une certaine précipitation et un certain trouble. La pauvre Mrs Scatchard prouva la confiance qu'elle mettait dans le choix de son fils en lui jetant les bras autour du cou pour le remercier et le féliciter de ce qu'il avait trouvé, chez la sœur d'une personne à lui bien connue, la femme qui était appelée à le soigner, à le consoler, lorsqu'elle-même aurait quitté ce monde. Elle était avide de voir sa bru future ; la présentation fut convenue pour le lendemain.

La matinée était radieuse et l'humble cottage tout doré des rayons du soleil lorsque Mrs Scatchard, joyeuse et souriant à l'avenir, parée d'ailleurs de ses habits de fête, s'assit pour attendre son fils et sa fiancée.

Exactement à l'heure qu'il avait marquée, Isaac, un peu agité, un peu nerveux, introduisit sa promise dans la chambre de sa mère. Celle-ci se leva pour accueillir la nouvelle venue, avança de quelques pas, le sourire aux lèvres, regarda Rebecca dans le blanc des yeux et s'arrêta tout à coup.

Son visage, animé le moment d'avant, devint d'une pâleur effrayante, ses yeux perdirent leur douce et bonne expression pour prendre celle d'une terreur effarée, les mains qu'elle tendait en avant retombèrent le long de son corps et, reculant de quelques pas, elle se pencha vers son fils avec un léger cri, proféré presque à voix basse :

— Isaac, lui dit-elle à l'oreille en lui serrant fortement le bras quand il lui eut demandé avec effroi si elle se sentait indisposée. Isaac !... Le visage de cette femme n'éveille-t-il chez vous aucun souvenir ?...

Avant qu'il eût pu répondre, avant même qu'il eût pu se retourner vers Rebecca — toujours debout sur le seuil et que cet accueil inattendu semblait surprendre et irriter —, sa mère, lui montrant du doigt l'écritoire et lui en remettant la clef, dit d'une voix entrecoupée, en parlant vite :

— Ouvrez !

— Que signifie tout ceci ?... Va-t-on me traiter en personne qui n'a pas ici sa place ?... Votre mère prétendrait-elle m'insulter ? demanda Rebecca du ton d'une personne qui se sent blessée.

— Ouvrez ce meuble et donnez-moi le papier enfermé dans le tiroir de gauche !... Vite, vite, pour l'amour de Dieu ! dit Mrs Scatchard qui chancelait de plus belle, reculant de terreur.

Isaac lui remit le papier qu'elle demandait. Elle le parcourut d'un regard avide pendant quelques secondes, suivit Rebecca qui, haussant les épaules, s'était retournée pour quitter la pièce où ils étaient, et la saisissant par le bras, elle souleva la large manche de sa robe afin de jeter un prompt regard sur sa main et son bras.

Un sentiment voisin de la crainte sembla se mêler à l'irritation peinte sur son visage quand elle se dégagea d'un mouvement brusque de l'étreinte de la vieille femme qui l'examinait de si près. *Elle est folle*, se dit-elle à elle-même. *Isaac aurait dû m'en prévenir...* Sans rien ajouter, elle sortit.

Isaac se hâtait après elle, mais sa mère, se retournant, lui barra le passage. Il éprouva un vrai serrement de cœur en voyant le chagrin et la terreur dont était empreint le regard qu'elle lui jeta dans ce moment.

— Des yeux gris clair... dit-elle, montrant du doigt la porte restée ouverte et parlant à voix basse avec une tristesse mêlée de terreur. La paupière gauche tombante... Des cheveux blond pâle à reflets dorés... Des bras blancs, revêtus d'un léger duvet... Une petite main de dame, aux ongles colorés de rose... C'est la femme rêvée, Isaac... la femme rêvée !...

Cette inquiétude vague mais obstinée dont, en présence de Rebecca Murdoch, il ne pouvait jamais se débarrasser se trouva une fois pour toutes bien définie à ses yeux par cette fatale révélation. Effectivement, il avait déjà vu son visage : il l'avait vu sept ans auparavant, le jour de son anniversaire, dans la chambre à coucher de l'auberge isolée.

— Que ceci vous serve !... O mon fils, que ceci vous serve !... Isaac, mon Isaac, renoncez à cette femme !... Laissez-la partir !... Restez avec moi !...

Au moment où cette adjuration fut prononcée, un objet quelconque vint obscurcir la clarté qui pénétrait par l'unique fenêtre du petit salon. Isaac sentit un frisson glacé lui parcourir le corps et jeta un regard oblique du côté de cette ombre menaçante. Rebecca Murdoch était revenue sur ses pas ; par-dessous la jalousie à demi baissée, elle leur jetait un regard empreint d'une curiosité maligne.

— J'ai promis, mère... Il faudra tenir... dit-il. Le mariage est irrévocable.

Comme il parlait ainsi, des larmes vinrent à ses yeux et voilèrent son regard, mais elles ne l'empêchèrent pas de discerner ce visage fatal qui, de nouveau, s'écartait de la fenêtre.

La mère baissa la tête, sans ajouter un seul mot.

— Vous sentez-vous faible ? murmura-t-il à son oreille.

— Mon cœur est brisé, malheureux enfant !

Il se pencha pour l'embrasser. L'ombre, à ce moment, se dessina de nouveau sur le cadre lumineux de la croisée ; le masque fatal y reparut avec son regard curieux et railleur...

IV

Trois semaines après cette journée, Isaac et Rebecca devinrent mari et femme. Tout l'entêtement aveugle, toute la ténacité désespérée qui caractérisaient cet homme semblaient avoir concentré son énergie autour de cette passion insensée pour la faire pénétrer dans son âme à des profondeurs inaccessibles.

Après cette première entrevue dans le cottage, rien, en revanche, ne put décider Mrs Scatchard à revoir la femme de son fils ou même à parler d'elle quand Isaac voulut, après l'accomplissement du mariage, plaider la cause de celle-ci.

Cette ligne de conduite, si fermement adoptée, ne fut point motivée par les découvertes auxquelles donna lieu la vie dégradante que Rebecca Murdoch avait menée depuis déjà quelque temps.

Entre la mère et le fils, il ne fut pas question de ceci. Il ne fut question de rien, à vrai dire, si ce n'est de la ressemblance frappante qui existait entre cette femme bien réellement vivante et la femme-spectre qu'Isaac avait vue dans son rêve.

Rebecca, au surplus, ne ressentait et n'exprimait, de son côté, aucun chagrin de se voir ainsi repoussée par sa belle-mère. Isaac, dans une pensée conciliante, lui avait laissé penser que l'âge et les infirmités avaient affaibli les facultés mentales de Mrs Scatchard. Il acceptait même les reproches de sa femme quand elle l'accusait de lui avoir dissimulé cet état de choses plutôt que de risquer, en lui disant la vérité, de soulever des difficultés quelconques. Après les sacrifices qu'il avait déjà faits à son chimérique élan, celui de son intégrité devait compter pour peu de chose et ne coûtait guère à sa conscience.

Le temps où cette illusion allait s'effacer n'était plus maintenant bien éloigné. Après quelques mois de calme qui suivirent le mariage — l'amour tirant vers sa fin — et comme l'anniversaire de sa naissance allait bientôt venir, Isaac s'aperçut que sa femme changeait de conduite vis-à-vis de lui.

Plus boudeuse, plus méprisante chaque jour, elle formait des relations de plus en plus compromettantes, nonobstant ses avis, ses prières, même ses ordres formels. Pour comble de disgrâce, elle apprit en peu de temps à chercher dans la boisson l'oubli de leurs querelles conjugales.

Peu à peu, après avoir constaté qu'elle fréquentait des gens adonnés à l'ivrognerie, le malheureux Isaac fut bien forcé de reconnaître qu'elle avait, elle aussi, contracté cet ignoble vice.

Depuis quelque temps déjà, avant que ces calamités domestiques fussent venues fondre sur sa tête, il était sous le coup d'un abattement, d'une tristesse qui allaient croissant chaque jour. La santé de sa mère — ainsi qu'il pouvait le constater toutes les fois qu'il l'allait visiter — déclinait rapidement, pour ainsi dire à vue d'œil, ce qui lui laissait un certain remords, persuadé comme il l'était secrètement que son mariage était la cause première des souffrances physiques et morales auxquelles il la voyait en proie.

La Femme rêvée

Lorsqu'aux reproches dont il s'accablait tout bas vinrent s'ajouter la honte et le chagrin que lui causait la conduite de sa femme, il se sentit fléchir sous ce double fardeau ; son visage s'altéra très vite, et on put y voir ce qu'il était : un homme fini.

Sa mère, qui luttait encore bravement contre le mal près de l'emporter, fut la première à remarquer ces tristes changements, et la première à obtenir la révélation des honteux désordres de sa bru.

Elle ne put que pleurer amèrement, le jour où il lui fit cet humiliant aveu, mais la première fois que son fils vint la revoir ensuite, il la trouva ayant pris, relativement à ses afflictions de ménage, un parti qui l'étonna et lui donna même quelques inquiétudes. Elle était tout habillée pour sortir et, comme il en demandait la raison, il reçut la réponse suivante :

— Je ne suis pas de ce monde pour bien longtemps, mon pauvre Isaac, et je serais tourmentée sur mon lit de mort si je n'avais fait de mon mieux pour assurer le bonheur de mon fils. Je veux mettre de côté toutes mes craintes, toutes mes répugnances, et aller avec vous trouver votre femme pour essayer de la rappeler à elle-même... Votre bras, Isaac, et laissez-moi faire la seule chose dont je me sens capable ici-bas pour venir en aide à mon fils avant qu'il ne soit trop tard !...

Il ne pouvait que déférer à ce vœu, et ils se dirigèrent ensemble, à pas lents, vers le misérable intérieur qu'il s'était fait.

Il n'était pas plus d'une heure quand ils arrivèrent au cottage où il avait pris domicile. C'était l'heure du dîner, et Rebecca se trouvait dans la cuisine. Isaac

Wilkie Collins

put donc sans le moindre encombre conduire sa mère dans le salon, pour aller ensuite préparer sa femme à l'entrevue projetée.

Fort heureusement, à cette heure peu avancée du jour, elle n'avait encore bu que très modérément ; aussi la trouva-t-il moins boudeuse, moins capricieuse qu'à l'ordinaire.

Il revint un peu soulagé vers sa mère. Rebecca les rejoignit bientôt, et l'entrevue des deux femmes se passa mieux qu'il n'aurait osé l'espérer ; il remarqua néanmoins avec quelque secrète appréhension que Mrs Scatchard, à tous autres égards parfaitement maîtresse d'elle-même, ne pouvait se résoudre à regarder sa femme en lui adressant la parole. Il se sentit donc très soulagé quand il vit Rebecca commencer à mettre le couvert.

Elle étendit la nappe, apporta la corbeille de pain et, après en avoir coupé un morceau destiné à son mari, elle alla chercher quelque chose dans la cuisine.

À cet instant, Isaac, qui ne perdait pas sa mère de vue, remarqua non sans frémir sur le visage de cette digne femme la même effrayante altération qu'il y avait notée le jour où elle et Rebecca s'étaient rencontrées pour la première fois. Avant qu'il ait pu lui adresser la moindre question, elle lui dit à l'oreille, avec un regard terrifié :

— Remmenez-moi !... Partons, Isaac, allons-nous-en !... Venez avec moi !... Ne remettez plus les pieds ici !...

Il aurait eu peur de solliciter une explication, aussi lui fit-il simplement signe de se taire et la conduisit-

40

il avec empressement vers la porte. En passant devant la corbeille de pain encore posée sur la table, elle s'arrêta, et, la montrant de la main, elle lui demanda très bas :

— Avez-vous vu... avez-vous vu de quoi votre femme s'est servie pour vous couper du pain ?

— Non, mère, je n'y ai pas fait attention... Qu'était-ce donc ?

— Regardez !

Il regarda. Un couteau neuf avec un manche en bois de cerf était resté dans la corbeille, à côté d'un morceau de pain tout préparé. Il tendit la main — une main frémissante — pour s'en emparer, mais au même instant, il se fit du bruit dans la cuisine et sa mère lui dit, arrêtant son bras :

— C'est le couteau du rêve... Isaac, je suis sur le point de me trouver mal !... Emmenez-moi, je vous prie, avant qu'elle ne soit de retour !...

Tout au plus pouvait-il soutenir la pauvre femme chancelante. Cette réalité visible et tangible — le couteau — venait de le frapper d'une terreur panique en dissipant les faibles doutes qu'il avait voulu conserver jusqu'alors, relativement à l'avertissement mystérieux qu'un rêve lui avait donné huit ans auparavant.

Par un suprême effort, il parvint pourtant à conduire sa mère hors du logis et si doucement que « la femme rêvée » — c'est ainsi qu'il en était maintenant venu à l'appeler — ne les entendit pas, de la cuisine où elle était encore, se glisser furtivement dans la rue.

— Ne retournez pas là-bas, Isaac !... N'y retournez pas !... lui cria Mrs Scatchard quand elle le vit, après l'avoir installée dans sa chambre, s'apprêter à rentrer chez lui.

— Il me faut ce couteau... répondit-il d'une voix concentrée.

Sa mère voulut encore le retenir, mais il se déroba précipitamment à ses instances sans prononcer une parole de plus.

Dès son retour, il s'aperçut que sa femme avait découvert leur furtif départ. Elle s'était enivrée, et la colère à présent l'égarait. La nappe était enlevée, le dîner avait été jeté dans les cendres... Qu'avait-elle fait du couteau ?

Sans réfléchir assez, il le lui demanda. Quant à elle, rien ne pouvait mieux lui convenir que l'occasion de l'irriter, offerte ainsi à sa rancune. Il demandait le couteau... Pour quoi faire ?... Avait-il une raison à donner ?... Non !... Eh bien, il ne l'aurait pas, ce couteau !... Non, certes, dût-il se mettre à genoux pour l'obtenir !

La suite du débat mit au jour ce détail qu'elle l'avait acheté d'occasion et qu'elle le considérait dès lors comme étant sa propriété particulière. Isaac vit bien qu'il ne fallait pas songer à se rendre maître du couteau par des moyens légitimes ; il résolut de le chercher en secret un peu plus tard. Il fouilla effectivement coins et recoins, mais sans résultat. Le soir arriva sur ces entrefaites, et il sortit de chez lui pour se promener dans les rues. Il avait peur, maintenant, de passer la nuit sous le même toit que cette femme...

Trois semaines s'écoulèrent. Toujours irritée

contre lui, elle n'avait pas encore consenti à lui remettre le couteau, et une crainte persistante le dominait à l'idée de passer la nuit dans la même chambre qu'elle. Ou bien il employait ce temps en promenades, ou bien il dormait tant bien que mal dans le salon, ou bien il s'en allait veiller auprès de sa mère malade...

La pauvre femme mourut dans la première semaine du mois suivant, dix jours seulement avant l'anniversaire de la naissance de son fils. Elle avait ardemment souhaité de vivre jusqu'à ce jour fatal. Isaac reçut son dernier soupir, et les dernières paroles qu'elle prononça lui furent adressées :

— N'y retournez pas, mon enfant !... N'y retournez pas !...

Il devait bien, cependant, rentrer chez lui, ne fût-ce que pour surveiller sa femme. Exaspérée par la méfiance qu'il lui témoignait, elle avait cherché à envenimer la douleur que lui causait l'état de sa mère en déclarant qu'elle avait le droit d'assister aux funérailles, et qu'elle l'exercerait à coup sûr.

En dépit de tout ce qu'il put dire ou faire pour l'en dissuader, elle voulut tenir cet odieux engagement et, le jour de la cérémonie, enhardie et échauffée par de fréquentes libations, elle s'ouvrit de force l'accès de la chambre où son mari s'était retiré pour lui dire en face qu'elle accompagnerait le cortège funèbre jusqu'au cimetière.

Ce dernier outrage, aggravé par tout ce qu'elle put trouver de plus insultant en fait de paroles et d'attitudes, fit perdre momentanément la tête au malheureux qui en était l'objet. Il s'oublia jusqu'à frapper sa femme.

À peine le coup porté, il s'en repentit. Elle s'était retirée dans un coin de la chambre et là, ramassée sur elle-même, gardant un silence de mort, elle le contemplait obstinément.

Ce regard lui glaça le sang et le fit trembler. Le temps lui manquait, cependant, pour essayer une réconciliation. Il ne restait plus, jusqu'à l'accomplissement des funérailles, d'autre alternative que de risquer le tout pour le tout. Employant le seul moyen qu'il ait de s'assurer d'elle, il l'enferma à clef dans sa chambre à coucher.

Lorsqu'il revint quelques heures après, il la trouva sur un siège à côté du lit, toute différente de manières et de physionomie, avec un paquet sur les genoux. Elle se leva, se tourna de son côté, puis, en paroles singulièrement calmes, le regard singulièrement fixe, les gestes singulièrement contenus, elle lui dit :

— Jamais un homme ne m'a frappée deux fois... et mon mari, pas plus qu'un autre, n'aura l'occasion d'une pareille récidive... Ouvrez la porte et laissez-moi m'en aller !... À partir de ce jour, nous ne devons plus nous revoir.

Disant ces mots, elle passa devant lui sans lui laisser le temps de répondre. Il la suivit de l'œil jusque dans la rue.

Fallait-il penser qu'elle reviendrait ?

Il attendit et guetta toute la nuit, mais aucun bruit ne se fit entendre dans le voisinage de la maison. La nuit d'après, succombant à la fatigue, il se coucha tout habillé, la porte bien close, la clef sur la table et laissant brûler sa chandelle. Son sommeil ne fut aucunement troublé.

La troisième nuit, la quatrième, la cinquième, la sixième passèrent, et aucun incident ne vint lui donner à penser que ses alarmes étaient fondées. Il était donc couché, la septième nuit, la porte toujours fermée, la clef sur un guéridon, la chandelle brûlant toujours, mais l'esprit infiniment plus calme.

Oui, beaucoup plus calme ; Isaac était d'ailleurs tout à fait bien portant lorsqu'il se laissa gagner par le sommeil. Mais son repos ne fut pas sans quelque trouble.

À deux reprises, il se réveilla sans aucune sensation de malaise. La troisième fois, ce fut avec ce frémissement dont il se souvenait, toujours, ce frémissement qui l'avait parcouru des pieds à la tête pendant la nuit passée à l'auberge, et avec une angoisse de cœur qui, la seconde fois comme la première, le tira brusquement de son sommeil.

Ses yeux s'ouvrirent, dirigés vers la gauche de son lit, et là, debout, se tenait...

Encore « la femme rêvée » ?... Non !... Sa femme à lui, sa vraie femme, mais avec le visage du spectre, dans l'attitude du spectre... Son beau bras déjà levé... Le couteau dans sa mignonne main blanche !

Dès qu'il l'eut vue, il s'élança vers elle, mais pas assez vite pour qu'elle n'ait eu le temps de dissimuler son arme. Sans articuler un seul mot et sans qu'elle poussât le moindre cri, le robuste Isaac la garrotta sur une chaise.

Une fois là, tâtant d'une main les plis de sa manche, il trouva, au même endroit où la femme rêvée avait caché son couteau, celui dont Rebecca s'était armée, le couteau à manche en bois de cerf, tout neuf d'apparence.

Malgré le désespoir où le plongeait un pareil incident, ses idées étaient nettes, son cœur battait à peine plus vite qu'à l'ordinaire. Il regarda fixement l'arme dont il s'était rendu maître, puis il prononça ces paroles suprêmes :

— Vous m'aviez prévenu que nous ne devions plus nous revoir, et vous êtes cependant revenue... C'est à mon tour de m'en aller, maintenant, et de m'en aller pour jamais... Je vous dis, moi, que nous ne nous reverrons plus, et vous saurez si je tiens ma parole.

Il la quitta là-dessus et s'enfonça dans les rues ténébreuses. Un vent glacial régnait au-dehors, et l'air était chargé d'une odeur de pluie récente. Les horloges lointaines sonnèrent le quart au moment où il dépassait d'un pas rapide les dernières maisons du faubourg.

Il demanda au premier policier qu'il rencontra quelle était l'heure dont le quart venait de sonner ainsi.

L'homme consulta sa montre par un geste que le sommeil ralentissait évidemment.

— Deux heures... répondit-il.

Deux heures du matin : il était 2 heures. Et quel jour du mois venait de commencer ? Il compta sur ses doigts, à partir de la date à laquelle sa mère avait été enterrée. Le rapprochement était complet : le jour

qui allait poindre était le jour anniversaire de sa naissance !...

Avait-il donc échappé au péril de mort annoncé
par le rêve, ou n'avait-il encore reçu qu'un second
avertissement ?

Lorsque ce doute de mauvais augure vint s'offrir
à sa pensée, il fit halte, et, par réflexion, revint sur
ses pas. Il comptait bien encore tenir sa parole et ne
jamais plus revoir sa femme, mais l'idée était née en
lui qu'il fallait la faire suivre et surveiller de près. Il
s'était emparé du couteau, et il avait devant lui le
monde entier, mais une nouvelle méfiance que lui
causait cette créature ambiguë — une crainte vague,
indicible, une espèce de terreur superstitieuse — le
dominait complètement à cette heure.

*Il faut que je sache ce qu'elle devient, maintenant
qu'elle me croit loin d'elle*, se dit-il en rentrant chez
lui d'un pas que la fatigue rendait plus pesant.

L'obscurité durait encore. Il avait laissé dans la
chambre à coucher un flambeau tout allumé, cependant aucune clarté ne brillait derrière la fenêtre lorsqu'il y porta son regard. Il gagna le seuil avec
précaution, certain d'avoir, en partant, fermé la
porte. Au moment de mettre la clef dans la serrure,
il s'aperçut qu'elle était ouverte...

Il attendit à l'extérieur sans perdre la maison de
vue jusqu'à ce que le jour fût levé. Alors seulement
il se permit d'entrer — l'oreille au guet, n'entendant
aucun bruit — et de regarder dans la cuisine, dans
le lavoir, au salon... Il n'y trouva rien.

Finalement, il monta dans la chambre à coucher

— elle était vide. Un crochet de serrurier qu'il trouva sur le plancher lui révéla par quel moyen sa femme s'était introduite. Il ne restait d'elle aucun autre vestige.

Où donc était-elle allée ? Personne au monde pour le lui dire. Les ténèbres avaient caché sa fuite, et au retour du soleil, nul n'aurait pu dire où ses rayons l'avaient trouvée.

Sur le point de quitter pour jamais la maison et la cité, il chargea un de ses voisins — qui était en même temps un de ses amis — de vendre son mobilier moyennant ce qu'on en voudrait donner, et d'en appliquer le prix à défrayer les recherches que ferait la police pour retrouver les traces de la fugitive.

Ces instructions furent loyalement suivies et l'argent dépensé jusqu'au dernier shilling, mais les perquisitions de la police ne firent rien découvrir. Le crochet oublié sur le plancher de la chambre demeura l'unique vestige que la femme rêvée ait laissé derrière elle...

Arrivé à ce point de son récit, l'hôtelier s'arrêta et, se tournant du côté de la fenêtre auprès de laquelle nous étions assis, il jeta un regard dans la direction de l'écurie.

— Jusqu'à présent, reprit-il, je vous dis ce qui m'a été raconté. Le peu que j'y puis ajouter est au contraire à ma connaissance personnelle. Deux ou trois mois après les événements que je viens de vous rapporter, Isaac Scatchard est venu me trouver, usé, flétri avant l'âge, en un mot tel que vous l'avez vu aujourd'hui. Il était porteur d'excellentes attestations et demandait à être employé dans ma maison. Le sachant un peu parent de ma femme, je l'ai pris à l'essai en vertu de cette sorte d'alliance, et malgré ses étranges habitudes, je me suis attaché à ce pauvre diable.

» Je ne crois pas qu'on puisse trouver en Angleterre un homme plus sobre, plus honnête et de meilleur vouloir. Quant à ses nuits agitées et l'emploi de ses heures de loisirs — qu'il consacre à réparer pendant le jour ses nocturnes insomnies —, comment s'en étonner lorsqu'on est au courant de ce qui lui est arrivé ?... D'ailleurs, il ne se plaint jamais d'être réveillé quand on a besoin de ses services, et après tout, je ne vois pas là d'inconvénient si difficile à supporter.

— Je suppose, dis-je, qu'il craint le retour de cet effroyable songe, et n'aime point à se réveiller dans les ténèbres.

— Ce n'est pas cela... répondit l'hôtelier. Son rêve se répète si fréquemment que maintenant il y est fait, et il le supporte avec assez de patience... Mais comme il me l'a redit bien souvent, c'est sa femme qui le tient ainsi éveillé tout la nuit.

— Comment ?... N'a-t-on pas encore pu se procurer quelques renseignements sur elle ?

— Jamais... Pas un moment Isaac n'a perdu la pensée qu'elle est encore vivante et qu'elle a l'œil sur lui. Je crois que pour la rançon d'un monarque, il ne se laisserait pas aller au sommeil dans les environs de deux heures du matin. À deux heures du matin, croit-il, cette femme le surprendra quelque jour. C'est à deux heures du matin que, d'un bout de l'année à l'autre, il veut absolument avoir sous la main ce fameux couteau à ressort... Maintenant, peu lui importe d'être seul tant qu'il est en état de veille, si ce n'est la nuit qui précède son anniversaire, nuit où il se croit régulièrement en péril de mort.

» Ce jour ne s'est encore présenté qu'une fois depuis son entrée chez nous ; cette fois-là, il est resté debout toute la nuit, causant avec notre veilleur.

» « Elle me guette encore, elle a l'œil sur moi. » : voilà tout ce qu'il trouve à répondre quand on essaye de le chapitrer sur ses chimériques inquiétudes... Et peut-être, au fait, a-t-il raison... Il se peut bien qu'elle ait l'œil sur lui... Qui sait ?

— Qui sait, en effet ? répondis-je.

LE COTTAGE NOIR

Pour commencer par le commencement, je dois vous ramener à l'époque de la mort de ma mère, alors que mon unique frère était en mer, que ma sœur était en service au loin et que je vivais seule avec mon père au milieu d'une lande dans l'ouest de l'Angleterre.

Elle était couverte de rochers entre lesquels s'entrecroisaient de-ci de-là de petits ruisseaux. L'habitation la plus proche de la nôtre était située à un mile et demi de distance de la lande où ma bande de terre fertile s'avançait comme une langue.

Là débutaient les bâtiments extérieurs de la grande Ferme du Marais, alors en la possession du père de mon mari — qui ne l'était pas encore à ce moment. Les terres de la Ferme s'étendaient dans une belle et riche vallée, gentiment abritée par la haute plate-forme de la lande.

Quand le sol commençait à se relever de nouveau à des miles et des miles de distance, on apercevait une maison de campagne appelée le Manoir des Aulnes, appartenant à un gentleman du nom de Knifton. Mr Knifton avait récemment épousé une jeune fille que ma mère avait nourrie et dont l'amitié et la bonté envers moi, sa sœur de lait, sont telles que je m'en souviendrai avec reconnaissance jusqu'au dernier jour de ma vie.

Il était nécessaire que je cite ces quelques particularités pour l'intelligence de mon récit, et il l'est aussi que vous les conserviez soigneusement à l'esprit.

Mon père était tailleur de pierres de son métier. Son cottage se trouvait à un mille et demi de la plus proche habitation. Dans toutes les autres directions, nous étions à peu près quatre ou cinq fois plus loin de nos premiers voisins. Étant de très pauvres gens, cette situation isolée avait pour nous le très grand avantage que nous ne devions en payer aucun loyer. De plus, les pierres que mon père taillait pour gagner notre vie se trouvaient tout autour de lui, à sa portée, si bien qu'il trouvait notre condition solitaire, en somme, très enviable.

Je ne peux pas dire que je partageais son avis, mais je ne me plaignais jamais. Je l'aimais tendrement et m'efforçais de tirer le meilleur parti de notre isolement, dans la pensée que je lui étais utile. Mrs Knifton avait voulu me prendre à son service au moment de son mariage, mais j'avais refusé quoique à contrecœur pour soigner mon père. Si j'étais partie au loin, il n'aurait plus eu personne près de lui, et ma mère m'avait fait promettre sur son lit de mort de ne jamais le laisser peiner tout seul au milieu de cette terre noire.

Notre cottage, pour petit qu'il fût, était solidement

bâti et commode, composé de pierres de la lande, naturellement. Les murs étaient doublés à l'intérieur et renforcés à l'extérieur par du bois, un don du père de Mr Knifton au mien. Cette double couverture craquelée et crevassée qui aurait été superflue dans un endroit abrité était absolument nécessaire dans notre cas : nous étions très exposés aux vents froids qui, excepté pendant quelques mois d'été, soufflaient sur nous continuellement, durant presque toute l'année.

Mon père avait protégé de l'humidité les bords extérieurs couvrant notre mur de pierre grossièrement bâti avec de la poix et du goudron. Cela donnait à notre petite demeure un aspect curieusement terne et noir, surtout quand il était vu à distance ; c'est ainsi qu'on l'avait appelé dans le voisinage, déjà avant ma naissance, le « Cottage noir ».

Maintenant que je vous ai mis au courant des particularités préliminaires qu'il était bon que vous connaissiez, je puis m'atteler à la tâche plus plaisante de vous raconter mon aventure.

Par une sombre journée d'automne, je n'avais alors qu'un peu plus de dix-huit ans, un homme à cheval arriva de la Ferme du Marais avec une lettre qui y avait été laissée pour mon père. Elle était d'un constructeur qui vivait dans la ville du chef-lieu, éloignée d'une demi-journée de marche, et qui le priait de venir le voir afin de lui donner son avis pour l'estimation d'un achat considérable de pierres. Les dépenses qui seraient ainsi causées à mon père lui seraient payées et il trouverait après cela sa part de travail en taillant toutes les pierres.

Trop heureux d'obéir aux directives que donnait ce courrier, il se prépara immédiatement à entreprendre la longue marche qui le conduirait à la ville.

En considérant l'heure à laquelle il avait reçu la lettre et la nécessité de se reposer avant d'effectuer son retour, il lui était impossible de ne pas passer au moins une nuit loin de la maison.

Il me proposa, si je redoutais d'être laissée seule au Cottage noir, de fermer la porte et de m'emmener à la Ferme du Marais pour y loger, sûr qu'une des laitières partagerait volontiers son lit avec moi.

Mais la perspective de dormir avec une fille que je ne connaissais pas ne me plaisait guère, et je ne voyais aucune objection à rester seule une nuit, si bien que je refusai. Les voleurs ne venaient jamais par chez nous, notre pauvreté nous étant une protection suffisante contre eux, et quant à d'autres dangers, il n'y en avait aucun que la personne même la plus timide pût redouter.

Par conséquent, je servis le dîner de mon père en riant à l'idée de chercher refuge sous la protection d'une laitière de la Ferme du Marais. Il se mit en route aussitôt qu'il eut fini de manger en me disant qu'il tâcherait d'être rentré le lendemain pour le dîner, et me laissa avec mon chat Pussy à garder la maison.

J'avais débarrassé la table et ranimé le feu, puis m'étais assise à mon travail avec mon chat sommeillant à mes pieds quand j'entendis des piétinements de chevaux ; courant à la porte, je vis Mr et Mrs Knifton suivis de leur palefrenier qui venaient droit au cottage. Cela faisait partie de la bonté de la jeune dame de ne jamais négliger l'occasion de venir me faire une amicale visite, et son mari l'accompagnait généralement pour veiller sur elle.

Je fis ma plus belle révérence, éprouvant un très grand plaisir mais aucune surprise en les voyant arriver. Ils descendirent de cheval et entrèrent au cottage en riant et causant gaiement. J'appris bientôt qu'ils étaient en route pour la ville du chef-lieu où mon père était allé et qu'ils comptaient y passer quelques jours chez des amis, puis en revenir à cheval comme ils étaient partis.

J'appris cela et aussi qu'ils avaient eu une petite discussion à propos d'une question d'argent avant de venir. Mrs Knifton avait en riant accusé son mari d'extravagances invétérées, de ne jamais pouvoir emporter de l'argent dans sa poche sans avoir tout dépensé, si cela lui était possible, avant de rentrer à la maison.

Il s'était défendu gaiement et avait déclaré que tout son argent se transformait en présents pour sa femme, et que s'il le dépensait si facilement, c'était sous sa seule influence et sous sa haute surveillance.

— Nous allons à Cliverton aujourd'hui, dit-il à Mrs Knifton en se chauffant à notre pauvre feu aussi complaisamment que s'il se fût trouvé devant un grand foyer. Vous allez vous arrêter et admirer toutes les jolies choses qui seront dans les vitrines des magasins. Je vous passerai ma bourse et vous entrerez les acheter.

» Quand nous serons revenus à la maison et que vous aurez eu le temps d'être fatiguée de vos achats, vous vous tordrez les mains avec stupeur et me déclarerez que vous êtes tout à fait scandalisée de mes habitudes invétérées d'extravagance. Je ne suis que le banquier qui garde l'argent ; vous, mon cœur, vous êtes le prodigue qui le dépensez !

— Le suis-je vraiment, monsieur ? demanda-t-elle avec un air de feinte indignation. Nous allons voir si je puis être ainsi faussement représentée avec impunité. Bessy, ma chérie ! (Se tournant vers moi.) Vous allez juger si je mérite la réputation que cet homme peu scrupuleux veut me faire. Je suis vraiment prodigue ? Et vous n'êtes que le banquier ? Très bien ! Banquier, donnez-moi mon argent tout de suite, s'il vous plaît.

Il se mit à rire et prit de l'or et de l'argent dans la poche de son gilet.

— Non ! Non ! dit Mrs Knifton. Vous pouvez avoir besoin de cela pour vos dépenses personnelles. Est-ce tout l'argent que vous avez sur vous ? Qu'est-ce que je sens ici ?

Elle tapait sur la poitrine de son mari, juste sur la poche de sa jaquette.

Il rit de nouveau et tira son portefeuille. Sa femme le saisit, l'ouvrit, y saisit des billets, puis les remit dedans immédiatement, et le refermant, elle traversa la chambre pour aller près de la petite bibliothèque en noyer de ma mère, le seul objet de quelque valeur que nous avions dans la maison.

— Qu'allez-vous faire là ? demanda Mr Knifton en suivant sa femme.

Elle ouvrit la porte vitrée du meuble, mit le portefeuille à une place vide sur une des tablettes du haut et referma la bibliothèque en me donnant la clef.

— Vous m'avez appelée prodigue, tout à l'heure. Voici ma réponse. Vous ne devrez pas dépenser un centime de cet argent pour moi à Cliverton. Non, monsieur, je ne veux pas vous emmener en ville avec tout cet argent. Je veux être sûre que vous reprendrez le tout en rentrant, et pour cela, je le laisse en des mains plus sûres que les vôtres jusqu'à notre retour. Bessy, chère ? Que dites-vous de cette leçon d'économie infligée à un mari prudent par une femme prodigue ?

Elle prit le bras de son époux tout en parlant et l'entraîna vers la porte. Il protesta, fit quelque résistance, mais elle triompha facilement parce qu'il lui était trop tendrement attaché pour exercer son autorité dans une circonstance aussi futile que celle-ci.

Quoi que les hommes pussent dire, selon l'opinion qu'en avaient toutes les dames qui le connaissaient, Mr Knifton était un mari modèle.

— Vous nous verrez à notre retour, Bessy. Jusque-là vous êtes notre banquier, et le portefeuille vous appartient ! s'écria-t-elle gaiement depuis la porte.

Son mari la mit en selle, monta lui aussi, et ils partirent au galop sur la lande, aussi vifs et heureux que deux enfants.

Quoique me voir confier de l'argent par Mrs Knifton ne fût pas une nouveauté pour moi — quand elle était jeune fille, elle m'envoyait toujours payer ses notes de couturière —, je ne me sentis pas tout à fait à l'aise à l'idée d'avoir ce soir ce portefeuille bourré de billets de banque confié à ma charge.

Je n'avais aucune crainte positive au sujet de la

sûreté du dépôt placé en mes mains, mais c'était alors un curieux côté de mon caractère — et je pense qu'il l'est encore — d'avoir horreur de me voir chargée de responsabilités d'argent d'aucune sorte, fût-ce pour faire plaisir à mes plus chères amies.

Aussi, dès que je fus seule, la vue du portefeuille derrière la porte vitrée de la bibliothèque commença à m'inquiéter, et au lieu de reprendre mon courage, je me creusai la tête pour trouver une place où l'enfermer, afin qu'il ne soit plus en vue des passants si par hasard il en entrait au cottage.

Ce n'était pas une petite affaire à régler dans une pauvre maison comme la nôtre, où il n'y avait aucun sujet de valeur à devoir mettre hors de vue et sous clef. Après avoir imaginé différents plans possibles, je pensai à ma boîte à thé, un présent de Mrs Knifton que j'avais toujours gardé loin de tout danger dans ma chambre à coucher.

Mais malheureusement — comme cela se révéla plus tard —, au lieu d'emporter le portefeuille pour le mettre dedans, j'allai d'abord dans ma chambre pour y prendre la boîte. J'agis ainsi par pure étourderie, mais j'en fus cruellement punie, comme vous l'apprendrez quand vous aurez lu quelques pages de mon histoire.

Je tirais juste la boîte de mon armoire quand j'entendis des pas dans le couloir ; sortant immédiatement, je vis deux hommes qui marchaient dans la cuisine-chambre où j'avais reçu Mr et Mrs Knifton.

Je leur demandai assez rudement ce qu'ils voulaient, et l'un d'eux me répondit qu'ils désiraient voir mon père. Il se retourna naturellement vers moi pour me parler et je le reconnus. C'était un tailleur de pierres surnommé par ses camarades Meadré Dick.

Il avait une très mauvaise réputation en tous points sauf concernant la lutte, sport pour lequel les travailleurs de notre district étaient fameux dans tout le comté. Meadré Dick était champion et son nom figurait dans de nombreuses rencontres où il était très fêté. C'était un homme grand et lourd, avec un visage sombre couvert de cicatrices et d'énormes mains velues — le dernier visiteur au monde que j'aurais souhaité recevoir en de telles circonstances.

Son compagnon était un étranger à qui il s'adressait en l'appelant Jerry ; un homme vif, rapide, au regard méchant, qui souleva sa casquette à mon intention avec une politesse moqueuse et découvrit en faisant ce geste une tête chauve qui portait de très vilaines bosses.

Je me méfiai de lui encore plus que de son camarade et m'efforçai de me mettre entre ses yeux aux regards obliques et la bibliothèque en leur disant que mon père était absent et que je ne l'attendais pas avant le lendemain.

J'avais à peine prononcé ces mots que je me repentis amèrement : la hâte et l'anxiété que j'avais de les voir partir m'avaient rendue assez peu prudente pour leur révéler que mon père serait loin du cottage durant la nuit tout entière. Lorsque je leur confiai la vérité avec si peu de sagesse, Meadré Dick et son compagnon se regardèrent l'un l'autre, mais ils ne firent aucune remarque, sauf pour me demander si je voulais leur donner une goutte de cidre.

Je répondis aigrement que je n'en avais pas à la maison, ne redoutant aucune conséquence de mon refus à leur donner à boire, car je savais que quantité d'hommes étaient au travail dans une carrière voisine.

Ils se regardèrent de nouveau quand je niai pouvoir leur donner du cidre et Jerry — je dois bien l'appeler ainsi, ne lui connaissant pas d'autre nom pour le distinguer de son camarade — souleva une nouvelle fois sa casquette devant moi avec une sorte de politesse polissonne dans ses manières, déclarant qu'ils auraient le plaisir de revenir le lendemain quand mon père serait rentré.

Je leur dis au revoir aussi peu aimablement que possible, et à mon grand soulagement, ils quittèrent immédiatement le cottage.

Aussitôt que je les crus un peu éloignés, j'allai les surveiller de la porte. Ils semblaient se diriger vers la Ferme du Marais, mais comme l'obscurité commençait à tomber, je les perdis bientôt de vue.

Une demi-heure après, je revenais voir à la porte.

Le vent s'était apaisé depuis le coucher du soleil, mais le brouillard s'élevait et une pluie fine et serrée commençait à tomber. Jamais l'aspect désolé de la lande ne m'avait paru aussi effrayant qu'il ne se montra à mes regards ce soir-là. Jamais non plus je n'avais regretté une chose au monde autant que de savoir ce portefeuille appartenant à Mr Knifton laissé à mes soins.

Je ne peux pas dire que j'étais en proie à une vraie alarme en cet instant, car je pensais que ni Meadré

Dick ni Jerry n'avaient eu la chance d'apercevoir un objet aussi petit pendant qu'ils étaient dans la cuisine. Mais quelque chose comme une sourde angoisse me troublait, une appréhension nocturne, une horreur d'être laissée seule, ce que je ne me souvenais pas d'avoir éprouvé jusqu'à ce soir.

Cette crainte s'accrut après que j'eus fermé la porte et fus rentrée dans la cuisine, à tel point que lorsque j'entendis les voix des carriers qui passaient devant le cottage pour rejoindre leur logis au village dans la vallée près de la Ferme du Marais, je vins dans le couloir, pensant un instant leur dire dans quelle situation je me trouvais et leur demander leur avis et leur protection.

J'avais à peine formé cette idée que je la rejetai aussitôt. Aucun de ces carriers n'était un ami intime. Je ne les connaissais que de vue et pour avoir échangé un bonjour à leur passage.

Pour autant, je les croyais d'honnêtes gens, mais mon bon sens me dit à l'instant que ne connaissant rien de leur réputation, ce n'était pas une raison suffisante pour m'inciter à les mettre dans ma confidence au sujet du portefeuille. J'ai vu assez de pauvreté et de gens misérables pour savoir quelle terrible sensation peut provoquer une grosse somme d'argent aux yeux de ceux dont la vie se passe à gagner quelque six pence pour un dur travail.

C'est une chose de décrire dans les livres de beaux sentiments au sujet d'incomparables gestes d'honnêteté et une autre de mettre ces sentiments en pratique quand le travail de sa journée est tout ce qu'un homme possède au monde comme obstacle entre son coin du feu et l'inanition !

La seule ressource qui me restait était d'emporter le portefeuille avec moi à la Ferme et de demander la permission d'y passer la nuit. Mais je ne parvins pas à me persuader qu'il y avait une réelle nécessité de prendre une telle décision, et si je dois dire toute la vérité, ma fierté se révoltait à l'idée de me présenter sous l'aspect d'une poltronne devant tous les gens de la Ferme.

La timidité est souvent considérée comme une gracieuse attraction chez les jeunes filles dans le grand monde, mais parmi les pauvres gens, c'est un sujet de risée. Une femme de moins de courage que j'en avais — et j'en aurai toujours — aurait regardé à deux fois avant de se décider, même dans ma situation, à supporter les plaisanteries des garçons de ferme et des laitières.

Quant à moi, j'avais à peine imaginé la possibilité d'aller à la Ferme que je me méprisai pour m'être permis une telle idée.

Non ! Non ! pensais-je. *Je ne suis pas femme à faire un trajet d'un mile et demi dans le brouillard, la pluie et l'obscurité pour déclarer à une chambrée de gens que j'ai peur. Arrive ce que veut, je reste ici jusqu'à ce que père rentre.*

Ayant pris cette vaillante résolution, ma première précaution fut de fermer et de verrouiller les portes de devant et de derrière et de vérifier que chaque volet de la maison était bien attaché.

Ce devoir accompli, je fis un beau feu, allumai ma chandelle et m'assis pour prendre mon thé, le plus confortablement possible. À présent, avec la chambre éclairée et l'impression de sécurité inspirée par la fermeture des portes et des volets, je pouvais à peine croire que j'avais eu la plus légère appréhension plus tôt dans la journée.

Je me mis à chanter en lavant la vaisselle, et mon chat lui-même parut subir la contagion de ma gaieté, car je n'avais jamais vu la jolie petite bête plus disposée à jouer qu'elle le fût ce soir-là. La vaisselle du thé rangée, je pris mon tricot et travaillai si longtemps qu'à la fin, je commençai à m'assoupir.

Le feu était encore tellement brillant et réconfortant que je n'avais pas le courage de le quitter pour aller au lit. Je restai assise, fixant paresseusement les flammes avec mon tricot sur les genoux, tandis que le bruit de la pluie au-dehors et les soudains coups de vent me devenaient de moins en moins distincts.

Les derniers sons que je perçus avant de sombrer dans le sommeil furent un joyeux craquement du feu et le ronron de mon chat qui se roulait voluptueusement dans la chaude lumière sur le sol. Ce furent les derniers sons avant que je m'endorme ; celui qui me réveilla brusquement fut un violent coup frappé à la porte d'entrée.

Je sursautai, le cœur — je le dis comme c'est — battant à se rompre, et un effrayant frisson me parcourut de la tête aux pieds. Je bondis de ma chaise, le souffle coupé, glacée, immobile, attendant dans le silence — je ne pourrais dire quoi —, me demandant d'abord si j'avais rêvé ce coup sur la porte ou s'il avait été réellement frappé.

Au bout d'une minute (moins de temps encore, peut-être) vint un second coup, plus fort que le premier. Je courus dans le couloir.

— Qui est là ?

— Ouvrez-nous ! répondit une voix que je reconnus immédiatement pour être celle de Meadré Dick.

— Attendez une seconde, ma chère, et laissez-moi m'expliquer, dit une seconde voix avec le ton doucereux et insinuant de son compagnon, le petit homme méchant et intelligent qu'il appelait Jerry. Vous êtes seule dans la maison, ma jolie petite femme, vous pouvez casser votre douce voix à force de hurler, personne n'est assez près pour vous entendre.

» Soyez raisonnable, mon amour, et laissez-nous entrer. Nous ne vous demandons pas de cidre, cette fois, nous voulons seulement un très joli portefeuille que vous possédez et les quatre cuillers à thé en argent de votre excellente mère, que vous conservez si nettes et brillantes sur le chambranle de la cheminée.

» Si vous nous laissez entrer, nous ne toucherons pas à un cheveu de votre tête, mon chérubin, et nous promettons de nous en aller aussitôt que nous aurons ce que nous voulons, à moins que vous souhaitiez particulièrement nous garder pour le thé. Si vous ne nous ouvrez pas, nous serons obligés d'enfoncer la porte, et alors...

— Et alors nous vous mettrons en marmelade ! interrompit Meadré Dick.

— Oui, dit Jerry, nous vous mettrons en marmelade, ma beauté. Mais vous n'allez pas nous contraindre à faire cela, n'est-ce pas ? Vous allez nous ouvrir ?

Le long monologue me donna le temps de me ressaisir et de me remettre du choc que le premier coup sur la porte avait infligé à mes nerfs. Les menaces des deux vilains auraient terrifié des femmes ayant perdu leurs sens, mais le seul résultat qu'elles provoquèrent chez moi fut une violente indignation. J'ai, grâce à Dieu, une âme courageuse ; la froide et dédaigneuse insolence de ce Jerry augmenta ma force de résistance.

— Vous ! Vilains couards ! leur criai-je à travers la porte. Vous pensez pouvoir m'effrayer parce que je ne suis qu'une pauvre fille restée seule dans la maison ? Vous, voleurs, je vous défie tous les deux ! Nos verrous sont solides et nos volets sont épais. Je suis ici pour garder le cottage de mon père de tout dommage et je le garderai, quand bien même ce serait contre une armée des vôtres !

Vous pouvez vous imaginer dans quelle colère j'étais quand je criai et vitupérai de cette façon. J'entendis Jerry rire et Meadré Dick lâcher une bordée de jurons. Puis il y eut un silence de mort pendant une minute ou deux, et les coquins attaquèrent la porte.

Je courus dans la cuisine, saisis le tisonnier, remis du bois sur le feu et allumai toutes les chandelles que je pus trouver, car je pensais que je conserverais mieux mon courage si j'avais beaucoup de lumière autour de moi. Si étrange et même si impossible que cela puisse paraître, la première chose qui attira ensuite mon attention fut mon pauvre Pussy, couché dans un coin, comme pris de panique.

J'étais si attachée à cette petite bête que je la pris dans mes bras, l'emportai dans ma chambre à coucher et la mis sur mon lit. Quelle réaction comique, n'est-ce pas, dans l'instant de mortel péril où je me trouvais ? Mais cela me parut tout à fait naturel à ce moment.

Pendant ce temps, les coups pleuvaient de plus en plus fort sur la porte. Les deux bandits s'étaient armés comme je le pensais de lourdes pierres ramassées sur le sol tout près de la maison. Jerry chantait en faisant son vilain travail et Meadré Dick jurait. Comme je quittai ma chambre après avoir mis mon chat sous la couverture, j'entendis que le panneau inférieur de la porte commençait à craquer.

Je courus dans la cuisine et fourrai nos quatre cuillers en argent dans ma poche, puis je pris le portefeuille et le glissai dans mon corsage. J'étais déterminée à défendre, fût-ce au prix de ma vie, le dépôt qui m'avait été confié.

Juste au moment où je le faisais disparaître, j'entendis la porte se fendre et me ruai de nouveau dans le couloir, tenant le lourd tisonnier de cuisine levé dans mes deux mains.

J'arrivai à temps pour voir la tête chauve de Jerry avec ses vilaines bosses qui passait par la fente du panneau de la porte.

— Allez-vous-en, vilain, ou je vous fais sauter la cervelle à l'instant ! criai-je en le menaçant de mon arme improvisée.

Il retira sa tête beaucoup plus vite qu'il ne l'avait introduite.

Ce qui apparut alors à la place fut une longue fourche qu'ils dirigeaient sur moi pour m'obliger à m'éloigner de la porte. Mais je la frappai de mon tisonnier avec une telle force que le choc reçu par la main qui la tenait dut remonter jusqu'à l'épaule, car j'entendis Meadré Dick pousser un cri de rage et de douleur.

Avant qu'il ait pu saisir la fourche de l'autre main, je l'avais tirée à moi, à l'intérieur. Pendant ce temps, Jerry, qui perdait patience, jurait plus effroyablement encore que Dick lui-même.

Alors vint une minute de répit. Je pensai qu'ils étaient allés chercher de plus grosses pierres, et je commençai à craindre de voir céder la porte tout entière.

Quand cette frayeur me prit, je courus dans ma chambre pour retirer tous les tiroirs de ma commode, les traînai dans le couloir, et bientôt ils furent empilés et appuyés contre la porte. Par-dessus, j'arrivai à hisser le grand coffre à outils de mon père, puis trois chaises et, couronnant le tout, le seau à charbon. Enfin je tirai la table de la cuisine, l'amenant contre cette barricade.

En revenant près de la porte avec de plus grosses pierres, ils m'entendirent, et Jerry dit :

— Arrêtez une minute !

Les hommes se consultèrent à voix basse. J'écoutais anxieusement, mais tout ce que je pus saisir, ce fut ces mots :

— Essayons de l'autre côté.

Rien de plus ne fut dit, et j'entendis leurs pas s'éloigner de la porte d'entrée.

Allaient-ils à présent assiéger celle de derrière ?

J'avais à peine eu le temps de me poser la question que je perçus leurs voix de l'autre côté de la maison. La porte de derrière est plus petite, mais elle a l'avantage en termes de résistance car elle est faite de deux solides planches rejointes et consolidées en dedans par de lourdes pièces de bois croisées. Elle n'a pas de verrous comme celle de devant, cependant elle est assurée par une barre de fer qui la traverse en biais et se fixe de chaque côté dans le mur.

Ils devront mettre le cottage complètement sens dessus dessous avant de briser cette porte, pensai-je.

Ils le découvrirent bientôt par eux-mêmes.

Après cinq minutes de coups lancés contre elle, ils firent une dernière attaque dans cette direction, puis jetèrent leurs lourdes pierres sur le sol, avec des gros mots et des hurlements de fureur effrayants à entendre.

Je retournai dans la cuisine et tombai assise sur l'appui de fenêtre pour me reposer un instant. L'attente et l'excitation m'avaient épuisée. La sueur me coulait du front, et je commençais à souffrir des meurtrissures que je m'étais faites aux mains en bâtissant ma barricade contre la porte. Je n'avais pas perdu un atome de ma résolution, mais mes forces me quittaient.

Il y avait dans le buffet une bouteille de rhum que mon frère le marin nous avait laissée la dernière fois qu'il était venu à terre. J'en bus une gorgée et je crois que jamais auparavant ni depuis lors rien ne m'a jamais fait autant de bien que cette précieuse gorgée d'alcool.

Je me trouvais encore au même endroit quand j'entendis leurs voix tout près, derrière moi.

Ils examinaient l'extérieur de la fenêtre contre laquelle j'étais assise. Elle était protégée, comme toutes celles du cottage, par des barreaux de fer. Je guettai dans une mortelle attente le bruit d'une scie mais n'entendis rien de tel. Ils avaient évidemment escompté qu'en m'effrayant, je leur ouvrirais aussitôt la porte, et ils ne s'étaient pas munis de ces outils de toutes sortes utilisés pour les effractions.

Une nouvelle bordée de jurons m'apprit qu'ils avaient reconnu l'obstacle des barreaux de fer. J'écoutai, la respiration coupée par l'angoisse, pour essayer de surprendre quelque renseignement sur ce qu'ils allaient tenter à présent, mais leurs voix parurent s'affaiblir puis s'éteindre. Ils s'éloignaient de la fenêtre ! Allaient-ils aussi s'éloigner de la maison avant d'avoir réussi à y pénétrer de force ?

Un long silence suivit, un silence qui éprouva mon courage plus durement encore que le tumulte de leurs premières attaques contre le cottage.

D'effrayants soupçons m'assaillaient maintenant : n'étaient-ils pas capables d'accomplir par la ruse ce qu'ils avaient dû renoncer à faire par la force ?

Aussi bien que je connusse le cottage, j'en venais à me demander s'il n'y avait pas un endroit par où ils pouvaient astucieusement et silencieusement pénétrer et contre lequel je n'étais pas protégée.

Le tic-tac de l'horloge m'énervait, les craquements du feu me faisaient sursauter. Je regardais vingt fois par minute dans les coins sombres du couloir, forçant mes yeux, retenant mon souffle, prévoyant les plus impossibles événements, les plus effroyables dangers. Étaient-ils réellement partis, ou rôdaient-ils encore autour de la maison ? Oh, quelle somme d'argent j'aurais donnée pour savoir ce qu'ils faisaient durant cet intervalle de silence !

Je fus tirée de mon incertitude de la façon la plus inattendue.

Un appel de l'un des deux m'arriva tout à coup par la cheminée de la cuisine. Après ce silence absolu, c'était si imprévu et si horrible que je me mis à sangloter pour la première fois depuis l'attaque de la maison. Mes pires suppositions ne m'avaient jamais suggéré que les deux bandits monteraient sur le toit.

— Laissez-nous entrer, diablesse que vous êtes ! hurla une voix dans le conduit.

Puis il y eut une autre pause, la fumée du bois — qui devait être mince et légère, étant donné que les bûches étaient toutes rouges à ce moment — ayant évidemment obligé l'homme à retirer son visage de l'entrée de la cheminée.

Je comptai les secondes pendant qu'il était occupé, je le supposais, à reprendre son souffle.

Moins d'une demi-minute après arriva un autre appel.

— Laissez-nous entrer ou nous brûlons la maison sur votre tête !

La brûler ? Brûler quoi ? Il n'y avait rien de facilement inflammable que le chaume du toit, et il avait été trempé par la lourde pluie qui était tombée sans arrêt depuis six heures ! *Brûler la maison sur ma tête ! Mais comment ?*

Tandis que je me torturais l'esprit pour découvrir quel danger la maison courait d'être incendiée, une des lourdes pierres placées sur le chaume pour l'empêcher d'être emporté par le grand vent tomba dans la cheminée avec un bruit de tonnerre.

Elle éparpilla des flammèches sur le sol dans toute la chambre. Une pièce richement ornée de draperies et de fines mousselines aurait pris feu immédiatement. Même notre plancher nu et notre pauvre mobilier exhalèrent alors une odeur de brûlé.

Pendant une seconde, je restai frappée d'horreur devant cette nouvelle preuve de la diabolique ingéniosité des deux coquins. Mais le danger effrayant que je courais à présent me rendit immédiatement l'usage de mes sens. Je me souvins qu'il y avait un grand baquet d'eau dans ma chambre à coucher, et je courus immédiatement le prendre.

Avant que j'aie eu le temps de rentrer dans la cuisine, une seconde pierre avait été lancée par la cheminée, et le feu couvait déjà par endroits sur le plancher. J'eus assez de présence d'esprit pour les laisser et pour jeter mon baquet d'eau tout entier sur le feu qui commençait à brûler le plancher.

L'homme qui était sur le toit dut entendre ce que je faisais et sentir le changement dans l'atmosphère à l'entrée de la cheminée car la troisième pierre ne fut suivie d'aucune autre.

Quant à l'espoir des voleurs de suivre le même chemin que les projectiles en glissant eux-mêmes dans le conduit, je savais qu'il était vain, car nous avions découvert en le ramonant qu'il était trop étroit pour permettre le passage à tout autre qu'un très petit garçon.

Je levais les yeux en me faisant cette réconfortante

réflexion, et j'aperçus aussi clairement que je vois le papier sur lequel j'écris en ce moment la pointe d'un couteau traverser l'intérieur du toit juste au-dessus de ma tête. Notre cottage n'a pas d'étage, et nos chambres n'ont pas de plafond.

Doucement, cruellement, l'arme se frayait un chemin à travers le chaume sec entre deux poutres. Il s'arrêta un moment, puis vint un bruit d'arrachement. Celui-ci cessa à son tour, et il y eut une chute de chaume sur le plancher ; je vis la main énorme et poilue de Meadré Dick s'introduire à travers les fragments brisés du toit. Il frappait sur les poutres avec le manche de son couteau comme pour en éprouver la solidité. Grâce à Dieu, elles étaient d'importance et fixées l'une à l'autre ! Seule une hache pouvait réussir à en détacher un morceau.

Je pus alors facilement éteindre les flammèches et jeter les débris avant que la troisième pierre ne soit lancée dans la cheminée.

La main meurtrière était encore occupée à taper avec le couteau quand j'entendis un appel de Jerry venant du voisinage de l'atelier de mon père, situé dans la cour. Le bras armé disparut instantanément.

J'allai contre la porte de derrière, y appliquai mon oreille et tâchai d'entendre ce qu'ils faisaient.

Ils étaient à présent dans l'atelier, et je fournis un effort de mémoire désespéré pour me souvenir quels outils et autres objets laissés là pouvaient être employés contre moi. Mais mon agitation rendait mon esprit confus. Je ne me rappelais rien hormis la grande pierre que mon père taillait le jour de son départ et qui était bien trop lourde pour être hissée sur le toit du cottage.

J'étais ainsi occupée à me creuser la tête au point que j'en avais le vertige quand j'entendis les hommes traîner quelque chose de lourd hors de l'atelier, et à ce moment-là, je me souvins brusquement que des poutres en bois séjournaient depuis des années dans un coin de l'atelier. J'eus à peine le temps de le vérifier que j'entendis Meadré Dick dire à Jerry :

— Quelle porte ?

— Celle de devant, répondit-il. Nous l'avons déjà ébranlée, nous la mettrons par terre en deux minutes.

Un esprit moins aiguisé par le danger que le mien aurait facilement compris à ces mots qu'ils voulaient user de la poutre comme d'un bélier contre la porte.

Devant cette conviction, je perdis courage. Je savais qu'elle céderait, qu'une barricade comme celle que j'avais construite ne résisterait que quelques minutes aux chocs qu'elle était sur le point de recevoir.

Je ne peux rien faire de plus pour protéger la maison contre eux... pensai-je, tandis que mes genoux s'entrechoquaient et que des larmes inondaient mes yeux. *À présent, il me faut compter sur la nuit et la dense obscurité pour tâcher de sauver ma vie en fuyant tant qu'il en est encore temps.*

Je bondis sur mon manteau ; j'avais déjà la main sur la barre de la porte de derrière quand un piteux miaulement venant de ma chambre à coucher me rappela l'existence de la pauvre Pussy. Je courus à elle, la pris et l'enveloppai dans mon tablier.

Avant que j'aie pu revenir dans le couloir, le premier choc de la poutre se produisit. Une charnière de la porte fut arrachée et le seau de charbon situé tout en haut de ma barricade fut projeté sur le plancher, mais la charnière inférieure, les tiroirs de ma commode et la caisse à outils tenaient encore bon.

— Un de plus ! entendis-je crier les vilains. Un coup de plus avec la poutre, et elle est par terre !

Juste comme ils devaient prendre leur élan pour ce « coup de plus », j'ouvris la porte de derrière et m'enfuis dans la nuit, le portefeuille sur la poitrine, les cuillers d'argent dans la poche et mon chat dans les bras. Je trouvai facilement mon chemin à travers les obstacles familiers de l'arrière-cour et étais déjà plongée dans l'obscurité de la lande quand je perçus le second choc et le craquement indiquant que la porte avait cédé entièrement.

Ils durent rapidement découvrir que j'avais emporté le portefeuille, car je crus les entendre à ma poursuite. J'accélérai encore ma course et le bruit s'éteignit bientôt au loin. Il faisait tellement noir que même vingt voleurs à leur place auraient jugé inutile de chercher à me retrouver.

Combien de temps s'écoula avant que j'atteigne la Ferme, l'endroit le plus proche où je pouvais trouver refuge ? Je ne saurais le dire. Je me souviens seulement avoir eu assez de présence d'esprit pour garder toujours le vent dans le dos.

J'avais remarqué au début de la soirée qu'il soufflait dans la direction de la Ferme, et j'avançai résolument dans l'obscurité. Après ce que je venais d'endurer, j'aurais été incapable de raisonner sur tout autre sujet. Si le vent avait changé de direction au cours de la nuit, j'aurais probablement erré, péri de fatigue et de froid sur la lande.

Mais providentiellement il souffla comme il l'avait fait le soir, et j'atteignis enfin la Ferme, avec des vêtements complètement trempés de pluie et une forte fièvre.

Quand je donnai l'alarme à la porte, ils étaient tous partis au lit, sauf le fils aîné du fermier qui était resté en bas à fumer sa pipe en lisant son journal. Je trouvai encore la force de murmurer en quelques mots ce qui s'était passé puis tombai à ses pieds, pour la première fois de ma vie complètement évanouie.

Cette syncope fut suivie d'une grave maladie. Quand je redevins assez forte pour regarder autour de moi, je me trouvai dans un des lits de la Ferme. Mon père, Mrs Knifton et le docteur étaient tous dans la chambre, mon chat endormi à mes pieds et le portefeuille que j'avais sauvé posé sur la table de chevet à côté de moi.

Dès que je fus en état de les entendre, on m'apprit bien des nouvelles. Meadré Dick et l'autre bandit avaient été retrouvés, arrêtés, et étaient actuellement en prison, attendant leur jugement aux prochaines assises.

Mr et Mrs Knifton avaient été tellement effrayés du danger que j'avais couru — se blâmant du manque de prudence dont ils avaient fait preuve en me confiant cet important dépôt — qu'ils avaient insisté pour que mon père abandonne notre cottage isolé et vienne en occuper un qui se trouvait sur leurs terres et pour lequel nous ne devrions payer aucun loyer. Les billets de banque que j'avais sauvés me furent offerts pour acheter du mobilier et remplacer celui que les bandits avaient brisé.

Toutes ces plaisantes perspectives aidèrent tellement à ma guérison que je pus bientôt raconter à mes amis de la Ferme tout ce que je viens d'écrire ici. Ils en furent tous intéressés et indignés, mais aucun d'eux ne m'écouta avec une attention aussi émue que le fils du fermier.

Mrs Knifton le remarqua aussi et commença à faire quelques plaisantes allusions, à sa façon joyeuse, dès qu'elle se trouva seule avec moi. Je m'occupai peu de ses farces à ce moment-là, mais quand je fus tout à fait remise et installée dans notre nouveau cottage, le « jeune fermier », comme il était appelé aux alentours, vint constamment nous voir, souhaitant toujours m'emmener en promenade.

J'avais, comme toutes les jeunes filles, ma petite part de vanité ; je commençai à prêter plus d'attention aux plaisanteries de Mrs Knifton. Enfin, pour être brève, le jeune fermier s'arrangea un dimanche — je n'ai jamais su comment — pour se perdre avec moi en revenant de l'église, et avant que nous ayons retrouvé le bon chemin pour rejoindre mon cottage, il m'avait demandé d'être sa femme.

Sa famille fit tout ce qu'elle put pour l'en dissuader et briser notre engagement, trouvant que la fille d'un pauvre tailleur de pierres n'était pas une femme digne d'un aussi riche fermier.

Mais il s'obstina autant qu'elle. Il avait sa façon de répondre à leurs objections : « Un homme, s'il est digne de son nom, doit pouvoir se marier selon ses principes et pour être heureux. Or, répétait-il, mon principe est qu'en prenant une femme, je confie ma réputation et mon bonheur — ce que j'ai de plus précieux, je le crois — à ses soins. La femme que je veux épouser s'est vu confier un petit dépôt et elle l'a sauvé au risque de sa vie. C'est une preuve assez certaine pour moi qu'elle est digne de garder les plus grands trésors que je déposerai entre ses mains. Rang et richesse sont de jolies choses, mais la certitude d'avoir une bonne femme en est une meilleure encore. Je suis d'âge à savoir ce que je veux, et je veux épouser la fille du tailleur de pierres. »

Et il m'épousa. Que je me sois montrée digne ou non de sa bonne opinion est une question que je vous laisse poser à mon mari. Tout ce que j'avais à vous raconter de moi-même et de ma terrible nuit est à présent dit. Quelque intérêt que ma périlleuse aventure ait pu exciter, il s'arrête, je m'en rends compte, à mon arrivée à la ferme.

J'ai seulement ajouté ces quelques lignes parce que mon mariage est la morale de mon histoire. Elle m'a apporté la plus grande somme possible de bénédictions, de bonheur et de prospérité, et je dois tout à mon aventure nocturne dans le « Cottage noir ».

LA MAIN DU MORT

Le siècle actuel, le XIXe siècle, était de maintes années plus jeune qu'il n'est maintenant, lorsqu'un de mes amis, nommé Arthur Holliday, arriva par hasard dans la ville de Doncaster, exactement au milieu de la semaine des courses, ce qui revient à dire, en d'autres termes, au milieu du mois de septembre.

C'était un de ces jeunes gens à l'humeur turbulente, au cerveau léger, cœur ouvert, lèvres ouvertes, qui possèdent au suprême degré le don des accointances familières, et qui, sans trop de soucis, descendent le fleuve de la vie en « se faisant des amis », ainsi qu'on le dit vulgairement, partout où il leur arrive de passer.

Son père, manufacturier opulent, avait acheté dans un des comtés du centre assez de domaines pour inspirer de la jalousie à tous les châtelains des alentours. Arthur, son fils unique, possédait les droits et les privilèges d'un héritier présomptif sur les grands biens et la grande industrie à la tête desquels était son père ; en attendant la mort de ce dernier, il courait le monde, les poches bien garnies, sans être l'objet d'aucun contrôle importun.

Le bruit public — ou la médisance, comme vous voudrez — attribuait au vieux gentleman une jeunesse passablement orageuse, et on disait que, différent en cela de bien des pères, il n'était pas disposé à se trop indigner en voyant son fils marcher sur ses traces.

Peut-être avait-on raison, peut-être avait-on tort. Pour moi, je savais seulement que Mr Holliday père commençait à se faire vieux, et je n'avais jamais rencontré un gentleman plus posé, plus digne de respect à tous égards.

Eh bien donc, ainsi que je vous le disais, par un beau mois de septembre, notre Arthur arriva à Doncaster, ayant pris tout à coup, fort à l'étourdie, selon sa coutume, le parti de venir voir les courses.

Il n'entra dans la ville que vers la fin de la soirée, et alla sur-le-champ s'assurer au principal hôtel si l'on pouvait lui procurer une chambre et un dîner. Quant au dîner, on le mit immédiatement à sa disposition, mais on se prit à rire lorsqu'il demanda un lit.

Pendant la semaine des courses à Doncaster, il arrive souvent que les visiteurs qui n'ont point commandé leurs appartements d'avance couchent dans leurs voitures à la porte des auberges. Pour les étrangers de classe inférieure, je les ai vus souvent en ces temps pléthoriques dormir au seuil des portes, faute d'un abri qui les pût recevoir. Tout riche qu'il fût, Arthur, n'ayant donc pas écrit d'avance, risquait fort de ne plus trouver à se loger pour la nuit.

Il alla frapper au second hôtel, puis au troisième, et ensuite à deux des auberges de moindre étage, et partout reçut la même réponse : il ne restait de place pour personne. Pendant la semaine des courses, tous les brillants souverains qui doraient ses poches ne pourraient lui procurer, à Doncaster, un lit quelconque.

Pour un jeune cadet de l'humeur d'Arthur, il y avait quelque chose de piquant à se voir ainsi repoussé dans la rue, comme un vagabond sans sou ni maille.

Il continua donc sa tournée, sac de nuit en main, sollicitant un lit à la porte de toutes les maisons ouvertes au public, jusqu'au moment où il se trouva aux limites extrêmes des faubourgs de la ville envahie.

Les dernières clartés du crépuscule venaient alors de s'effacer, la lune s'élevait dans un ciel brumeux, l'air fraîchissait, d'épais nuages se massaient lentement ; tout, en un mot, annonçait l'approche de la pluie.

L'aspect de cette nuit menaçante atténuait quelque peu les joyeuses dispositions du jeune Holliday. La situation où le mettait cette complète absence de logement nocturne commençait à être envisagée par lui à son point de vue le moins divertissant, et il regardait de tous côtés avec une véritable inquiétude, cherchant de l'œil une autre auberge où il pût espérer être admis.

La portion des faubourgs où ses courses errantes l'avaient peu à peu conduit comptait à peine quelques réverbères ; tout ce qu'il pouvait voir des maisons devant lesquelles il passait, c'est qu'elles étaient de plus en plus petites, de plus en plus sales.

Au bout de la rue tortueuse qui s'étendait devant lui, les fuligineuses clartés d'une misérable lanterne à huile luttaient, sans les dissiper, avec les ténèbres dont il était entouré.

Il résolut d'aller jusqu'à cette lumière, et ensuite, si elle ne lui montrait rien qui ressemblât à une auberge, de revenir au centre de la cité, afin de voir s'il lui serait impossible de se pourvoir tout au moins d'un fauteuil pour la nuit, dans quelque recoin d'une des hôtelleries de premier ordre.

En se rapprochant du réverbère, il entendit un bruit de voix, et lorsqu'il fut arrivé immédiatement au-dessous, il constata que cette lanterne éclairait l'entrée d'une cour étroite : sur le mur était peinte une longue main couleur de chair (passablement ternie, par parenthèse), laquelle, de son maigre index, conduisait le regard vers cette inscription : LES DEUX ROUGES-GORGES.

Arthur, sans la moindre hésitation, franchit le seuil de la cour, afin de voir ce que les *Deux Rouges-Gorges* pourraient faire en son honneur.

Quatre ou cinq hommes étaient groupés, debout, autour de la porte de la maison qui était au fond de la cour, faisant face à la principale entrée. Ces hommes prêtaient l'oreille à un autre individu, mieux vêtu que le reste, et dont les paroles, prononcées à voix basse, paraissaient avoir pour son auditoire quelque puissant intérêt. Au moment où il entrait dans le couloir, Arthur rencontra un inconnu qui, tenant à la main son sac de voyage, quittait évidemment la maison.

— Non... disait ce voyageur que son sac indiquait

être un modeste piéton, et qui par-dessus son épaule répondait gaiement à un gros homme chauve, de mine futée, porteur d'un tablier blanc maculé çà et là qui l'avait accompagné jusqu'en cet endroit. Non, monsieur l'hôte, je ne m'effarouche pas pour des bagatelles, mais j'avoue, sans la moindre honte, que je ne saurais me faire à *ceci*.

L'idée vint au jeune Holliday, lorsque ces mots furent prononcés, qu'on avait demandé à l'étranger, en échange d'un lit fourni par les *Rouges-Gorges*, quelque prix exorbitant, et qu'il ne pouvait ou ne voulait souscrire à cette exigence.

Dès qu'il eut tourné le dos, Arthur, que rassurait l'état florissant de sa bourse — mais craignant d'être devancé par quelque autre voyageur anuité comme lui — s'empressa de se présenter à cet hôte rusé, dont le tablier sale et la tête chauve l'eussent rebuté en toute autre circonstance.

— Si vous avez un lit à louer, dit-il, et si ce monsieur qui vient de sortir ne s'est pas soucié d'en donner le prix que vous désiriez, me voici, moi, tout disposé à le prendre.

L'homme jeta sur Arthur un regard un tant soit peu ironique.

— Est-ce bien certain, monsieur ? demanda-t-il sur le ton de la réflexion et du doute.

— Fixez votre prix... proposa le jeune Holliday, s'imaginant que l'hésitation de l'hôtelier tenait à quelque sotte méfiance de sa capacité pécuniaire. Fixez votre prix, et si cela vous convient, je payerai d'avance.

— Irez-vous bien jusqu'à cinq shillings ? demanda

l'homme en frottant son double menton mal rasé tandis qu'il regardait d'un air pensif le plafond au-dessus de sa tête.

Arthur faillit éclater de rire au nez de ce drôle, mais jugeant plus prudent de se contraindre, il lui offrit, du plus grand sérieux, les cinq shillings demandés. L'hôte aux regards rusés étendit la main, puis, la retirant tout à coup, il ajouta :

— Vous allez rondement en affaires... Puisque vous êtes si franc avec moi, j'agirai de même à votre égard avant d'empocher votre monnaie... Prenez bien garde à ce que je vais vous dire !... Je puis vous donner un lit entier pour cinq shillings, mais vous n'aurez à vous que la moitié de la chambre où est ce lit... Comprenez-vous bien ceci, jeune gentleman ?

— Sans doute, reprit Arthur avec une certaine impatience : vous voulez dire qu'il s'agit d'une chambre à deux lits et qu'un des lits est déjà occupé.

L'hôte secoua la tête et se remit à frotter plus fort que jamais son double menton. Arthur hésitait et, machinalement, recula d'un pas ou deux vers la porte. L'idée de coucher dans la même chambre qu'un personnage à lui tout à fait inconnu ne lui offrait qu'une perspective peu attrayante. Il se sentait une forte inclination à laisser retomber ses cinq shillings au fond de sa poche, dut-il reprendre son pèlerinage à travers les rues.

— Est-ce oui ou est-ce non ? demanda l'hôte. Prenez vivement votre parti, car sans vous compter, nous avons bien des gens, à Doncaster, auxquels un lit fera grand faute pour la nuit qui vient.

Arthur regardait du côté de la cour et entendait la

pluie tomber lourdement dans la rue à quelques pas de lui ; il pensa qu'il serait bon de hasarder une ou deux questions encore avant de renoncer étourdiment à l'hospitalité des *Deux Rouges-Gorges*.

— Quelle espèce d'individu trouverai-je dans l'autre lit ? demanda-t-il. Est-ce un gentleman ?... Est-ce, veux-je dire, un individu tranquille et disposé à se conduire convenablement ?

— L'homme le plus tranquille que j'aie jamais connu, répondit l'hôte qui frottait l'une sur l'autre, à la dérobée, ses mains reluisantes d'embonpoint... Tranquille comme un juge, régulier comme une horloge dans toutes ses habitudes... Neuf heures ne sont pas sonnées, il s'en faut encore de dix minutes, et le voilà déjà dans son lit... Je ne sais pas si c'est là ce que vous entendez par « un homme tranquille » ; pour mon compte, j'en ai vu de plus turbulents à qui j'aurais accordé les honneurs de cette épithète.

— Le croyez-vous endormi ? demanda notre Arthur.

— Je sais qu'il dort, répondit l'autre. Bien mieux, il a si vite fermé l'œil que vous ne l'éveillerez pas, je vous en réponds... C'est ici, monsieur ! continua le fin matois qui, par-dessus l'épaule du jeune Holliday, sembla s'adresser à quelque nouveau venu se dirigeant du côté de la maison.

— Un instant, dit Arthur, bien décidé à prendre les devants sur cet étranger quel qu'il pût être... J'arrête le lit.

Il remit les cinq shillings à l'hôtelier qui, les acceptant avec un signe de tête, glissa négligemment cette monnaie dans la poche de son gilet et s'empressa d'allumer un flambeau.

— Venez en haut voir la chambre, dit l'hôte des *Deux Rouges-Gorges*, guidant son locataire vers l'escalier d'un pas remarquablement leste, vu l'embonpoint dont il était chargé.

Ils montèrent au second étage de la maison. L'aubergiste entrouvrit une porte qui faisait face au palier puis s'arrêta sur le seuil, et, se tournant vers Arthur, il lui dit :

— Faites bien attention que, de votre part et de la mienne, c'est un marché franc. Vous me donnez cinq shillings, je vous donne en échange un lit propre et confortable ; je vous garantis d'avance, par-dessus le marché, que vous ne serez dérangé ou tourmenté en aucune façon par l'homme qui couche dans la même chambre que vous.

À ces mots, d'un regard assez fixe, il dévisagea un moment son jeune locataire puis l'introduisit dans la pièce entrouverte.

Elle était plus grande et plus propre qu'Arthur n'avait compté la trouver. Les deux lits étaient parallèles l'un à l'autre, et séparés par un espace d'environ six pieds. Tous deux étaient de la même dimension moyenne ; tous deux avaient les mêmes rideaux blanc uni, dont on pouvait, au besoin, les entourer complètement.

Le lit occupé se trouvait le plus rapproché de l'unique fenêtre ; ses rideaux étaient fermés, sauf celui du fond, à l'extrémité la plus éloignée du jour. Arthur vit, sous les draps un peu minces, les pieds de l'homme endormi marquer un relief assez prononcé, comme s'il eût été couché sur le dos. Il prit le flambeau, s'approcha pour tirer le rideau encore ouvert, écouta un moment, arrêté à mi-chemin, et, se tournant ensuite du côté de l'hôte, il dit :

— Voilà, un dormeur bien tranquille.

— Oh oui ! acquiesça l'hôte. Tranquille comme on ne l'est plus souvent...

Le jeune Holliday s'avança flambeau en main et regarda l'homme avec précaution.

— Comme il est pâle !

— Assez pâle comme cela... répondit l'hôte. Vous trouvez, n'est-ce pas ?

Arthur regarda l'homme de plus près. Les draps du lit remontaient jusqu'à son menton, et leur immobilité sur la région du torse était absolue. Surpris, légèrement ému par ce détail, il se pencha de plus près vers l'inconnu, regarda ses lèvres séparées et blêmes, retint son haleine pour écouter un instant, contempla de nouveau ce visage si étrangement rigide, cette bouche et ce buste immobiles, et tout à coup se tourna du côté de l'hôte, auquel il montra des joues aussi pâles à cet instant que l'étaient celles, creuses, de l'homme étendu sur le lit.

— Approchez !... murmura-t-il. Pour l'amour de Dieu, approchez !... Cet homme n'est pas endormi... Il est mort.

— Vous l'avez découvert plus tôt que je ne l'aurais cru, dit l'homme avec un sang-froid parfait. Il est bien mort, la chose est certaine... C'est aujourd'hui même, à 5 heures, qu'il est parti pour l'autre monde.

— Et comment est-il mort ? Qui est-il ? demanda coup sur coup Arthur, un moment déconcerté par l'audacieuse tranquillité de cette réponse.

— Quant à ce qu'il peut être, répliqua l'hôte, je n'en sais pas plus long sur son compte que vous-même n'en pouvez savoir. Nous avons là ses livres, ses lettres, ses affaires, le tout scellé dans cette enveloppe de papier brun et préparé pour l'enquête du coroner, laquelle s'ouvrira demain ou le jour d'après. Le défunt a passé ici toute une semaine, payant assez régulièrement ses notes et demeurant au logis la plupart du temps, comme s'il était malade.

» Aujourd'hui, ma fille lui a porté son thé vers 5 heures, et au moment où il s'en versait une tasse, il lui a pris un accès, ou une faiblesse — ou tous les deux à la fois, pour autant que j'en sache. Nous n'avons pu le faire revenir, et j'en ai conclu qu'il était mort.

» Le médecin n'a pas été plus habile que nous, et le médecin en a conclu qu'il était mort... Voilà ce qu'il en est de lui... Et l'enquête du coroner doit se faire le plus tôt possible... Sur toute cette affaire, je n'ai rien de plus à vous apprendre.

Arthur avait approché le flambeau des lèvres du défunt ; la flamme continuait à brûler droite, aussi fixe que jamais. Il y eut un moment de silence, interrompu seulement par le bruit monotone de la pluie qui venait battre les carreaux de la fenêtre.

— Si vous n'avez rien de plus à me dire, continua l'hôte, je suppose que je puis m'en aller... Vous ne comptez pas, j'imagine, que je vais vous rendre vos cinq shillings ?... Voilà le lit que je vous avais garanti propre et confortable ; voilà l'homme, à jamais tranquille dans ce monde, pour le compte duquel j'ai promis qu'il ne vous dérangerait point...

» Si maintenant vous avez peur de rester seul avec lui, cela ne me regarde en aucune façon... J'ai rempli les engagements du marché passé entre nous, et j'entends bien en garder le prix... Je ne suis pas moi-même du Yorkshire, mon jeune monsieur, mais j'y ai vécu assez longtemps pour que mon esprit s'y soit aiguisé ; aussi ne m'étonnerait-il point que vous vous trouviez un peu mieux sur vos gardes, à votre prochain voyage parmi nous.

Sur ces mots, l'homme dirigea ses pas vers la porte, très satisfait de sa propre subtilité, ce dont témoignait le rire contenu qu'il s'adressait à lui-même.

Si ému, si troublé qu'il pût être, Arthur s'était maintenant assez bien remis pour s'indigner du tour qu'on venait de lui jouer et du triomphe insolent auquel se laissait aller l'aubergiste.

— Ne riez pas si fort, lui enjoignit-il avec aigreur, jusqu'à preuve certaine que vous ayez motif de rire à mes dépens... Vous n'aurez pas vos cinq shillings à si bon marché que vous croyez, mon bonhomme... Ce lit est à moi, je le garde.

— Vraiment ?... demanda l'hôte. Eh bien, je vous souhaite un sommeil paisible !

Après cet adieu laconique, il sortit, fermant la porte derrière lui.

Un sommeil paisible ! À peine ces mots avaient-ils été prononcés, à peine la porte s'était-elle refermée qu'Arthur se repentait à moitié d'avoir laissé échapper une promesse imprudente.

Bien qu'il ne fût point, par nature, d'une susceptibilité excessive et qu'il ne manquât ni de courage moral ni de courage physique, la présence du mort eut sur sa pensée l'influence d'une douche glacée lorsqu'il se retrouva seul dans la chambre — seul et obligé, par son téméraire engagement, à y rester jusqu'au lendemain matin.

Un homme plus âgé que lui n'aurait tenu aucun compte de cette promesse prise à l'étourdie et aurait agi, sans s'en embarrasser autrement, selon les inspirations de sa raison redevenue plus calme.

Mais Arthur était trop jeune pour mépriser la raillerie, même venue d'en bas ; trop jeune aussi pour ne pas craindre l'humiliation passagère d'un démenti donné par lui-même à sa propre fanfaronnade, plus qu'il ne redoutait cette épreuve, consistant à passer toute une longue nuit en tête à tête avec un mort.

Il ne s'agit, après tout, que de quelques heures, pensa-t-il. *Et je m'en irai dès que l'aube aura paru.*

Pendant que cette idée lui traversait l'esprit, il regardait dans la direction du lit habité... Le petit relief anguleux que dessinaient sous les draps les pieds du cadavre, dressés la pointe en l'air, attira de nouveau ses yeux.

Il s'avança et laissa tomber les rideaux, s'abstenant avec soin, durant cette opération, de regarder l'homme mort, afin de ne pas s'énerver dès le début en fixant ainsi dans sa pensée quelque image sinistre. Il tira très doucement le rideau encore ouvert, et, en le laissant retomber, il poussa un soupir involontaire.

— Pauvre diable !... dit-il, presque aussi tristement que s'il eut connu cet homme. Ah ! le pauvre diable !...

Il s'approcha ensuite de la fenêtre. La nuit était

noire et l'empêchait de rien distinguer au-dehors. La pluie venait encore battre pesamment contre les vitres. Il conclut de ce bruit que la croisée ouvrait sur l'arrière de la maison, car il se rappelait que la façade était protégée contre le mauvais temps par les murs de la cour et les bâtiments accessoires dont elle était garnie.

Pendant qu'il était encore debout près de la fenêtre — car la pluie même et son bruit monotone étaient un soulagement pour lui ; un soulagement aussi, parce que le mouvement qu'impliquait ce bruit lui suggérait quelque idée de vie et le rattachait ainsi au monde extérieur —, plongeant de vagues regards parmi les ténèbres du dehors, il entendit, dans le lointain, 10 heures sonner à l'horloge d'une église... Dix heures seulement !... Comment passerait-il son temps, jusqu'à ce que, le lendemain, les gens de l'auberge fussent réveillés ?

En toute autre circonstance, il serait descendu au salon de l'auberge, aurait demandé un verre de grog et se serait mis à rire, à causer avec les gens qu'il aurait trouvés là, comme s'il les avait connus depuis son enfance.

Mais la seule pensée de tuer ainsi le temps répugnait à ses dispositions de l'heure présente. La situation nouvelle qui lui était faite semblait déjà l'avoir métamorphosé à ses propres yeux.

Jusqu'alors, il avait mené la vie futile, vulgaire et prosaïque d'un jeune homme toujours heureux, qui n'a eu à lutter contre aucun chagrin, à subir aucune épreuve. Il n'avait perdu ni parents chéris ni précieuses amitiés.

Jusqu'à cette soirée, sa part et portion de l'immortel et douloureux héritage que la Providence attribue à chacun de nous était restée pour lui à l'état de nue-propriété. Jusqu'à cette soirée, la Mort et lui ne s'étaient jamais trouvés face à face, non pas même dans ses rêves.

Il fit de long en large quelques tours dans la chambre, et ensuite s'arrêta court. Le craquement de ses bottes sur le parquet revêtu d'un mince tapis lui agaçait les oreilles.

Il hésita quelque peu, et finit par ôter ses bottes, continuant ensuite sa promenade désormais sans bruit. Il avait perdu tout désir de sommeiller ou même de prendre quelque repos. L'idée seule de s'étendre sur le lit inoccupé lui apparaissait comme une effrayante contrefaçon de l'attitude imposée au mort...

Qui était cet homme ? Quelle histoire eût-on pu faire de sa vie passée ?

Sans doute était-il pauvre. Comment s'expliquer par un autre motif son séjour dans une résidence comme l'auberge des *Deux Rouges-Gorges ?* Une longue maladie l'avait sans doute affaibli graduellement, sans quoi il ne serait pas mort, ainsi que l'hôte l'avait raconté. Pauvre, malade, abandonné... mort sous un toit banal, mort, sans exciter d'autre pitié que celle d'un étranger !... Triste histoire, à vrai dire, et si l'on en jugeait par les apparences, histoire vraiment lamentable.

Tandis que ces pensées se succédaient dans son esprit, il s'était insensiblement rapproché de la croisée près de laquelle était, nous l'avons dit déjà, le pied de ce lit dont les rideaux lui dérobaient la vue. D'abord, il le contempla d'un air distrait, puis il eut conscience que ses yeux étaient arrêtés de ce côté.

Alors s'empara de lui un désir pervers de faire ce dont il s'était promis de s'abstenir — c'est-à-dire de regarder le mort.

Il étendit la main vers les rideaux, mais, se retenant au moment même de les ouvrir, il tourna vivement le dos au lit et s'en alla du côté de la cheminée pour examiner un à un les objets dont elle était couverte, et voir s'il ne parviendrait pas à se débarrasser ainsi de l'espèce d'obsession à laquelle il était en butte.

Il y avait sur la cheminée un encrier d'étain, et le fond du flacon gardait encore quelques restes d'une encre moisie. Il y avait aussi deux vases de porcelaine de l'espèce la plus vulgaire et une feuille de carton gauffré jaune et piqué des mouches, sur lequel s'étalait en toutes sortes de directions, imprimée en encres de toutes les couleurs une collection de misérables énigmes.

Il prit cette carte, et se rapprochant pour la lire de la table où était placé le flambeau, il s'y assit, le dos résolument tourné du côté du lit que les rideaux lui masquaient encore.

Il lut la première énigme, la seconde, la troisième, toutes dans le même coin de la feuille, puis il la tourna par un geste impatient pour l'examiner dans un autre sens. Avant qu'il n'eût commencé la lecture des énigmes imprimées de ce côté, la voix lointaine de l'horloge détourna son attention. Onze heures...

Il avait déjà passé une heure dans cette chambre en tête à tête avec le mort.

Il regarda de nouveau la carte étalée devant lui. Il avait grand-peine à déchiffrer les caractères imprimés qu'elle renfermait à cause du peu de clarté que jetait le flambeau laissé par l'hôte, un misérable chandelier garni de suif qu'accompagnait une paire de mouchettes d'acier, de modèle antique et lourdes à la main.

Jusqu'à ce moment, Arthur avait été trop préoccupé pour penser à cette lumière. Il avait laissé la mèche de la chandelle monter peu à peu au-dessus de la flamme, et maintenant elle brûlait, dessinant à son sommet une espèce de toit d'où tombaient de temps en temps, par petits flocons, des débris de coton carbonisé. Il prit alors les mouchettes et raccourcit proprement la mèche. La lumière augmenta tout aussitôt, et la pièce prit un aspect moins lugubre.

Il revint aux énigmes, les déchiffrant avec une obstination courageuse, tantôt dans un angle de la carte et tantôt dans l'autre. Mais malgré tous ses efforts, il ne parvenait pas à fixer son attention sur elles et poursuivait machinalement cette occupation sans retirer une impression quelconque des mots qui tour à tour passaient sous ses yeux.

On eût dit qu'une ombre, projetée par le lit enveloppé de rideaux, se venait placer entre son esprit et les caractères gaiement bariolés, une ombre que rien ne pouvait écarter.

Enfin, renonçant à cette lutte impossible, il repoussa la carte avec une espèce de colère et se remit à parcourir la chambre comme auparavant, du même pas rapide et muet.

Le mort, le mort, le mort *caché* au fond de ce

lit !... Voilà l'idée persistante qui le hantait malgré qu'il en eût... Caché !... Était-ce seulement la présence du corps, ou bien la barrière étendue entre ce corps et lui qui tourmentait ainsi son imagination ?...

Il s'arrêta près de la fenêtre, méditant ce dilemme et encore une fois il écouta le bruit de la pluie, encore une fois il sonda du regard les profondeurs de l'obscurité.

Toujours le mort !

L'obscurité ramenait sa pensée sur elle-même et, activant les opérations de sa mémoire, lui rendait avec une netteté et une précision vraiment pénibles l'impression passagère que lui avait laissée le premier regard jeté sur le cadavre.

Bientôt cette face rigide sembla planer au milieu des ténèbres et le regarder à travers la fenêtre avec une pâleur plus livide, laissant voir entre ses paupières mi-closes une ligne lumineuse plus large qu'elle ne lui avait d'abord semblé — les lèvres entrouvertes s'écartaient de plus en plus l'une de l'autre.

Peu à peu les traits grandissaient, se rapprochaient au point d'emplir le cadre de la croisée, de faire taire la pluie et de barrer passage à la nuit.

Le bruit d'une voix qui s'élevait au bas de l'escalier l'arracha soudainement aux rêves de son imagination malade. Il reconnut l'organe de l'hôtelier.

— Vous fermerez à minuit, Ben !... l'entendit-il crier à quelque garçon d'écurie. Quant à moi, je vais me coucher.

Arthur essuya la moiteur qui s'était accumulée sur

son front, argumenta quelque peu avec lui-même, et prit le parti de soustraire son esprit à la vision spectrale qui l'obsédait en se contraignant à contempler face à face, ne fût-ce que pour un moment, la solennelle réalité. Sans se permettre la moindre hésitation, il écarta les rideaux qui masquaient le pied du lit et regarda ce qu'ils lui cachaient...

Là se trouvait, rejeté en arrière sur l'oreiller, ce blanc visage calme et triste sur lequel planait le mystère auguste de son immobilité. Pas le moindre mouvement, pas le moindre changement ! Il ne l'examina que quelques secondes avant de refermer les rideaux, mais ce tableau fugitif le raffermit, le calma, le rendit à lui-même — et d'âme aussi bien que de corps.

Il se remit, comme devant, à parcourir la chambre de long en large, persévérant cette fois dans cette espèce de passe-temps jusqu'à ce que l'horloge vienne à sonner de nouveau. Minuit !...

Quand les dernières vibrations de la cloche se furent éteintes, un bruit confus s'éleva au bas des marches : celui des buveurs attardés qui sortaient pêle-mêle de l'espèce de cabaret adjoint à l'auberge. Le bruit suivant, après un intervalle de silence, fut celui de la porte que l'on barrait et des volets que l'on poussait au chevet du bâtiment. Le silence reprit alors et ne fut plus troublé d'aucune façon.

Arthur était donc seul, maintenant, définitivement et absolument seul avec le mort, jusqu'à la matinée suivante.

La mèche de la chandelle avait encore besoin d'être arrangée. Il prit les mouchettes, mais il s'arrêta soudain au moment de s'en servir, jetant un regard attentif sur le flambeau, puis, par-dessus son épaule, du côté du lit mystérieux, puis, derechef, sur la lumière placée devant lui.

La chandelle était entière quand l'hôte l'avait allumée pour le conduire à l'étage supérieur, et les trois quarts, pour le moins, se trouvaient déjà consumés. Une heure de plus devait la voir finir. Dans une heure — à moins qu'il n'éveillât, pour se faire apporter une bougie neuve, l'homme qui avait fermé les portes de l'auberge —, il se trouverait dans l'obscurité.

Si fortes qu'eussent été ses émotions depuis qu'il avait mis le pied dans cette chambre, la crainte déraisonnable qui l'empêchait de braver le ridicule et sa répugnance à laisser suspecter son courage n'avaient pas encore, même alors, perdu toute leur influence sur lui.

Il demeurait irrésolu près de la table, attendant qu'il pût se résoudre à ouvrir la porte et à convoquer, du haut du palier, le garçon chargé de fermer l'auberge. Au milieu de ses hésitations actuelles, c'était pour lui une espèce de soulagement que de gagner quelques minutes, ne fût-ce qu'en s'occupant à moucher la chandelle. Sa main tremblait quelque peu et les lourdes mouchettes n'étaient point d'un usage très commode.

Quand il les referma sur la mèche, il se trompa de l'épaisseur d'un cheveu... À l'instant même, la chandelle s'éteignit, et la pièce fut plongée dans la plus épaisse obscurité.

L'unique impression que produisit immédiatement sur son esprit la disparition de toute lumière fut la crainte du lit mystérieux, crainte qui ne prit aucune forme distincte, mais qui — par cela même étant indéfinissable — se trouva investie d'assez de puissance pour le clouer sur son fauteuil, faire battre son cœur plus vite et le forcer à dresser l'oreille...

Aucun autre bruit dans la chambre que celui de la pluie battant contre les carreaux, bruit plus distinct et plus rapide, maintenant, qu'il ne l'avait encore entendu.

Cette vague méfiance, cette crainte inexprimable dont nous avons parlé le possédaient encore et le retenaient sur son siège. En entrant, il avait placé son sac de nuit sur la table ; il tira la clef de sa poche, étendit doucement la main, ouvrit le sac et y chercha, tâtonnant, son écritoire de voyage, dans laquelle il savait devoir trouver une petite provision d'allumettes.

Quand il tint l'une d'elles, il attendit avant de la frotter sur le bois grossier de la table et, sans savoir pourquoi, se reprit à écouter attentivement.

Pourtant il ne se faisait encore dans la chambre aucune espèce de bruit, excepté celui de la pluie, qui continuait monotone et constant comme naguère.

Il ralluma le flambeau sans autre retard, et au moment où la flamme se fut ranimée, le premier objet qu'il chercha des yeux dans la chambre fut le lit enveloppé de rideaux.

Juste à l'instant où la lumière allait s'éteindre, il avait jeté un regard dans cette direction et n'avait remarqué ni changement ni dérangement quelconque dans les plis des rideaux, parfaitement rejoints l'un à l'autre.

Quand il regarda cette fois de ce côté, il vit, pendante sur l'un des côtés, une longue main blanche...

Elle était là, parfaitement immobile, à moitié de la longueur du lit, au point de rencontre des rideaux antérieurs et postérieurs ; on ne voyait rien de plus. Les draperies, étroitement rapprochées, cachaient tout — excepté la longue main blanche.

Arthur la regardait, hors d'état de bouger, hors d'état d'appeler, n'éprouvant aucune sensation, n'ayant conscience de rien ; toutes ses facultés se concentrant, s'absorbant en une seule, bornée au sentiment de la vue. Jamais il n'a pu dire, depuis, combien de temps il resta sous l'impression de cette panique.

Peut-être ne dura-t-elle qu'une seconde ; peut-être se prolongea-t-elle au-delà de quelques minutes. Comment il arriva jusqu'au lit — soit qu'il s'y fût précipité aveuglement, soit qu'il s'en fût rapproché à petits pas —, comment il trouva la force d'ouvrir les rideaux et de regarder à l'intérieur... jamais il ne se l'est rappelé, jamais il ne se le rappellera d'ici au jour de sa mort.

Contentons-nous de savoir qu'il alla vers le lit et porta son regard à l'intérieur des rideaux.

L'homme avait remué. Un de ses bras était en dehors des couvertures, son visage s'inclinait un peu sur l'oreiller, ses paupières étaient toutes grandes ouvertes.

Sauf cette position qui avait changé, sauf cet unique trait qui n'était plus le même, le visage, à tous autres égards, avait conservé une identité aussi effrayante que merveilleuse. La pâleur de la mort et le calme de la mort y étaient encore intacts.

Un simple coup d'œil en convainquit Arthur — coup d'œil après lequel il se précipita hors d'haleine vers la porte pour donner l'alarme à toute la maison.

L'homme que l'hôtelier appelait Ben fut le premier à se montrer sur l'escalier. En trois mots, il lui expliqua ce qui venait d'arriver et le chargea d'appeler le médecin le plus proche.

Moi qui vous raconte cette histoire, je résidais alors chez un médecin de mes amis pratiquant à Doncaster, et je prenais soin de ses malades pendant une absence qu'il avait faite à Londres ; je me trouvais ainsi, pour le moment, le médecin le plus proche. Les gens de l'auberge m'avaient envoyé chercher dans l'après-midi, lorsque l'étranger s'était trouvé mal ; ne me rencontrant pas chez moi, on s'était adressé ailleurs.

Lorsque le messager des *Deux Rouges-Gorges* vint agiter ma sonnette de nuit, je songeais justement à m'aller coucher. On me fera bien l'honneur de supposer que je ne crus pas un mot de son récit à propos d'un « mort qui venait de ressusciter », mais je n'en mis pas moins mon chapeau fort à la hâte, et, m'armant d'un ou deux flacons de drogues fortifiantes, je courus à l'auberge sans m'attendre à y trouver rien de plus remarquable qu'un malade aux prises avec quelque léthargie.

Mon étonnement lorsque je découvris que le messager, en somme, n'avait guère menti fut presque égalé — sinon tout à fait — par la surprise que j'éprouvai en me trouvant face à face avec Arthur Holliday au moment où je pénétrai dans la chambre à coucher. L'occasion n'était pas favorable pour demander ou recevoir des explications. Nous nous bornâmes donc à échanger une poignée de main quelque peu troublée.

Donnant ordre que tout le monde sortît à l'exception d'Arthur, je me hâtai de courir au plus pressé — c'est-à-dire à l'homme gisant sur le lit.

Le feu de la cuisine n'avait pas été long à se rallumer. La bouilloire renfermait une ample provision d'eau chaude, et la flanelle ne manquait pas. Moyennant ces ressources, les médecines que j'avais apportées et les secours que put donner Arthur en se conformant à mes avis, j'arrachai littéralement cet homme des bras de la mort.

Moins d'une heure après le moment où j'avais été appelé, il se retrouva vivant et parlant, sur ce même lit où on ne l'avait étendu que pour y attendre l'enquête du coroner.

Vous me demanderez naturellement ce qui était arrivé de lui, et je pourrais vous régaler, par voie de réponse, d'une longue théorie émaillée de ce que les enfants appellent « grands mots ».

Je préfère vous dire que dans ce cas particulier, les effets et les causes ne pouvaient être liés les uns aux autres par aucune théorie quelconque. Il y a dans la vie et dans les conditions qui lui sont faites des mystères que la science humaine n'a pas encore approfondis ; je vous avouerai naïvement qu'en rappelant cet homme à l'existence, j'errais à tâtons, moralement parlant, cherchant une chance parmi les ténèbres.

Je sais (par le témoignage du médecin qui l'avait

soigné dans l'après-midi), je sais, dis-je, que l'organisme vital, en tant que son action est appréciable à nos sens, avait été sans aucun doute immobilisé pour un temps ; je suis également certain (puisque je parvins à ranimer cet homme) que le principe vital n'était pas éteint.

Si j'ajoute qu'il avait passé par une maladie longue et compliquée, laquelle avait absolument bouleversé son système nerveux, je vous aurai communiqué toutes les notions que j'ai pu me faire à propos de l'état physique dans lequel j'ai trouvé cette espèce de mort-vivant que l'auberge des *Deux Rouges-Gorges* m'a fourni l'occasion de soigner.

Quand il « revint », comme on dit, je vis rarement spectacle plus frappant que celui de cet homme avec son visage décoloré, ses joues creuses, ses yeux noirs égarés, ses longs cheveux noirs. La première question qu'il m'adressa sur son propre compte, aussitôt qu'il put parler, me fit soupçonner que j'avais été appelé auprès d'un confrère.

Je lui fis part de cette conjecture, et il me répondit que j'avais raison.

Il disait être venu en dernier lieu de Paris, et y avoir été attaché au service d'un hôpital. Rentré en Angleterre pour se rendre à Édimbourg, où il voulait continuer ses études, il était tombé malade en route et s'était arrêté à Doncaster pour se reposer et se rétablir.

Il n'ajouta pas un mot, soit pour me dire son nom, soit pour m'apprendre à qui j'avais affaire, et naturellement je ne lui adressai aucune question à ce sujet. Tout ce dont je m'informai quand il eut cessé de parler, ce fut de la spécialité professionnelle à laquelle il comptait se vouer : à quelle branche de la médecine voulait-il se rattacher.

— À toute branche, répondit-il amèrement, qui pourra mettre du pain dans la bouche d'un pauvre homme.

Sur ce, Arthur, qui l'avait jusqu'alors examiné avec une curiosité silencieuse, s'abandonnant à un joyeux élan de son impétueuse humeur lui dit :

— Mon cher camarade, (par parenthèse : on était toujours le « cher camarade » d'Arthur), maintenant que vous voilà ressuscité, ne recommencez pas la vie avec un découragement si complet. Je puis, soyez-en sûr, vous procurer dans la carrière qui est la vôtre des avantages de premier ordre ; à tout événement, si j'échouais, mon père le peut, je vous en réponds.

L'étudiant en médecine le regardait fixement.

— Mille grâces, lui dit-il avec une certaine froideur. (Il ajouta :) Puis-je vous demander qui est votre père ?

— Il est assez connu dans ce pays-ci, répondit Arthur... C'est un de nos grands manufacturiers, et son nom est Holliday.

Pendant cette courte conversation, j'avais la main sur le poignet du malade. Au moment où le nom de Holliday fut prononcé, je sentis sous mes doigts son pouls palpiter, s'arrêter ensuite, reprendre avec une espèce de bond, et battre pendant une ou deux minutes aussi rapidement que dans un accès de fièvre.

— Comment vous êtes-vous trouvé ici ? demanda

l'inconnu d'un ton vif et avec une sorte d'agitation passionnée.

Arthur raconta brièvement ce qui était arrivé depuis son entrée dans l'auberge.

— Je dois donc au fils de Mr Holliday l'assistance qui m'a sauvé la vie... dit l'étudiant qui se parlait à lui-même avec un singulier accent de sarcasme. Voici qui est curieux... Approchez-vous !...

Tout en parlant, il tendait à mon ami sa main droite, cette main allongée, osseuse et blanche.

— De tout mon cœur... déclara-t-il en la prenant cordialement. Je puis maintenant en convenir, continua-t-il en riant, vous m'avez presque rendu fou de terreur.

L'étranger ne semblait plus prendre garde à ce qu'on disait : ses yeux noirs, toujours égarés, restaient fixés sur le visage d'Arthur avec un intérêt puissant, et ses longs doigts osseux tenaient sa main dans une étreinte énergique.

Le jeune Holliday, de son côté, troublé, embarrassé par le singulier langage et les manières bizarres de l'étudiant en médecine, le contemplait avec une curiosité pour le moins égale. Leurs deux visages étaient près l'un de l'autre ; je les enveloppais du même regard...

À ma grande surprise, je fus tout à coup affecté par l'impression d'une ressemblance qui existait entre eux, non dans les traits ni dans le teint, mais uniquement dans le caractère de la physionomie. Il fallait que cette ressemblance fût bien marquée pour que je l'eusse ainsi découverte, car je ne suis pas naturellement très sensible à cette espèce de phénomènes.

— Vous m'avez sauvé la vie, dit l'inconnu qui continuait à fixer son visage et à étreindre sa main... Vous eussiez été mon propre frère que vous n'eussiez pu rien faire de plus pour me sauver.

Il avait prononcé ces trois mots, « mon propre frère », sur un ton tout particulièrement emphatique, et en même temps il s'était produit en lui un changement que les mots dont je dispose seraient impuissants à décrire.

— J'espère que je n'en ai pas fini avec les services à vous rendre, lui dit Arthur. Je parlerai à mon père aussitôt que je serai rentré à la maison.

— Vous semblez aimer votre père et vous enorgueillir de lui, reprit l'étudiant en médecine. Je suppose qu'il vous aime aussi, et qu'il est fier de vous avoir pour fils.

— Cela va sans dire... répondit Arthur en riant. Y a-t-il là de quoi s'étonner ?... Est-ce que votre père *à vous* ne le serait pas ?... (L'inconnu laissa tout à coup tomber la main du jeune Holliday et détourna de lui son visage.) Mille excuses, reprit-il. J'espère bien ne vous avoir pas affligé sans le vouloir... Peut-être avez-vous perdu votre père ?

— Comment perdre ce qu'on n'a jamais eu ? répliqua l'étudiant avec un rire sardonique et dur.

Ce qu'on n'a jamais eu !

Il reprit brusquement la main de mon ami et recommença tout à coup à le regarder au visage.

— Oui, dit-il, réitérant son rire amer. Vous avez ramené dans ce monde un pauvre diable qui n'y a que faire... Vous étonnerais-je, par hasard ?... Eh bien ! Il me prend envie de vous révéler tout simplement ce que gardent en général pour eux les hommes placés dans ma situation... Je n'ai ni nom ni père. Les lois clémentes que la Société a faites me déclarent l'Enfant de personne !... Demandez à votre père si par hasard il voudrait être aussi le mien et me fournir ce qui me manque : un nom de famille.

Arthur me regardait, plus intrigué que jamais.

Je lui fis signe de ne rien répondre, et posai de nouveau ma main sur le poignet du malade... Mais non... Malgré ce langage extraordinaire qu'il venait de tenir, il n'était pas, ainsi que je l'avais soupçonné, sur le chemin du délire : son pouls, en ce moment, avait repris des allures calmes et lentes ; sa peau était fraîche et moite. Pas le moindre symptôme d'agitation ou de fièvre.

Quand il vit que nous ne lui répondions ni l'un ni l'autre, il se tourna vers moi, m'entretenant de ce qu'il y avait d'extraordinaire dans sa défaillance cataleptique, sollicitant mes conseils sur le traitement médical auquel il devrait se soumettre pour l'avenir.

Je lui dis qu'une ordonnance pareille demandait réflexion et que je la lui enverrais un peu plus tard. Il me pria, au contraire, de la rédiger immédiatement, parce que, selon toute probabilité, il quitterait Doncaster dès le lendemain matin, avant l'heure de mon lever.

Je lui démontrai, sans le moindre succès, la déraison et le danger d'une résolution pareille. Il m'écouta patiemment, poliment, mais s'en tint à sa détermination sans me donner aucune explication, aucun motif, et en me répétant que si je voulais le pourvoir utilement de mon ordonnance, il serait bon de l'écrire sans retard.

Arthur, l'entendant ainsi parler, offrit de mettre à notre service une petite écritoire de voyage qui, expliqua-t-il, ne le quittait jamais ; l'apportant sur le lit, il la secoua par un de ces gestes insouciants qui lui étaient familiers pour faire sortir le papier à lettres de la petite poche qui le renfermait.

Avec le papier tombèrent sur le couvre-pieds du lit un petit paquet de colle à bouche et une aquarelle de menues dimensions représentant un paysage. L'étudiant en médecine prit le dessin et le regarda. Ses yeux tombèrent sur certaines initiales formant un chiffre, placées à l'un des coins du dessin.

Il frissonna, pris d'un tremblement subit ; son pâle visage devint plus blême que jamais, ses yeux noirs et hagards se tournèrent du côté d'Arthur, qu'ils semblaient vouloir percer de part en part.

— Charmant dessin ! dit-il d'une voix remarquablement contenue.

— Certes ! Et l'ouvrage d'une charmante fille... répondit-il. Oh ! la belle enfant !... J'aimerais bien mieux que ce ne fût pas un paysage... J'aimerais bien mieux que ce fût son portrait !

— Vous semblez avoir beaucoup de goût pour elle.

Moitié riant, moitié sérieux, Arthur, pour toute réponse, envoya du bout des doigts un baiser à la belle absente.

— Un amour subit, un coup de sympathie, dit le jeune Holliday, qui reprit l'aquarelle pour la remettre en place... Mais les traverses ne nous sont pas épargnées... C'est la vieille histoire, comme toujours...

» Elle n'est plus libre, cela va sans dire : elle est sous le coup d'un engagement téméraire, pris envers un pauvre garçon qui jamais ne réalisera la fortune indispensable pour qu'ils puissent se marier... Il est heureux que tout ceci m'ait été révélé à temps ; sans cela, quand elle m'a donné ce dessin, j'aurais risqué ma déclaration... Allons, docteur ! Voici la plume, l'encre et le papier qui vous attendent.

— Quand elle vous donna le dessin ?... *Donna*, n'est-il pas vrai ?... C'est *donna* que vous avez dit ?...

Il se répéta lentement à lui-même, et plusieurs fois, le mot qui semblait l'avoir choqué ; puis, soudainement, il ferma les yeux. Une crispation momentanée contracta son visage, et je vis une de ses mains, saisissant les draps du lit, les froisser avec une espèce de fureur.

Je crus qu'il allait retomber malade, et j'insistai pour mettre un terme à la conversation. Pendant que je parlais, il rouvrit les yeux, les fixa de nouveau avec plus de curiosité que jamais sur le visage d'Arthur, et lentement, distinctement, prononça ces paroles :

— Vous l'aimez, elle vous aime... Le pauvre homme qui vous fait obstacle peut fort bien s'en aller dans un autre monde... Et alors, pourquoi ne se donnerait-elle pas à vous, comme elle vous a donné son dessin ?

Avant que le jeune Holliday ait pu répondre, le malade, se tournant de mon côté, me dit tout bas :

— Passons maintenant à votre ordonnance !...

À partir de ce moment, bien qu'il n'évitât pas de causer avec Arthur, il ne leva plus les yeux sur lui.

Quand l'ordonnance fut rédigée, il l'examina soigneusement, l'approuva dans toutes ses prescriptions et nous surprit ensuite tous les deux en nous congédiant assez brusquement. J'offris de veiller auprès de lui, mais il secoua la tête en signe de refus. Arthur lui fit la même proposition et, détournant la tête, il lui répondit par un « non » des plus laconiques. J'insistai pour qu'il se fît veiller par quelqu'un ; lorsqu'il me vit bien décidé à ne pas souffrir qu'il restât seul, il accepta les services du garçon d'auberge.

— Je vous remercie tous les deux, dit-il au moment où nous nous levions pour nous en aller... J'ai une dernière faveur à vous demander... non pas à vous, docteur, car je me fie entièrement à votre discrétion professionnelle, mais à Mr Holliday, que voici.

Ses yeux, pendant qu'il s'exprimait ainsi, demeuraient arrêtés sur moi et ne se tournèrent pas une seule fois du côté d'Arthur.

— Je prierai donc Mr Holliday de ne communiquer à personne — et moins à son père qu'à tout autre — les incidents qui se sont passés, les paroles qui se sont échangées dans cette chambre. Je le supplie de m'enfouir dans sa mémoire, de même que sans lui j'aurais été enfoui dans ma tombe... Il m'est impossible de lui exposer les raisons qui motivent cette étrange requête, et j'en suis réduit à le prier purement et simplement de ne pas la mettre en oubli.

Sa voix faiblit pour la première fois, et il cacha sa tête dans son oreiller. Arthur, complètement abasourdi, prit l'engagement solennel qui lui était demandé. Je l'emmenai immédiatement après chez mon ami, me promettant de revenir à l'auberge et de revoir l'étudiant en médecine, ce matin-là même, avant son départ.

Je revins effectivement à 8 heures sans avoir réveillé Arthur, qui se reposait des agitations de la nuit passée, étendu sur un des sofas de mon ami. C'était à dessein que je le laissai ainsi dormir. J'avais conçu, à part moi, un soupçon en vertu duquel je m'étais promis que Holliday et l'inconnu dont il avait sauvé la vie ne se retrouveraient jamais face à face, du moins si je pouvais l'empêcher.

J'ai déjà fait allusion à certains bruits, à certaines médisances dont j'étais au courant, et qui se rapportaient à la jeunesse du père d'Arthur. En songeant, une fois couché, à ce qui s'était passé dans l'auberge, aux mouvements du pouls de l'étudiant dès qu'il avait entendu le nom de Holliday, à la ressemblance de physionomie qu'offraient son visage et celui d'Arthur, à la manière emphatique dont il avait prononcé ces trois mots, « mon propre frère », et enfin à l'incompréhensible aveu qu'il nous avait fait de sa naissance illégitime... pendant, donc, que je réfléchissais à toutes ces choses, les bruits dont j'ai parlé se représentèrent soudain à mon esprit et vinrent se rattacher solidement à la chaîne de mes réflexions antérieures.

Une voix secrète me murmurait : *Il vaut mieux que ces deux jeunes gens ne se rencontrent plus.* Au moment où j'allais m'endormir, cette idée m'était venue ; elle persistait à mon réveil, et ce fut pour cela que je me rendis seul à l'auberge, ainsi que je vous l'ai dit, dans le cours de cette matinée.

Je manquai cependant l'unique occasion qui me restât de revoir mon malade anonyme. Il était parti depuis plus d'une heure lorsque je m'informai de lui.

Je vous ai maintenant raconté tout ce que je sais, de science certaine, relativement à l'homme que je ramenai à la vie dans cette chambre à deux lits de l'auberge de Doncaster. Ce que j'ajouterai désormais est affaire de conjectures, de déductions plus ou moins logiques et, à strictement parler, n'offre rien de positivement établi.

Vous saurez d'abord que les pressentiments de l'étudiant en médecine relativement au mariage probable d'Arthur Holliday avec la jeune personne qui lui avait fait présent d'un paysage à l'aquarelle se réalisèrent de la manière la plus merveilleuse. Ce mariage eut lieu plus d'un an après les événements que j'ai déjà eu à vous raconter.

Le jeune couple vint s'établir dans les environs de la petite ville où je pratiquais alors.

J'assistai aux noces et m'aperçus, non sans quelque surprise, que, soit avant, soit après le mariage, Arthur gardait vis-à-vis de moi, au sujet de l'engagement antérieur de la jeune personne, une réserve singulière. Il n'y fit allusion qu'une fois, en tête à tête, se bornant à me dire que sa femme avait fait, à cette occasion, tout ce que l'honneur et le devoir exigeaient d'elle, et que ses parents avaient donné leur pleine approbation à la rupture de l'engagement contracté. C'est là tout ce qu'il m'en dit jamais. Pendant un laps de trois années, le jeune ménage vécut heureux. Au bout de ce temps, Mrs Arthur Holliday éprouva les premiers symptômes d'une grave indisposition qui dégénéra peu à peu en une maladie de langueur, et aboutit, en somme, à un état désespéré.

Je lui donnai mes soins dès le début et jusqu'au dénouement. Nous avions été fort bons amis quand elle se portait bien, et notre attachement mutuel ne fit que s'accroître pendant cette longue et cruelle maladie. Dans les intervalles de ses souffrances, j'eus avec elle maintes et maintes conversations plus ou moins intéressantes, et je résumerai sommairement l'une d'elles, vous laissant libre d'en tirer les conclusions qu'il vous plaira.

L'entrevue à laquelle je fais allusion eut lieu peu de temps avant la mort de cette jeune femme.

Arrivé chez elle un soir, comme à l'ordinaire, je la trouvai seule et je vis, à l'état de ses yeux, qu'elle avait beaucoup pleuré. Tout d'abord elle se contenta de me dire que cela tenait à un grand abattement d'esprit, mais peu à peu, elle devint plus communicative et m'avoua qu'elle avait passé en revue certaines lettres de vieille date qui lui avaient été adressées avant qu'elle connût Arthur par un homme à qui elle avait promis sa main.

Je lui demandai comment l'engagement s'était rompu. Elle me répondit qu'aucune rupture positive n'avait eu lieu, mais que cet engagement s'était dénoué d'une façon mystérieuse.

L'homme auquel elle était promise — et qui avait été, disait-elle, son premier amour — ne possédait aucune fortune ; leur mariage se trouva naturellement ajourné, par là même, à une date indéterminée. Il suivait la même profession que moi et faisait ses études à l'étranger.

Ils avaient correspondu régulièrement, jusqu'à une époque où, croyait-elle, ce jeune homme était revenu en Angleterre. À partir de cette époque, elle n'avait plus entendu parler de lui. Elle me le dépeignit comme d'un naturel inquiet et d'une excessive susceptibilité ; aussi craignait-elle de l'avoir blessé, sans le vouloir, par quelques paroles légères ou quelques démarches dont elle n'avait pas conscience.

Quoi qu'il en fût, il ne lui avait plus écrit et, après une année d'attente, elle avait accepté Arthur pour époux. Je lui demandai à quelle époque avait commencé l'interruption de leur correspondance, et je découvris ainsi que le moment où elle avait cessé d'entendre parler de son premier fiancé se trouvait être précisément celui où j'avais été mandé à l'auberge des *Deux Rouges-Gorges* près de mon client mystérieux.

Elle mourut environ quinze jours après cette conversation. Au bout d'un certain laps de temps, Arthur contracta un nouvel hymen. Depuis ces dernières années, il réside le plus souvent à Londres, et nos rapports, peu à peu devenus de plus en plus rares, ont fini par cesser entièrement.

Il me faut encore franchir un certain nombre d'années avant d'arriver à quelque chose qui puisse sembler la conclusion de ce récit fragmentaire. Et même, parvenu à cette période récente, le peu que j'ai à dire n'occupera pas votre attention pendant plus de quelques minutes.

Par une pluvieuse soirée d'automne, pendant que j'étais encore médecin de campagne, je me trouvais assis, seul, réfléchissant à un cas exceptionnel qui mettait au défi mes faibles lumières et m'occasionnait d'assez dures perplexités, lorsque j'entendis heurter légèrement à la porte de ma chambre.

— Entrez ! m'écriai-je, levant les yeux avec curiosité, et me demandant qui venait réclamer mon assistance.

Après un moment de délai, la clef tourna dans la serrure, et une longue main, osseuse et blanche, passa par l'interstice de la porte entrouverte, dont elle soulevait le battant, qu'un pli du tapis empêchait de s'ouvrir.

À cette main succéda un homme dont le visage produisit sur moi, tout aussitôt, une très étrange sensation. Sous quelques rapports, son aspect ne m'était pas nouveau ; sous d'autres, je croyais entrevoir une métamorphose presque complète.

Il disait s'appeler Mr Lorn et, m'exhibant d'excellentes recommandations émanant de gens du métier, il me proposa de remplir auprès de moi les fonctions, alors vacantes, de médecin assistant. Tandis qu'il parlait, je remarquai, comme une circonstance singulière, que nous ne semblions pas étrangers l'un à l'autre, et que si sa vue m'avait causé une sorte d'émotion assez vive, la mienne, en revanche, ne l'avait pas troublé le moins du monde.

J'avais sur le bout de la langue deux ou trois mots destinés à lui faire savoir que je croyais l'avoir jadis rencontré. Mais, dans mes souvenirs comme sur son visage, il y avait quelque chose — je ne saurais dire quoi — qui paralysait ma volonté de parler et qui en même temps (expliquez ceci !), m'attirant vers cet homme, me rendait sa proposition acceptable et bienvenue.

Ce jour-là même, il entra dans ses nouvelles fonctions. Nos rapports, dès le début, furent ceux de deux amis éprouvés. Mais pendant tout le temps qu'il passa chez moi, jamais il n'entra spontanément dans aucune confidence au sujet de sa vie passée, et je n'abordai jamais ce sujet réservé, sauf par quelques insinuations qu'il se refusa résolument à comprendre.

Je m'étais dit, depuis longtemps, que mon malade des *Deux Rouges-Gorges* pouvait bien être un enfant naturel de Mr Holliday père, et en même temps le malheureux fiancé de la jeune fille qu'Arthur avait épousée en dernier ressort.

Maintenant une autre idée me venait, à savoir que « Mr Lorn » était le seul individu vivant qui pût, s'il le voulait, éclaircir pour moi ce double sujet de doutes. Mais il ne le voulut jamais, et ces doutes restèrent ce qu'ils étaient.

Il demeura près de moi jusqu'à l'époque où, pour la seconde fois, j'allai, comme médecin, tenter fortune à Londres ; alors il suivit son chemin comme moi le mien, sans que jamais, depuis lors, nous ayons eu l'occasion de nous revoir.

Je ne saurais que dire de plus. Peut-être mon soupçon était-il fondé, peut-être non. Ce qui est certain, c'est que, dans ces temps de médecine rurale, toutes les fois que, rentrant un peu tard, j'avais à réveiller mon assistant endormi, je lui trouvais, au moment où il revenait à lui, une ressemblance merveilleuse avec l'inconnu de Doncaster tel que je le vis, au sortir de sa léthargie profonde, pendant cette nuit que je n'oublierai jamais.

UN DRAME DE FAMILLE

I

La première place où je fus envoyé quand je commençai à aller en service ne me rapporta presque rien. Évidemment, j'y eus l'occasion de m'initier complètement aux détails de mon travail, mais mes gages étaient très inférieurs à ce que j'étais en droit d'espérer. Mon maître avait fait banqueroute et ses domestiques en subissaient les conséquences avec le reste de ses créanciers.

Heureusement, ma seconde situation compensa largement la mauvaise chance que j'avais eue d'abord. J'eus le bonheur d'entrer au service de Mr et Mrs Norcross. Mon maître était un riche gentilhomme qui possédait, outre Darrock Hall, des terres dans le Cumberland, une propriété dans le Yorkshire et une autre très importante à la Jamaïque, qui lui procurait depuis de longues années de très gros revenus.

Se trouvant aux Indes Occidentales, il avait rencontré une jeune et jolie fille, gouvernante dans une famille anglaise, s'était violemment épris d'elle et l'avait épousée bien qu'elle eût vingt-cinq ans de moins que lui.

Aussitôt après la noce, ils revinrent en Angleterre, et c'est à ce moment que j'eus la chance d'être engagé par eux comme domestique.

Je vécus avec eux pendant trois ans. Ils étaient encore sans enfants quand, au bout de ce temps, Mr Norcross mourut. Il était assez intelligent pour prévoir que sa jeune veuve se remarierait, et fit son testament de telle sorte que toutes ses propriétés aillent d'abord à Mrs Norcross, puis aux enfants qu'elle pourrait avoir d'un second mariage, anéantissant tous les espoirs qu'avaient pu concevoir sa propre famille et ses amis. Je ne souffris pas de la mort de mon maître parce que sa veuve me garda à son service, ainsi que sa femme de chambre, une quarteronne qui s'appelait Joséphine et qu'elle avait ramenée avec elle des Indes Occidentales.

À cette époque, je détestais déjà ses façons à la fois mal élevées et enjôleuses, son visage basané, ses yeux cruels, et ne pouvais comprendre l'affection que ma maîtresse lui portait. J'aurai bien d'autres choses à dire sur son compte dans la suite de mon récit.

Je dois maintenant relater que peu après ma maîtresse congédia tout son personnel et, n'emmenant que Joséphine et moi, elle partit pour le continent.

Parmi tant d'endroits magnifiques, nous avons visité Paris, Gènes, Parme, Venise, Florence, Rome et Naples, séjournant parfois plusieurs mois dans quelques-unes de ces villes. La renommée de l'immense fortune de ma maîtresse l'accompagnait partout où elle allait ; nombreux furent les gentlemen étrangers et anglais qui essayèrent désespérément de gagner ses bonnes grâces et de la décider à les épouser. Aucun d'eux pourtant ne réussit à produire d'impression forte ou durable sur elle, et quand nous revînmes en Angleterre après plus de deux ans d'absence, Mrs Norcross était toujours veuve et ne semblait pas vouloir changer sa situation.

Nous étions passés en rentrant par sa maison du Yorkshire, mais la société qu'elle avait trouvée aux environs ne lui plut pas et nous regagnâmes Darrock Hall. Elle fit alors de temps en temps des excursions dans le district des lacs, distant de quelques milles, et durant une de ces promenades, elle rencontra de vieux amis qui lui présentèrent un gentilhomme de leurs connaissances qui portait le nom très vulgaire et très banal de James Smith.

Il était grand, assez joli garçon, avec des cheveux noirs qu'il portait très longs et la paire de favoris la plus grande et la plus touffue que j'ai jamais vue. Il avait dans le regard quelque chose de volage et de dissolu, et une manière fanfaronne de parler qui en faisait toujours le centre des conversations. Il était pauvre — comme je l'appris par son domestique — mais de bonne famille, enfin un gentleman par la naissance et l'éducation bien que ses façons fussent trop libres.

Ce que ma maîtresse trouva d'intéressant en lui, je ne puis me l'imaginer, mais quand elle pria ses amis de venir faire un séjour à Darrock, Mr James Smith fut compris dans l'invitation.

Wilkie Collins

Cette arrivée nous procura une époque de bruyante gaieté. Le jeune gentilhomme étranger en particulier était toujours en mouvement et se montrait aussi à l'aise que s'il avait été chez lui. J'étais surpris de voir Mrs Norcross s'exciter ainsi dans sa société, mais je fus comme frappé de la foudre quand j'appris quelques mois plus tard qu'elle allait épouser ce visiteur aux allures si libres et si désinvoltes. Elle avait refusé à l'étranger un tel nombre d'offres, venant d'hommes bien plus haut placés, plus riches, plus nobles, qu'il me semblait impossible qu'elle pût penser sérieusement à confier sa vie à un jeune homme sans argent, téméraire et étourdi comme Mr James Smith.

Ils se marièrent pourtant en deux temps, et après avoir fait leur voyage de noces à l'étranger, ils revinrent à Darrock Hall.

Je découvris bientôt que mon nouveau maître avait une humeur très versatile. Certains jours il se montrait familier et plaisant avec ses domestiques comme tout gentleman doit le faire, puis d'autres fois, il semblait vraiment possédé par le diable. Il entrait alors dans de violentes colères, et se faisait des idées fausses dont aucun raisonnement, aucune remontrance ne pouvaient le faire démordre. Cela m'étonnait beaucoup qu'avec ses goûts d'animation et de gaieté, ses habitudes remuantes et agitées, il consente à vivre dans un endroit aussi calme et ennuyeux que Darrock. Mais la raison de cette anomalie m'apparut bientôt.

Mr James Smith n'avait rien d'un sportif ; il n'appréciait aucun des plaisirs qu'on goûte à l'intérieur comme la lecture, la musique, et il n'avait aucune ambition de représenter le comté au Parlement. La seule chose qu'il aimait avec passion, c'était de faire des excursions en yacht. Or Darrock était à moins de soixante milles d'un port de mer, avec un excellent havre, et c'est à cette situation que le Hall devait d'être une résidence très estimée par Mr James Smith.

Il trouvait un tel infatigable plaisir dans ces croisières, et tous ses souvenirs joyeux semblaient si uniquement se rattacher à des promenades en mer qu'il avait faites à bord de différents bateaux appartenant à ses amis, que son principal but en épousant ma maîtresse était, je crois, de devenir suffisamment riche pour en acquérir un lui-même.

Quoi qu'il en soit, il est certain que quelque temps après leur mariage, il la persuada de lui offrir un beau schooner qui arriva un jour de Cowes à notre port de mer, et y demeura dès lors toujours à sa disposition.

Sa femme dut subir beaucoup de manœuvres avant de se décider à faire cette acquisition. Elle souffrait tellement du mal de mer que tout plaisir de naviguer était hors de question pour elle ; très éprise de son mari, elle était peu encline à lui voir prendre un plaisir qui l'éloignerait constamment d'elle.

Cependant il usa de son influence si intelligemment, lui promettant de ne jamais aller en mer sans lui en demander l'autorisation, et l'assurant que ses petites croisières ne se prolongeraient jamais au-delà d'une semaine ou de dix jours au plus, qu'en fin de compte, ma maîtresse, qui était la meilleure et la moins égoïste des femmes, mit ses préférences de côté et rendit son mari heureux en acquérant le yacht tant convoité.

Pendant que mon maître allait en croisière, elle vivait de tristes et solitaires journées au Hall. Les quelques relations qu'elle avait dans le comté habitaient trop loin pour venir à Darrock à d'autres occasions que quand elles étaient priées d'y passer quelques jours. Quant au village tout proche, il n'y avait là qu'une seule personne que ma maîtresse pouvait recevoir, c'était le pasteur qui desservait la petite église.

Ce gentilhomme s'appelait Mr Meeke. C'était un célibataire, encore très jeune et très solitaire dans son modeste presbytère. Il avait un visage doux, mélancolique et pâle, parlait d'une voix faible, et était aussi timide qu'une jeune fille — exactement ce qu'on peut appeler sans aucune injustice ni sévérité un pauvre être, faible et sans contredit le plus mauvais prédicateur que j'ai jamais entendu.

Une chose qu'il faisait très bien — je l'appris par la suite —, c'était de jouer du violon. Il aimait extraordinairement la musique, tellement qu'il emportait parfois son violon avec lui quand il allait faire une promenade.

Ce goût lui fut naturellement une grande recommandation aux yeux de ma maîtresse qui était une excellente pianiste, et qui fut ravie de découvrir en lui un tel partenaire pour exécuter des duos.

Outre qu'elle aima bientôt sa société pour cette raison, elle était touchée de son isolement, d'autant plus, je le suppose, qu'elle était elle-même si souvent livrée à la solitude.

De son côté, Mr Meeke, quand il avait surmonté sa première timidité, était très heureux de quitter son triste petit presbytère pour passer quelques heures dans le beau salon de musique du Hall, en compagnie d'une *lady* si belle, douée d'un si bon cœur, qui l'appréciait et admirait profondément son talent de violoniste.

C'est ainsi que bientôt, chaque fois que mon maître partit en croisière, ma maîtresse et Mr Meeke furent ensemble chaque jour, jouant des duos inlassablement comme si leur pain en dépendait. Il n'existait pas au monde de relations plus innocentes que les leurs, et pourtant tout inoffensives qu'elles fussent, elles devinrent la première cause de tous les malheurs qui arrivèrent par la suite.

La façon dont mon maître traitait Mr Meeke avait dès le début été très différente de celle de sa femme. L'agité et bruyant Mr Smith éprouvait un profond mépris pour le faible et féminin petit pasteur violoniste ; qui plus est, il ne le cachait nullement.

C'est pourquoi Mr Meeke, qu'effrayaient mortellement le langage violent et les façons brusques de mon maître, finit par ne plus venir à Darrock que lorsque ce dernier en était absent.

N'y voyant rien de mal et ne faisant jamais mystère à son mari de ces visites, ma maîtresse ne songeait jamais à prendre des mesures pour que le musicien soit parti quand son mari rentrait d'une promenade à cheval dans le voisinage ou d'une croisière dans son schooner. De telle façon que lorsque ce dernier rentrait chez lui, neuf fois sur dix il y trouvait le pasteur.

Il commença par en rire et s'en amuser par quelque grossière plaisanterie à l'adresse de sa femme et de son compagnon. Mais au bout d'un petit temps, son humeur changea, comme d'ordinaire ; il devint boudeur, impoli, coléreux, et à la fin furieusement jaloux de Mr Meeke.

Quoique trop fier pour l'avouer franchement, il révéla pourtant assez de son état d'esprit à ma maîtresse pour exciter son indignation. Elle était une femme capable de renoncer à tout pour celui à qui elle avait donné son amour, mais capable aussi d'une certaine indépendance d'esprit la faisant se dresser contre la plus légère apparence d'injustice ou d'oppression et ressentir peut-être un peu trop chaudement toute espèce de tyrannie.

La seule pensée que son mari pouvait la soupçonner la mettait hors d'elle, et elle prit la voie la plus malheureuse, mais peut-être la plus naturelle à une femme qui se sent accusée à tort. Désormais, plus son mari se montrait grossier envers Mr Meeke, plus elle traitait ce dernier avec bonté, ce qui amena bientôt de sérieuses disputes et discussions, et même un jour une violente querelle.

Je ne pus m'empêcher d'assister à cette dernière car elle eut lieu au jardin, tout près de la fenêtre de la salle à manger où je dressais le couvert pour le lunch.

Sans répéter leurs paroles — ce que je n'ai pas le droit de faire —, ayant entendu par accident ce qui ne m'était pas destiné, je puis dire du moins, pour prouver combien la chose était sérieuse, que ma maîtresse accusa son mari de l'avoir épousée pour sa fortune et d'éviter à présent sa société autant qu'il était possible, et de plus, de l'insulter par un soupçon qu'il lui serait dorénavant très difficile de pardonner, et impossible de jamais oublier.

Il répliqua en termes violents dirigés contre elle-même, puis lui défendit de recevoir encore Mr Meeke. Elle déclara alors que jamais elle ne consentirait à insulter un pasteur et un gentleman pour satisfaire le caprice d'un mari tyrannique.

Sur quoi il commanda impérieusement son cheval, déclarant qu'il ne demeurerait pas un instant de plus sous le même toit qu'une femme qui l'avait ainsi défié, ajoutant que si Mr Meeke franchissait de nouveau la porte, il reviendrait pour le cravacher à travers tout le village en dépit de son habit noir.

Il la laissa sur ces mots et partit au galop vers le port où son yacht l'attendait. Ma maîtresse se contint tant qu'il fut en vue, mais ensuite éclata en sanglots et eut une crise de désespoir qui la laissa si faible qu'elle dut être emportée dans son lit presque sans connaissance.

Le même soir, le cheval de mon maître fut ramené par un messager qui apportait un bout de papier contenant ces quelques lignes qui m'étaient adressées : *Emballez mes vêtements et donnez-les immédiatement au porteur. Vous pouvez dire à votre maîtresse que je mets à la voile ce soir à onze heures pour une croisière en Suède. Envoyez mes lettres poste restante à Stockholm.*

J'obéis aux ordres qui m'étaient donnés, sauf à celui de communiquer cette nouvelle à ma maîtresse. Le médecin qu'on était allé chercher était encore dans la maison, et je le consultai sur l'opportunité de lui montrer ce billet.

Il me défendit positivement de le faire le soir même et me demanda de le lui confier, laissant à son soin de juger s'il pourrait ou non le lui montrer le lendemain matin.

Le messager était déjà reparti depuis une heure quand la gouvernante de Mr Meeke vint à Darrock apporter un rouleau de musique pour ma maîtresse. Je lui racontai le départ soudain de mon maître, et lui dis que le docteur était en haut. Cette nouvelle mit le pasteur lui-même dans une grande anxiété.

J'étais tellement furieux contre celui qui était la cause — bien involontaire pourtant — de la malheureuse scène qui venait d'avoir lieu que je dépassai les bornes de mon devoir, et lui dis toute la vérité. Le pauvre petit pasteur frissonnant, effrayé, devint d'abord très rouge, puis d'une pâleur de cendre, et s'affaissa sur une des chaises du hall en pleurant comme si son cœur allait se briser.

— Oh, William ! s'écria-t-il en tordant ses petites mains frêles et tremblantes, aussi impuissantes que celles d'un bébé. Oh ! William, que dois-je faire ?

— Puisque vous me posez cette question, monsieur, j'espère que vous m'excuserez si, quoique je ne sois qu'un domestique, je vous dis clairement ma pensée. Je connais assez ma condition pour me rendre compte que, strictement parlant, j'ai eu tort, j'ai outrepassé mon devoir en vous révélant ce que je vous ai déjà dit. Mais je traverserais le feu, monsieur, ajoutai-je tandis que je sentais mes yeux devenir humides, pour servir ma maîtresse.

» Elle n'a aucune famille ici qui puisse vous parler, et il vaut mieux qu'un domestique comme moi soit accusé d'indiscrétion plutôt que de voir arriver de nouvelles et effrayantes catastrophes si le bon remède n'est pas appliqué au moment voulu. C'est ce que je ferais si j'étais à votre place, monsieur. Sauf votre respect, je cesserais de pleurer et rentrerais maintenant chez moi pour écrire à Mr James Smith que je ne veux pas, comme pasteur, lui rendre le mal pour le mal, mais bien lui prouver combien il m'a injustement soupçonné en cessant toute visite au Hall plutôt que d'être une cause de dissension entre un mari et sa femme.

» Si vous voulez exprimer cela en meilleurs termes, monsieur, et si votre lettre était prête dans une demi-heure, je prendrais le cheval le plus rapide de nos écuries et risquerais tout pour la remettre entre les mains de mon maître avant qu'il s'embarque ce soir. Je n'ai rien de plus à dire, monsieur, sauf de vous demander pardon d'avoir un instant oublié ma condition et de vous avoir parlé de cette question si sérieuse, comme d'égal à égal, d'homme à homme.

Il faut rendre cette justice à Mr Meeke qu'il avait un cœur, même s'il était petit comme sa personne. Il me serra la main et me dit qu'il acceptait mon conseil comme celui d'un ami, puis il retourna à son presbytère pour écrire cette lettre.

Une demi-heure plus tard, quand j'arrivai à cheval, la lettre n'était pas prête. Mr Meeke était ridiculement soucieux de la forme à donner à sa pensée quand il tenait une plume en main. Je le trouvai devant son bureau encombré de lettres commencées, et dans une agonie d'angoisse au sujet de la délicatesse qu'il voulait mettre dans les termes se rapportant à ma maîtresse. Chaque minute étant précieuse, je le pressai tant que je pouvais, sans faire beaucoup de cérémonies. Cela prit pourtant encore une heure, malgré tous mes efforts pour le convaincre que la lettre était déjà parfaite. Je la pris, sautai en selle, et partis au galop sans ralentir avant d'atteindre le port.

L'horloge du havre sonnait 11 heures et quart quand j'y arrivai, et le temps de gagner la jetée, il n'y avait plus aucun yacht en vue.

On avait coupé les amarres dix minutes avant 11 heures et au moment où l'heure sonnait, il était sorti du havre. Je pensais essayer de le rejoindre dans un canot, mais il faisait une belle nuit étoilée, le vent était violent, et les marins de la jetée se moquèrent de moi quand je parlai de ramer pour atteindre un schooner parti depuis un quart d'heure, aidé du vent et de la marée descendante.

Je repris, le cœur serré, le chemin du retour ; je ne pouvais plus à présent qu'expédier la lettre à Stockholm.

Le lendemain matin, le docteur montra à ma maîtresse le bout de papier qui contenait le message de son mari ; une heure ou deux après, une lettre dont l'écriture était de Mr Meeke lui parvenait, lui expliquant la raison pour laquelle elle ne devait plus l'attendre au Hall, et parlant de moi en termes élogieux comme un homme sensible, qui a accompli la chose nécessaire au moment opportun. Je pourrais répéter le contenu de cette lettre, car ma maîtresse me l'a lue elle-même dans des circonstances particulièrement déplaisantes pour moi.

La nouvelle du départ de son mari pour la Suède ne l'affecta pas autant que le docteur l'avait craint. Au lieu de la désespérer, elle la ranima en excitant son ressentiment ; sa fierté avait été, j'imagine, horriblement blessée de la façon méprisante avec laquelle il lui annonçait son intention de mettre la voile vers la Suède, à la fin d'un message destiné à son domestique lui enjoignant de lui envoyer ses vêtements.

La trouvant dans cet état d'esprit, la lettre de Mr Meeke l'irrita encore davantage. Elle insista pour se lever, et quand elle eut achevé sa toilette, elle descendit et me fit comparaître pour me reprocher violemment mon impertinente intervention dans une question qui ne concernait qu'elle ; elle me déclara qu'elle avait décidé pour cette raison de me donner mon congé.

Je ne me défendis pas, car j'avais trop de respect pour son malheur et pour l'irritation dont il était la cause, et aussi parce que je connaissais trop la bonté de sa nature pour n'être pas certain qu'elle reviendrait sur sa décision quand elle aurait retrouvé plus de calme.

Les événements me prouvèrent que je ne m'étais pas trompé. Le soir même, elle me faisait appeler pour me prier de lui pardonner et d'oublier les paroles hâtives qu'elle avait prononcées le matin, avec une grâce et une douceur qui auraient gagné le cœur de tous ceux qui l'auraient entendue.

Des semaines se passèrent. Il y avait plus d'un

mois que mon maître était parti, et aucune lettre de lui à Darrock Hall. Ma maîtresse, qui supportait ce mauvais traitement avec plus de colère que de tristesse, partit pour Londres, y voir et consulter de proches parents qui y habitaient.

En passant près du presbytère, elle y fit arrêter sa voiture et alla — faisant de cela, je pense, un défi — dire adieu à Mr Meeke. Elle avait répondu à sa lettre, puis en avait reçu d'autres auxquelles elle avait répondu également, et l'avait naturellement vu chaque dimanche à l'église où elle s'était toujours arrêtée pour causer un instant avec lui après le service. Mais c'était la première fois qu'elle pénétrait chez lui.

Comme la voiture s'arrêtait, le petit pasteur sortit en toute hâte, et plein d'agitation, la rejoignit à la porte du jardin.

— Ne soyez pas effrayé, Mr Meeke, dit-elle en s'avançant. Bien que vous vous soyez engagé à ne plus venir au Hall, moi je n'ai fait aucune promesse de ne pas approcher du presbytère.

En achevant ces mots, elle entra dans la maison.

La femme de chambre quarteronne était assise avec moi sur le siège arrière de la voiture, et je vis un mince sourire apparaître sur sa face tannée quand le pasteur et sa visiteuse pénétrèrent ensemble dans la maison.

Inoffensif comme l'était Mr Meeke et innocente de toute faute comme je connaissais ma maîtresse, je regrettai qu'elle oubliât sa situation et soit assez inconséquente pour négliger ainsi les apparences. Elle venait de s'exposer au manque de respect de sa femme de chambre. Quelles conséquences pires encore son action n'allait-elle pas entraîner ?

Une demi-heure plus tard, nous étions sur la route de Londres où ma maîtresse séjourna deux mois. Durant tout ce temps, aucune lettre de son mari ne lui fut envoyée de la campagne.

II

Quand, au bout de ce temps nous rentrâmes à Darrock, personne n'avait rien appris sur les mouvements de Mr James Smith et de son yacht.

Six fastidieuses autres semaines s'écoulèrent encore, puis un événement se produisit qui interrompit la triste monotonie des jours que nous vivions alors dans cet endroit solitaire.

Un matin, Joséphine, après avoir fait la toilette de sa maîtresse, descendit avec le côté droit du visage livide, tandis que la joue gauche portait une marque rouge comme le feu. J'étais justement dans la cuisine et lui demandai ce qui lui était arrivé.

— Arrivé ? dit-elle de sa voix perçante et dans son anglais à moitié étranger. Servez-vous de vos yeux, s'il vous plaît, et regardez ma joue. Quoi ! Avez-vous vécu si longtemps avec votre maîtresse sans connaître la marque de sa main ?

J'étais à cent lieues de comprendre ce qu'elle voulait dire, mais elle s'expliqua bientôt. Ma maîtresse, dont l'humeur s'était altérée ces derniers temps à la suite de ses chagrins, avait manifesté ce matin-là plus d'impatience qu'à l'ordinaire, et, en réponse à une question de sa femme de chambre lui demandant comment elle avait passé la nuit, elle avait commencé à parler de son ennuyeuse et misérable vie avec plus d'irritation encore que de coutume. Joséphine, en essayant de lui remonter le moral, avait eu l'inconvenance de faire une plaisante et trop claire allusion à Mr Meeke, qui avait enragé sa maîtresse à un tel point qu'elle s'était retournée vivement vers cette fille mal élevée et — comme on le dit communément — lui avait boxé les oreilles.

Joséphine confessa qu'un moment après cet acte de justice expéditive, elle était revenue à elle, lui avait dit qu'elle reconnaissait avoir mal supporté cette familiarité déplacée, lui avait exprimé ses regrets de s'être ainsi oubliée, lui offrant comme preuve de sa sincérité et en gage de paix une demi-douzaine de mouchoirs de poche de batiste.

Je pensais qu'après cela, il était impossible que Joséphine garde rancune à une maîtresse qu'elle servait depuis qu'elle était toute jeune ; je le lui dis dès qu'elle eut achevé le récit de ce qui venait de se passer en haut.

— Moi, de la rancune ? s'écria miss Joséphine de sa voix dure et glapissante. Et pourquoi ? Et comment, s'il vous plaît ? Si ma maîtresse me donne un soufflet d'une main, elle m'offre de l'autre des mouchoirs de poche pour l'essuyer. Ma bonne, ma douce, ma jolie maîtresse ! Moi, la servante, garder rancune à elle, la maîtresse ! Ah ! Vilain homme qui

pouvez même penser une telle chose ! Ah ! Fi ! Fi !
J'en suis honteuse pour vous.

Elle me lança un regard — le plus méchant que
j'ai jamais vu — puis éclata de rire, le rire le plus
âpre que j'ai entendu sortir des lèvres d'une femme.
Elle s'en alla brusquement sans ajouter un mot, et
jamais plus en aucune occasion elle ne fit allusion à
ce sujet.

De ce jour pourtant, je notai un certain changement chez Joséphine ; pas dans la façon dont elle
faisait son service, car elle était toujours aussi active
et soigneuse sur ce point qu'auparavant, mais dans
ses manières et ses habitudes. Elle devenait étrangement silencieuse et passait toute seule la plus grande
partie de son temps libre.

Je ne pouvais la charger de rien de précis qui
m'eût permis de formuler une accusation contre elle,
mais je ne pouvais m'empêcher de penser que si
j'avais été à la place de ma maîtresse, j'aurais
accompagné le cadeau des mouchoirs de poche d'un
mois de gages en avance, et l'aurais priée de quitter
la maison le soir même.

À l'exception de ces petits troubles domestiques
qui à cette époque paraissaient insignifiants — mais
qui eurent de si sérieuses conséquences —, rien ne
vint rompre le cours ordinaire des jours durant les
six longues semaines dont je viens de parler.

Au commencement de la suivante survint enfin un
événement.

Un matin, le facteur apporta une lettre adressée à
ma maîtresse. Je la montai aussitôt, et en la mettant

sur le plateau je regardai l'adresse. Ce n'était pas l'écriture de Mr James Smith ; autant qu'il me parût, ce n'était pas non plus l'écriture d'une personne de bonne éducation. De plus, l'envers de l'enveloppe était très souillé, et le cachet portait le dessin à treillis habituel d'un vulgaire cabinet d'affaires.

Ce doit être une demande de secours, pensai-je en entrant dans la petite salle à manger et en présentant le pli à ma maîtresse.

Elle leva la main avant de l'ouvrir, ce qui était le signe qu'elle avait des ordres à me donner et que je ne devais donc pas quitter la chambre avant de les avoir reçus. Alors elle brisa le cachet et commença à lire la lettre.

À peine y eut-elle jeté les yeux qu'elle devint pâle comme une morte, et je vis le papier trembler entre ses doigts. Elle lut pourtant jusqu'au bout et soudainement de pâle qu'elle était, elle devint écarlate, bondit de sa chaise, chiffonna violemment le papier dans sa main et se mit à aller et venir dans la chambre, sans paraître me voir, tandis que je me tenais toujours contre la porte.

— Vous êtes un vilain ! Vilain ! Vilain ! l'entendis-je se murmurer plusieurs fois à elle-même d'une voix farouche et sifflante. (Puis elle s'arrêta et dit tout à coup :) Est-il possible que ce soit vrai ?

Alors seulement elle leva les yeux et tressaillit en me voyant toujours contre la porte comme si elle avait aperçu un étranger ; elle changea de couleur et me dit d'une voix étouffée de la laisser, de revenir dans une demi-heure. J'obéis, prenant pour certain qu'elle avait reçu de très mauvaises nouvelles de son mari, et me demandant anxieusement ce qu'elles pouvaient être.

Quand je revins à l'heure prescrite, son visage était plus décomposé que jamais. Sans prononcer une parole, elle me tendit deux lettres cachetées, l'une qui devait être déposée pour Mr Meeke au presbytère, l'autre qui portait la mention URGENT, adressée à un avoué à Londres qui était en même temps son plus proche parent encore en vie.

Je déposai l'une et expédiai l'autre. Quand je revins, j'appris que ma maîtresse avait regagné sa chambre, où elle resta quatre jours, gardant entièrement pour elle son affreux chagrin. Le cinquième jour, l'avoué de Londres arriva. Elle alla le recevoir dans la bibliothèque et y resta enfermée avec lui pendant presque deux heures. Au bout de ce temps, la sonnette m'appela.

— Asseyez-vous, William, me dit-elle quand j'entrai dans la chambre. J'ai une confiance absolue en votre fidélité et votre attachement ; avec le consentement de ce gentilhomme, qui est mon plus proche parent et mon conseiller légal, je veux vous confier un secret très grave, et vous demander de m'aider dans une difficulté si importante que je puis dire que c'est pour moi une question de vie ou de mort.

Ses pauvres yeux étaient rouges, ses lèvres tremblaient pendant qu'elle me parlait ; j'étais si saisi par ses paroles que je ne savais où m'asseoir.

Elle me désigna une chaise placée près de la table et paraissait vouloir parler à nouveau quand l'avoué s'interposa.

— Laissez-moi vous supplier de ne pas vous agiter plus qu'il n'est nécessaire. Je vais mettre ce brave garçon au courant des faits et si j'oublie quelque chose, vous n'aurez qu'à m'arrêter et me remettre dans la bonne voie.

Ma maîtresse s'appuya au dossier de sa chaise et se couvrit le visage de son mouchoir de poche. L'avoué attendit un instant, puis il s'adressa à moi.

— Vous êtes au courant des circonstances dans lesquelles votre maître a quitté cette maison, et vous savez aussi, je n'en doute pas, qu'aucune nouvelle de lui n'est parvenue à votre maîtresse depuis lors ?

Je m'inclinai et dis que je savais tout cela.

— Vous vous souvenez aussi avoir monté une lettre à votre maîtresse il y a cinq jours ?

— Oui, monsieur, répondis-je, une lettre qui a paru la désoler et l'alarmer sérieusement.

— Je vais vous la lire avant que nous allions plus loin, continua l'avocat. Je vous préviens qu'elle contient une terrible charge contre votre maître, qui n'est cependant pas attestée par la signature de l'expéditeur. J'ai déjà dit à votre maîtresse qu'elle ne devait pas attacher trop d'importance à une lettre anonyme, et je vous redis la même chose.

En disant cela, il la prit sur la table et me la lut. Il m'en donna plus tard une copie que je relus assez souvent pour en fixer chaque terme dans ma mémoire, et c'est pourquoi je peux, je crois, la relater ici mot pour mot :

Madame,
Ma conscience ne peut me permettre de vous lais-

ser dans la complète ignorance de la conduite atroce de votre mari à votre égard. Si vous avez souffert de son absence, ne le faites plus, car j'espère et je prie pour que vous et lui ne vous retrouviez plus jamais face à face en ce monde.

J'écris en toute hâte, redoutant d'être épié : le temps me manque pour vous préparer, comme je le voudrais à ce que je vais devoir vous révéler. Je suis contraint de vous dire brutalement, quoique avec un grand respect pour vous et votre cruelle épreuve, que votre mari vient d'épouser une autre femme... J'ai assisté à son insu à la célébration de son mariage. Si je ne pouvais vous parler de cet acte infâme en témoin oculaire, je n'en aurais pas parlé du tout. Je n'ose vous révéler qui je suis parce que je crois que Mr James Smith ne reculerait devant aucun crime pour se venger de moi s'il apprenait la démarche que je fais auprès de vous et les moyens par lesquels j'ai obtenu mes informations. Je vous préviens simplement de ce qui s'est passé, vous laissant le soin d'agir en ce cas comme vous le désirez. Vous pouvez douter de la véracité de cette lettre parce qu'elle n'est pas signée ; en ce cas, si Mr James Smith se présentait jamais devant vous, je vous conseille de lui demander soudainement ce qu'il a fait de « sa nouvelle femme » et de voir si sa contenance ne témoigne pas immédiatement de la vérité de ce que vous dit

Votre ami inconnu.

Bien que j'aie toujours eu une pauvre opinion de mon maître, je ne l'aurais jamais cru capable d'une telle vilenie et je ne pouvais encore l'admettre quand l'avoué acheva la lecture de la lettre.

— Oh ! Monsieur ! m'écriai-je. C'est là sûrement quelque basse insinuation. Il est impossible que ce soit vrai !

— C'est ce que j'ai dit à votre maîtresse, déclara-t-il. Mais elle répond à cela...

— ... Que je crois que c'est vrai, murmura-t-elle derrière son mouchoir de poche, d'une voix brisée.

— Nous n'allons pas débattre la question maintenant, continua l'avoué. Notre but est de découvrir la vérité ou la fausseté de cette lettre. Cela doit être fait dès maintenant. J'ai écrit à un de mes clercs qui a l'habitude des investigations délicates de venir me rejoindre sans délai. Nous pouvons avoir en lui une confiance absolue, et il commencera les démarches nécessaires au plus vite.

» Mais il est absolument nécessaire pour ne pas commettre d'erreur qu'il ait avec lui une personne tout à fait au courant des habitudes de Mr James Smith comme de sa personne, et votre maîtresse a décidé que cette personne serait vous. Seulement, aussi bien que soit menée l'enquête, on doit s'attendre à des difficultés, à des délais ; elle peut nécessiter un long voyage, et exposer même à des dangers personnels. Êtes-vous prêt, demanda l'avocat en me regardant intensément, à supporter tous les inconvénients et à courir tous les risques pour la cause de votre maîtresse ?

— Il n'y a rien que je puisse faire, que je ne sois prêt à entreprendre, monsieur. Je crains de n'être pas assez intelligent pour être d'une grande utilité, mais quant aux ennuis et aux risques, je suis prêt dès cette minute à les subir.

Ma maîtresse enleva son mouchoir de poche de son visage et me regarda les yeux pleins de larmes en me tendant la main. Comment ai-je pu faire cela, je n'y comprends rien, mais je me baissai et baisai la main qu'elle m'offrait, me sentant immédiatement après à moitié effrayé et à moitié honteux de mon geste.

— Vous êtes mon homme, conclut l'avoué en inclinant la tête. Ne vous inquiétez pas de l'intelligence ou de la sagacité qui seront exigées. Mon clerc a une tête solide pour deux. Je n'ai plus qu'un mot à vous dire avant que vous descendiez. Souvenez-vous que ces recherches et la cause qui les nécessite doivent demeurer absolument secrètes. Sauf nous trois et le pasteur — à qui votre maîtresse a écrit en substance ce qui était arrivé —, personne ne sait rien de cela. Je mettrai mon clerc dans le secret quand il arrivera, et aussitôt que vous et lui serez éloignés de la maison, vous pouvez en parler entre vous, mais jusque-là, vous devez garder les lèvres absolument closes.

Le clerc ne nous fit pas attendre longtemps. Il arriva aussi vite que la malle-poste pouvait l'amener de Londres.

D'après la description de son patron, je m'attendais à voir un homme calme, sérieux, aux manières réservées et au regard sournois.

À mon grand étonnement, ce garçon rompu aux recherches délicates était un joyeux petit homme tout rond, gentil, avec un confortable double menton, une paire de brillants yeux noirs et un gros nez rouge de buveur. Il portait un habit noir, une cravate blanche molle et fanée, puisait continuellement des pincées de tabac dans une tabatière et marchait les mains croisées derrière le dos, ressemblant en somme plus à un bourgeois aisé qu'à un clerc d'avoué.

— Comment allez-vous ? demanda-t-il quand je lui ouvris la porte. Je suis l'homme de l'office de Londres que vous attendez. Voulez-vous annoncer Mr Dark ? Je vais m'asseoir ici en attendant votre retour, et, jeune homme, s'il se trouvait une pinte de bière à la maison, je ne crois pas me compromettre en vous disant que je la boirais volontiers.

Je la lui apportai avant même de l'annoncer. Il me fit un clin d'œil puis porta le verre à ses lèvres.

— À votre bonne santé, dit-il. Vous me plaisez. N'oubliez pas que mon nom est Dark, et laissez-moi le pot et le verre, voulez-vous ? Au cas où mon patron me ferait attendre.

Je partis l'annoncer et reçus l'ordre de l'introduire dans la bibliothèque.

Quand je revins, le pot de bière était vide et Mr Dark se réconfortait d'une pincée de tabac qu'il reniflait comme un parfait troupier. Il venait d'absorber plus d'une pinte de la plus forte bière de la maison, pourtant on n'en voyait pas plus d'effet sur lui que s'il avait bu autant d'eau.

Comme je le conduisais le long du vestibule vers la bibliothèque, Joséphine nous croisa. Mr Dark la regarda du coin de l'œil et lui fit un profond salut.

— La femme de chambre de Madame, murmura-t-il. Une personne agréable à regarder, mais une satanée femme si l'on devait avoir affaire à elle.

Je me retournai vers lui presque fâché de ses manières désinvoltes et le fixai durement avant d'ouvrir la porte. Il me regarda de même.

— Cela va, dit-il, je puis m'introduire moi-même.

Il frappa à la porte, l'ouvrit, et entra après un nouveau clin d'œil scélérat à mon adresse, le tout en quelques secondes.

Une demi-heure plus tard, on sonna pour moi. Je trouvai Mr Dark assis entre ma maîtresse — qui le contemplait avec étonnement — et l'avoué — qui le regardait d'un air approbateur. Il avait une carte ouverte sur les genoux et une plume à la main. À en juger par son visage, la communication du secret concernant mon maître ne semblait pas avoir fait la plus petite impression sur lui.

— J'ai oublié de vous poser une question, dit-il au moment où j'entrais. Quand vous avez trouvé que le yacht de votre maître était parti, avez-vous su de quel côté il se dirigeait ? Était-ce au nord-ouest, vers l'Écosse ? Parlez haut, jeune homme ! Parlez haut !

— Oui, répondis-je. C'est ce que les marins m'ont dit quand j'ai demandé des renseignements sur la jetée.

— Eh bien, monsieur ! déclara Mr Dark en se tournant vers l'avocat. S'il a dit qu'il allait en Suède, il semble avoir changé d'avis au dernier moment. Je crois que j'ai à présent toutes mes instructions ?

L'avoué inclina la tête et regarda ma maîtresse,

qui acquiesça elle aussi. Il dit alors, en se tournant vers moi :

— Préparez votre sac pour partir immédiatement et trouvez un moyen de transport qui vous mène jusqu'au premier relais de poste. Dépêchez-vous, jeune homme ! Dépêchez-vous !

— Quoi qu'il arrive dans l'avenir, ajouta ma maîtresse dont la bonne voix tremblait un peu, croyez, William, que je n'oublierai jamais la preuve de dévouement que vous me donnez. C'est encore un réconfort dans ma peine de penser que je peux compter sur votre fidélité et, ajouta-t-elle, sur l'intelligence extraordinaire de Mr Dark.

Il ne parut pas entendre le compliment, étant très occupé à écrire, appuyant son papier sur la carte étalée sur ses genoux.

Un quart d'heure plus tard, ayant commandé le dog-cart, je descendis dans le hall avec mon sac attaché et je le trouvai m'attendant. Il était assis sur la même chaise qu'il avait occupée en arrivant, et un autre pot de forte bière se trouvait sur la table à côté de lui.

— Y a-t-il des cannes à pêche dans la maison ? demanda-t-il au moment où je posais mon sac à terre dans le hall.

— Oui, répondis-je, étonné de cette question. Qu'est-ce que vous voulez en faire ?

— Emballez-en une paire dans une caisse pour le voyage, dit-il, toutes complètes avec hameçons, crochets, etc. Buvez une gorgée de cette bière avant de partir, et ne me fixez pas d'un air ahuri, William.

Je vous donnerai des éclaircissements dès que nous serons hors de la maison. Courez vite chercher les cannes ! Je veux que nous soyons en route dans cinq minutes.

Quand je revins avec les cannes et tous leurs accessoires, Mr Dark était déjà installé dans le dog-cart.

— Argent, bagages, cannes à pêche, indications de direction, copie de la lettre anonyme, guide, cartes, énuméra-t-il en récapitulant dans son esprit toutes les choses nécessaires au voyage. Tout va bien ! Partons !

Je pris les rênes et enlevai les chevaux. Comme nous laissions la maison, je vis ma maîtresse et Joséphine qui nous regardaient partir depuis deux fenêtres du second étage. Le souvenir de ces deux visages attentifs — l'un si clair et bon, l'autre aussi jaune que méchant — hanta continuellement mon esprit pendant bien des jours.

— À présent, William, dit Mr Dark quand nous eûmes dépassé les loges de la porte, je vais commencer par vous dire que vous devez immédiatement changer de profession. Vous êtes dorénavant un employé de banque, et j'en suis un autre. Nous passons à voyager notre congé habituel qui arrive comme Noël une fois par an, et nous faisons un petit tour en Écosse pour en visiter les curiosités, respirer l'air de la mer, pêcher par-ci par-là si l'occasion s'en présente.

» Moi, je suis le gros caissier qui remue l'or à la pelle, vous, vous êtes le jeune calculateur qui, perché sur un tabouret derrière moi, tient les livres.

L'Écosse est un beau pays, William. Savez-vous confectionner un grog au whisky ? Moi, cela me connaît ; qui plus est — ce que vous n'imaginez peut-être pas —, je peux le boire, par-dessus le marché !

— L'Écosse ! m'étonnai-je. Pourquoi allons-nous en Écosse ?

— Question pour question, dit Mr Dark. Pourquoi entreprenons-nous ce voyage ?

— Pour trouver mon maître, répondis-je, et découvrir si la lettre à son sujet dit la vérité.

— Très bien ! Comment vous y prendriez-vous pour y réussir ?

— J'irais chercher après lui à Stockholm, en Suède, où il a dit que ses lettres devaient lui être expédiées.

— Vous feriez cela, vraiment ? Si vous étiez berger, William, et que vous aviez perdu une brebis dans le Cumberland, commenceriez-vous par la chercher au bout du monde ou essayeriez-vous un peu plus près du logis ?

— Vous êtes en train de vous payer ma tête, je crois, dis-je.

— Non. Je commence seulement à vous donner quelques lumières sur le sujet comme je vous l'ai promis. Écoutez-moi, raisonnons, et faites votre profit, William, de ce que je vais vous dire. Mr James Smith a dit qu'il allait en croisière en Suède, puis il a pris la direction du nord-ouest vers la côte d'Écosse. Dans quoi voyage-t-il ? Dans un yacht. Ce bateau peut-il emporter à bord du bétail et un boucher ? Non. De la viande peut-elle demeurer fraîche depuis le Cumberland jusqu'en Suède ? Non. Un gentilhomme accepterait-il de se nourrir uniquement de viande salée ? Non. Que ressort-il de ces trois non ? Que Mr James Smith doit s'être arrêté quelque part sur la route vers la Suède pour remplir à nouveau son garde-manger de provisions fraîches.

» Où, dans ce cas, a-t-il dû s'arrêter ? Quelque part en Écosse, en supposant qu'il n'ait pas changé de direction dès qu'il n'était plus en vue du port. Où en Écosse ? Au nord-ouest sur le continent ou à l'ouest dans une des îles ? Plus probablement sur le continent, où les ports sont plus grands et où il est sûr de trouver tous les produits qu'il désire.

» Maintenant, quel est notre but ? De ne pas perdre un anneau de la chaîne des témoignages en négligeant un seul des endroits où il a pu mettre pied à terre et ne pas dépasser le but quand il nous crèvera les yeux. De ne pas dépenser inutilement temps et argent en faisant un long voyage en Suède à moins que nous le découvrions absolument nécessaire. Où notre voyage de découverte doit-il nous conduire d'abord ? Évidemment au nord de l'Écosse. Que dites-vous de cela, Mr William ? C'est mon caté-chisme, sans erreur, à moins que votre forte bière m'ait troublé le cerveau !

Il était évident, à présent, qu'aucune bière n'aurait pu le faire et je le lui dis.

Il gloussa, me fit un clin d'œil en prenant une nouvelle prise de tabac et me déclara qu'à présent, il voulait se pénétrer à nouveau de l'ensemble du cas, pour être certain qu'il en possédait bien tous les détails.

Quand nous eûmes atteint le relais de poste, il avait achevé ce travail cérébral à son entière satisfaction et était tout prêt à comparer la bière de l'hôtel à celle de Darrock Hall. Le dog-cart fut laissé au soin de l'hôtelier qui le ferait ramener le lendemain matin ; une chaise de poste et des chevaux furent commandés, et après nous être restaurés de pain et de saucisses de Boulogne, Mr Dark demanda deux bouteilles de sherry qu'il enfouit dans les poches de la voiture. Puis nous prîmes nos sièges et partîmes pour notre voyage incertain.

— Encore un avis amical, dit Mr Dark en s'enfonçant confortablement dans son coin. Tâchez de dormir en choisissant la position la plus favorable, car je vous préviens que vous ne coucherez pas dans un lit avant que nous n'arrivions à Glascow.

III

Quoique les événements que je relate ici soient arrivés il y a déjà bon nombre d'années, je dois par précaution ne pas faire figurer le nom des différentes localités que nous visitâmes dans le but de recueillir des renseignements pouvant nous guider. Il suffit que je décrive en général ce que nous avons fait et que je mentionne en substance les résultats auxquels nous sommes finalement arrivés.

En atteignant Glascow, Mr Dark refit mentalement l'étude du cas dans tous ses détails. Le résultat de ses méditations fut de changer son intention d'aller d'abord dans le nord de l'Écosse, pensant qu'il était plus sûr de vérifier d'abord le trajet qu'avait suivi le yacht dans sa croisière le long de la côte ouest.

L'exécution de cette résolution amena un ralentissement à notre voyage en nous écartant perpétuellement du chemin direct. À trois reprises déjà, nous avions, sur la foi de faux renseignements, fait d'inutiles excursions dans les Hébrides. Deux fois nous nous étions égarés loin à l'intérieur du pays sur la piste de gentlemen qui répondaient généralement à la description de Mr James Smith, mais qui s'avéraient être de tout autres personnes dès que nos yeux tombaient sur eux.

Ces vaines recherches, surtout celles dans les îles de l'ouest, nous avaient fait perdre énormément de temps. Il y avait déjà plus de deux mois que nous avions quitté Darrock quand nous arrivâmes enfin dans une très grande ville au bord de la mer, qui possédait un vaste port. Jusque-là, nos recherches n'avaient abouti à rien et je commençais à désespérer de jamais réussir.

Quant à Mr Dark, il ne perdait à aucun moment ni sa bonne humeur ni son étonnante patience.

« Vous ne savez pas attendre, William. Moi, bien » était sa réponse habituelle quand il m'entendait me plaindre.

Nous avions atteint cette ville un soir, dans une modeste voiture, et comme de coutume, nous étions descendus dans un hôtel de troisième ordre.

« Nous devons commencer par le bas » disait souvent Mr Dark. « Des gens de la haute société dans un café ne se montreront pas familiers avec nous, tandis que des gens modestes le seront dans une salle de cabaret. » Les faits lui donnaient toujours raison. Je n'ai jamais rencontré une façon plus aisée que celle avec laquelle il se faisait des amis de parfaits étrangers.

Tout prudents que soient les Écossais, Mr Dark semblait détenir le pouvoir de les rouler autour de son petit doigt comme il lui plaisait. Il variait astucieusement ses procédés avec chaque individu, mais il était trois opinions qu'il se faisait un point d'honneur d'exprimer dans les sociétés les plus différentes que nous fréquentâmes pendant notre séjour en Écosse.

Premièrement, il trouvait la vue d'Édimbourg depuis Arthur's Seat la chose la plus belle du monde.

Secondement, il considérait le whisky comme la plus excellente des liqueurs, et en troisième lieu, il déclarait que sa défunte et regrettée mère était la meilleure femme qui ait jamais existé. Il peut être utile de noter ici que, bien qu'il exprimât cette dernière opinion en Écosse, il ajoutait invariablement que son nom de jeune fille était Macleod.

Nous nous installâmes donc dans un petit hôtel près du port. J'étais tellement fatigué du voyage que je me mis de suite au lit pour prendre quelque repos, tandis que Mr Dark, que rien ne fatiguait jamais, me laissait, pour aller prendre un grog et fumer sa pipe parmi la foule qui remplissait la salle du café.

Je ne sais depuis combien de temps je dormais quand je fus réveillé par une tape sur l'épaule. La chambre était dans une obscurité complète, et je sentis une main s'appliquer sur ma bouche tandis qu'une forte odeur de whisky et de tabac me montait au nez, et qu'une voix me murmurait à l'oreille :

— William, nous sommes arrivés au bout de notre voyage !

— Mr Dark... bégayai-je. Est-ce vous ? Que voulez-vous dire ?

— Le yacht est venu ici et votre polisson de maître est descendu à terre.

Ce fut la réponse qui m'arriva de nouveau dans un souffle.

— Oh, Mr Dark ! fis-je, désolé. Ne me dites pas que cette lettre était vraie !

— Elle disait l'exacte vérité, confirma-t-il. Il s'est marié ici et est reparti pour la Méditerranée avec le numéro deux environ trois semaines avant que nous quittions la maison de votre maîtresse. Chut ! Ne dites pas un mot. Rendormez-vous ou allumez votre lampe et lisez, si vous le préférez. Faites n'importe quoi, mais ne descendez pas avec moi. Je suis occupé à obtenir tous les renseignements que nous cherchons sans avoir l'air d'y attacher aucune importance.

» Vous avez une bonne figure, mon garçon, mais elle est si infiniment ouverte et honnête que je ne puis vous emmener au café en ce moment. Je me suis déjà lié d'amitié avec des Écossais. Ils connaissent mon admiration pour Arthur's Seat, ils constatent ce que je pense du whisky, et je crois qu'avant longtemps ils apprendront que le nom de jeune fille de ma mère était Macleod.

Sur ces mots, il se glissa hors de la chambre et me laissa comme il m'avait trouvé, dans l'obscurité.

J'étais bien trop agité par ce que je venais d'apprendre pour pouvoir me rendormir, aussi allumai-je ma lampe et essayai-je de me distraire comme je le pus, en lisant un vieux journal qui avait servi de bourrage dans mon sac. Il était alors près de 10 heures. Deux heures plus tard, quand on ferma l'établissement, Mr Dark revint près de moi plein d'entrain.

— J'ai consigné tous les détails du cas ici... dit-il en se frappant le front. Le cas entier, aussi net et clair que s'il était classé dans un dossier. Cet homme ne s'arrêtera pas devant une vétille, William. J'ai l'impression que votre maîtresse et vous n'en avez pas encore fini avec lui.

Nous logions dans une chambre qui contenait deux lits. Aussitôt que Mr Dark eut tiré le verrou de la porte et qu'il se trouva installé confortablement dans le sien, il commença un récit détaillé de tout ce qui lui avait été communiqué dans la salle de café de l'hôtel. Voici en substance ce qu'il m'apprit.

Le yacht avait fait une magnifique course jusqu'au Cap Wrath. À ce moment, le vent était subitement tombé ; il avait lentement gagné ce port où il s'était arrêté pour renouveler ses provisions et attendre un changement dans le vent.

Mr James Smith était descendu à terre afin de s'assurer que le principal hôtel était assez confortable pour qu'il puisse y passer quelques jours. Au cours de sa promenade en ville, son attention avait été attirée vers une maison qui annonçait des appartements à louer par la vue d'une très jolie jeune fille qui travaillait devant la fenêtre du parloir. Il avait été tellement frappé de sa beauté qu'il était repassé deux fois, décidant à cette dernière qu'il pouvait entrer en relations avec elle en demandant de pouvoir visiter les appartements.

Il avait été promené à travers les chambres par la mère de la jeune fille, une très respectable dame, qu'il apprit être la femme d'un capitaine et copropriétaire d'un bateau côtier qui se trouvait alors en mer. Il manœuvra si bien qu'il parvint à pénétrer dans le parloir et à échanger quelques mots avec la jeune fille, dont la voix et les manières complétaient si bien la séduction de son visage que Mr James Smith décida incontinent, avec sa versatilité habituelle, qu'il en était devenu éperdument amoureux. Aussi, sans plus d'hésitations, il loua l'un des appartements pour un mois.

Il est inutile de préciser qu'il nourrissait à l'égard de cette jeune fille le dessein le plus infâme et qu'il s'était présenté comme étant célibataire. Escomptant ses avantages de fortune, de position et ses charmes personnels, il s'imaginait que la conquête de la demoiselle rencontrerait peu de difficultés. Mais il s'aperçut bientôt qu'il avait entrepris une affaire beaucoup moins aisée qu'il ne l'avait cru.

La vigilance de la mère ne s'endormait jamais, et la présence d'esprit de la jeune beauté ne l'abandonna à aucun moment. Elle admirait la belle prestance et les splendides favoris de Mr James Smith, témoignait de la plus encourageante considération pour sa société, souriait à ses compliments et rougissait quand il la regardait, mais était-ce ruse ou innocence, elle paraissait incapable de comprendre que ses avances étaient rien moins qu'honorables.

À la plus petite approche de familiarité elle s'éloignait, tandis que son visage exprimait une sorte de surprise méprisante qui le rendait horriblement perplexe. Il n'avait pas prévu cette sorte de résistance et ne voyait pas comment il pourrait arriver à la vaincre.

Les semaines passèrent, le mois pour lequel il avait loué l'appartement expira. D'autre part, le temps avait encore fortifié l'attraction que cette jeune fille exerçait sur lui ; son admiration devenait peu à peu de l'égarement, et il n'avait pas avancé d'un pas dans l'accomplissement du vicieux projet en vue duquel il était entré dans cette maison.

À ce moment, il dut tenter un nouvel assaut contre la vertu de la demoiselle, ce qui amena un froid entre eux, en suite de quoi, au lieu de renouveler sa location, il retourna à son yacht dans le port et y logea deux nuits.

Le vent était redevenu favorable, les provisions étaient à bord, et pourtant il ne donna pas l'ordre de lever l'ancre. Le troisième jour, la cause de la froideur entre les jeunes gens semblait avoir disparu, car il avait repris son appartement.

Quelques-unes des personnes les plus curieuses de la ville observèrent bientôt, quand elles le rencontraient dans les rues, qu'il paraissait anxieux et mal à l'aise. Il lui était sans doute clairement apparu à l'esprit qu'il devait se déterminer à prendre une voie : ou se résoudre à renoncer à la jeune fille, ou commettre la vilenie de l'épouser.

Tout scélérat qu'il était, il avait hésité à courir le risque — peut-être aussi à commettre le crime — que ce dernier terme comportait. Tandis qu'il était ainsi partagé, le vaisseau du père rallia le port et la présence de ce dernier le décida. Comment cette nouvelle influence avait-elle agi ? Il fut impossible de le découvrir dans les renseignements imparfaits de gens qui n'avaient pas été admis aux conseils de famille. Mais un fait certain était que la date du retour du père et celle de la coupable décision de Mr Smith d'épouser la fille devaient être à peu près les mêmes.

Ayant décidé d'accomplir ce crime, il agit avec la plus grande prudence et la plus grande rouerie possibles pour se prémunir contre tout danger de découverte.

Retournant à bord de son yacht, il avait annoncé qu'il renonçait à sa croisière en Suède, préférant se distraire en faisant des parties de pêche en Écosse. Après cette explication, il avait ordonné qu'on laisse le voilier au port, puis autorisé le capitaine à aller passer un congé dans sa famille à Cowes avant de payer et congédier tout l'équipage, depuis le second jusqu'au mousse. De cette façon, il avait fait place nette, d'un seul coup, de tous ceux qui dans cette ville connaissaient l'existence de la malheureuse femme.

Après cela, l'annonce de son mariage pouvait être

faite sans danger pour lui. Son nom si communément répandu lui était une protection suffisante au cas où l'événement serait mentionné dans les journaux. Tous ses amis et même sa femme pouvaient lire l'annonce du mariage d'un Mr James Smith sans avoir la moindre suspicion qu'il pouvait être le marié.

Quinze jours après avoir congédié son équipage, il avait épousé la fille du capitaine de marine marchande. Celui-ci, très connu parmi ses connaissances pour être un homme égoïste et avare, était bien trop anxieux de s'assurer un gendre riche pour s'opposer en aucune façon à un mariage aussi hâtif. Lui, sa femme et quelques amis avaient seuls assisté à la cérémonie, après quoi les nouveaux mariés étaient immédiatement partis faire leur voyage de noces dans les Highlands.

Deux jours après, ils étaient revenus de façon tout à fait inattendue, annonçant un changement dans leurs projets. Le marié — ayant probablement réfléchi qu'il serait plus en sûreté hors d'Angleterre — avait ravi sa femme par ses descriptions du climat et des paysages des pays du Midi. La nouvelle Mrs James Smith était dévorée de la curiosité de visiter l'Espagne et l'Italie ; s'étant montrée très bon marin à bord du vaisseau de son père, elle souhaitait aller en Méditerranée par mer, ce qui était la voie la plus facile.

Son affectionné mari, qui n'avait à présent d'autre objet dans la vie que de combler ses désirs, avait renoncé à son excursion dans les Highlands et venait reconstituer un équipage pour que son yacht puisse prendre la mer immédiatement. Rien dans cette explication n'avait éveillé la suspicion des parents de la jeune femme.

La mère voyait en Mr James Smith un époux modèle. Le père l'avait aidé à reformer un équipage avec les meilleurs éléments qui avaient pu être trouvés en ville. Grâce surtout à ses efforts, il fut prêt dans un minimum de temps, les voiles furent hissées, les bagages et les provisions portés à bord, et Mr James Smith était parti vers la Méditerranée avec la malheureuse qui croyait être sa femme. Tout cela trois semaines avant que Mr Dark et moi partîmes à sa recherche.

Tel fut le récit de l'infâme conduite de mon maître en Écosse, comme elle me fut racontée ce soir-là. En concluant, Mr Dark m'annonça qu'il avait encore quelque chose à me dire mais qu'il se sentait trop endormi pour parler davantage maintenant. Dès notre réveil le lendemain matin, il revint sur le sujet :

— Je n'ai pas achevé la nuit passée tout ce que je voulais vous révéler, commença-t-il.

— Mais vous m'en avez dit assez, et plus qu'assez pour prouver la véracité de l'exposé fait dans la lettre anonyme ! m'écriai-je.

— Oui ? Vous ai-je précisé qui a écrit la lettre anonyme ?

— Vous n'allez pas me dire que vous avez découvert cela aussi ? demandai-je, stupéfait.

— Je crois que si, répondit-il froidement. Quand j'ai appris que votre maître avait congédié l'ancien équipage du yacht, j'ai bien logé cette circonstance dans mon esprit pour l'en retirer ensuite et l'exami-

155

ner à fond dès que l'occasion s'en présenterait. Elle s'est offerte une demi-heure plus tard. J'ai dit au jaugeur, qui était le plus bavard de la compagnie : « Que sont devenus tous ces hommes que Mr James Smith a renvoyés ? Sont-ils tous repartis dès qu'ils ont reçu leur congé, ou sont-ils restés ici jusqu'à ce qu'ils aient dépensé leur dernier centime dans les cafés ? »

» L'homme s'est mis à rire. « Nous n'avons pas eu cette chance », a-t-il dit dans le plus franc écossais — que je traduis en anglais, William, pour votre facilité. « Nous n'avons pas eu cette chance : ils sont partis dans le sud, dépenser leur argent avec des gens plus distingués que nous ! Non... C'est vrai qu'il y a eu une exception. Nous pensions que le steward était parti avec le reste de la bande, quand le jour même où Mr James Smith a mis la voile pour la Méditerranée, qui est apparu d'une façon tout à fait inattendue ? Le steward lui-même. Où s'était-il caché ? Personne ne pourrait le dire. »

» Peut-être qu'il a imité son maître et cherché aussi une femme, ai-je dit. « C'est bien possible », a répondu le jaugeur. Il m'a raconté des choses confuses, puis a coupé court à toute autre question en s'éloignant à la hâte. Cela me suffisait et j'ai laissé tomber le sujet. C'est clair comme le jour, n'est-ce pas, William ?

» Le steward soupçonnait quelque chose de louche ; il a attendu, épié, puis a écrit la lettre anonyme à votre maîtresse. Nous pouvons le retrouver facilement en allant faire un petit tour à Cowes, et il sera simple de demander à l'église une copie de l'acte de mariage dès que nous serons tout à fait certains du fait.

» Désormais, il ne nous reste qu'à retourner chez votre maîtresse pour voir quels moyens elle compte employer en ces circonstances. Tel qu'il se présente actuellement, c'est un beau cas, William !

Nous rentrâmes à Darrock Hall aussi vite que malle-poste et chevaux purent nous y conduire.

Ayant cru dès le début que le contenu de la lettre anonyme était véridique, ma maîtresse reçut la mauvaise nouvelle que nous apportions avec calme et résignation — du moins autant qu'il sembla.

Mais elle étonna et désappointa Mr Dark en refusant d'agir en aucune façon à la suite des informations qu'il avait obtenues, insistant pour que l'affaire entière soit ensevelie dans le plus grand secret.

Pour la première fois depuis que je connaissais mon compagnon, il apparut abattu et déprimé en apprenant qu'il n'y avait plus rien à faire pour lui, et quoiqu'un beau présent lui fût offert, il quitta le Hall tout à fait déçu.

— Un si beau cas, William ! me dit-il tristement quand nous nous serrions la main. Un si rare et si beau cas ! N'est-ce pas une pitié de s'arrêter ainsi en route quand on n'est encore qu'à moitié du chemin ?

— Vous ne vous imaginez pas quelle femme fière et délicate est ma maîtresse, lui répondis-je. Elle préférerait mourir que de voir sa misérable situation exposée dans une cour de justice pour la seule raison de punir son mari.

— J'admire votre simplicité ! déclara Mr Dark. Pensez-vous réellement qu'un tel cas puisse demeurer longtemps secret ?

— Pourquoi pas ? Si nous gardons tous le silence ?

— Voilà ce que vaut ce secret ! s'écria-t-il en faisant claquer ses doigts. Si personne d'autre ne le fait, votre maître lui-même fera sortir le chat du panier.

— Mon maître ! répétai-je, stupéfait.

— Oui, votre maître. J'ai une certaine expérience, et je vous dis que vous n'êtes pas encore débarrassés de lui. Retenez bien mes paroles, William : Mr James Smith reviendra ici.

Sur cette prophétie, il plongea la main dans sa tabatière d'un air morose et partit d'un pas dédaigneux rejoindre son patron à Londres.

Ses dernières paroles pesèrent lourdement sur mon esprit longtemps après son départ, à tel point que pendant des semaines, je tressaillais chaque fois que j'entendais la sonnette de la porte d'entrée.

IV

La vie à Darrock reprit son cours évidemment triste et ennuyeux. L'avoué de Londres avait écrit à ma maîtresse, lui demandant de venir passer un petit temps auprès de sa femme et lui, mais elle déclina l'invitation, car elle avait horreur de voir de la société depuis ce qui lui était arrivé.

Bien qu'elle fît de grands efforts pour cacher à tous les yeux son réel état d'esprit, moi, du moins, je voyais clairement qu'elle dépérissait à vue d'œil sous le coup de l'injure horrible qui lui avait été faite, et je tremblais à la pensée des effets que cette solitude continuelle pourrait avoir sur elle.

Heureusement, la pensée lui vint un jour d'inviter Mr Meeke à venir reprendre avec elle leurs bonnes séances de musique. Elle lui dit — et cela me parut parfaitement juste — que tout engagement qu'il avait pris vis-à-vis de Mr James Smith était annulé depuis que la personne ainsi nommée avait manqué à tous ses devoirs de mari, d'abord en l'abandonnant, puis en contractant ce criminel mariage avec une autre femme. Ayant exposé ses vues sur la question, elle lui laissait le soin de décider si leurs relations parfaitement innocentes pouvaient être renouées ou pas. Le petit pasteur, après avoir hésité et pesé la chose à sa façon agitée, finit par être de son avis et revint à Darrock avec son violon sous le bras.

Le fait de reprendre leurs vieilles habitudes pouvait peut-être paraître imprudent dans la situation particulière où se trouvait ma maîtresse, et risquer de la diminuer aux yeux du monde, mais c'était le meilleur parti qu'elle pouvait prendre au point de vue de son bien propre.

La société inoffensive de Mr Meeke, la distraction et le plaisir de jouer à nouveau les vieux airs comme jadis l'empêchèrent de succomber au découragement et à l'oppression que lui causait la situation choquante où elle se trouvait.

Ainsi, avec l'assistance du pasteur et de son violon, ma maîtresse traversa cette cruelle période.

L'hiver se passa, le printemps s'ouvrait, et aucune

nouvelle de Mr James Smith ne nous était parvenue. Nous avions subi un hiver long, rude et froid ; le printemps s'annonçait tardif et pluvieux. Le 24 mars vit la première belle journée de l'année.

Je mentionne exactement cette date parce qu'elle restera à jamais gravée dans ma mémoire. Aussi longtemps que je vivrai, je me souviendrai de ce 24 mars et des plus petites circonstances qui s'y rattachent.

La journée avait mal commencé, avec ce que les gens superstitieux appelleraient « un air de mauvais augure » ; ma maîtresse était demeurée longtemps le matin dans sa chambre, s'occupant de ses vêtements et mettant de l'ordre dans des tiroirs qu'elle n'avait pas ouvert ces derniers temps.

Quelques instants avant le lunch, un violent coup de sonnette nous fit sursauter. Je courus au salon d'où il venait, et la quarteronne Joséphine, qui l'avait entendu depuis une autre partie de la maison, se hâta d'y répondre aussi. Elle m'y précéda, mais j'entrai sur ses talons. Ma maîtresse était seule, debout devant le feu, les traits décomposés.

— J'ai été volée ! s'écria-t-elle avec véhémence. Je ne sais quand ni comment, mais il me manque deux bracelets, trois bagues et une quantité de mouchoirs de poche de vieille dentelle.

— Si vous avez des soupçons, madame, lança Joséphine d'une voix rapide et dure, dites à l'égard de qui ! Pour commencer, mes malles sont tout à fait à votre disposition.

— Qui vous parle de vos malles ? rétorqua aigrement ma maîtresse. Soyez un peu moins prompte à répondre, s'il vous plaît, la prochaine fois que je parlerai.

Elle se tourna vers moi et m'expliqua comment elle avait découvert le vol. Je suggérai qu'il fallait peut-être chercher les objets qui manquaient, et que si cela ne donnait rien, je devrais me rendre chez le constable et remettre la chose entre ses mains.

Elle agréa à cette idée et les recherches commencèrent immédiatement.

Elles durèrent jusqu'au dîner, sans aucun résultat. Je proposai alors d'aller chez le constable, mais ma maîtresse trouva qu'il était trop tard pour le faire ce jour même. Elle me dit de servir à table comme d'ordinaire et de faire la déposition avant toute autre chose le lendemain matin.

Mr Meeke devait apporter ce soir-là de nouvelles musiques, et je suppose qu'elle ne souhaitait pas être interrompue pendant son plaisir favori par l'arrivée du constable.

Quand le dîner fut achevé, le pasteur arriva, et le concert occupa comme d'habitude toute la soirée. À 10 heures, j'entrai avec un plateau contenant du vin, des biscuits et de l'eau pétillante. Juste comme j'ouvrais une des bouteilles, j'entendis un bruit de roues dans l'allée amenant au château, puis un violent coup de sonnette retentit à la porte d'entrée.

J'avais défait le fil métallique et enlevé le bouchon, ce qui m'empêchait d'abandonner immédiatement la bouteille pour courir à la porte. Une des servantes y alla. J'entendis comme une sourde exclamation, puis le bruit d'un pas qui m'était familier.

Au même instant, ma maîtresse se retourna du piano et me regarda fixement.

— William, dit-elle, reconnaissez-vous ce pas ?

Avant que j'aie eu le temps de répondre, la porte s'ouvrit violemment et James Smith entra dans la chambre.

Il avait gardé son chapeau sur la tête. Ses longs cheveux en dépassaient, tombant sur le col de sa jaquette. Ses brillants yeux noirs, après s'être posés un instant sur ma maîtresse, se tournèrent vers Mr Meeke. Ses sombres sourcils se rapprochèrent, il porta la main à l'un de ses touffus favoris noirs qu'il se mit à tirer avec irritation.

— Encore vous, dit-il en s'avançant de quelques pas vers le petit pasteur qui tremblait comme une feuille, tenant son violon serré dans ses bras comme s'il eût été un enfant.

Voyant son méprisable mari s'avancer, ma maîtresse fit elle aussi quelques pas de façon à le voir de face. Il se retourna alors, et rapide comme l'éclair, s'élança vers elle.

— Femme sans honte, pouvez-vous me regarder dans les yeux en présence de cet homme ?

Il dirigeait son doigt vers Mr Meeke.

Ma maîtresse resta immobile en le voyant approcher. Pas la moindre trace de crainte ne se lisait sur son visage tandis qu'ils se toisaient. L'insulte et l'injure qu'il lui avait infligées et la conscience qu'elle connaissait son coupable secret lui laissèrent pourtant en ce moment critique une complète possession d'elle-même.

— Je vous le demande de nouveau... répéta-t-il,

voyant qu'elle ne lui répondait rien. Comment osez-vous me regarder en face en présence de cet homme ?

Elle leva les yeux jusqu'à son chapeau qu'il avait encore sur la tête.

— Qui vous a appris à entrer dans un salon et vous adresser à une dame le chapeau sur la tête ? interrogea-t-elle d'un ton méprisant. Est-ce une habitude qui est tolérée par votre nouvelle femme ?

Mes yeux le fixaient quand elle prononça ces derniers mots. Son teint naturellement basané devint immédiatement livide ; sa main saisit la chaise la plus rapprochée, et il s'y laissa tomber lourdement.

— Je ne vous comprends pas... dit-il après un moment de silence en regardant autour de la chambre avec malaise.

— Vous me comprenez très bien. Vos lèvres mentent, mais votre visage dit la vérité.

Il sembla rappeler à lui par un effort désespéré tout son courage et toute son audace, puis bondit de sa chaise avec un juron.

L'instant d'avant, j'avais cru entendre le bruissement d'un vêtement dans le couloir, comme si une des servantes était occupée à écouter à la porte. Je voulus vérifier de suite, mais mon maître m'arrêta, s'adressant à moi dès qu'il se fut levé de sa chaise.

— Veillez à ce que le lit soit fait dans la chambre rouge et allumez-y un feu immédiatement, commanda-t-il de son ton le plus hautain et le plus rude. Lorsque je sonnerai, apportez-moi une bouillotte d'eau chaude et une bouteille de brandy.

» Quant à vous, ajouta-t-il en se tournant vers

Mr Meeke, qui était encore pâle et sans voix, son violon toujours serré dans ses bras, quittez cette maison, ou vous découvrirez que votre habit ne vous est pas une protection.

À cet instant, je vis le sang envahir le visage de ma maîtresse, mais avant qu'elle ait pu ouvrir la bouche, son mari éleva la voix de façon à couvrir complètement la sienne.

— Je vous interdis d'ajouter le moindre mot ! s'écria-t-il avec brutalité. Vous venez de parler comme une folle, et vous semblez l'être réellement. Vous avez perdu l'esprit, aussi sûr que vous vivez ! Je vais demain vous faire examiner par des médecins. Pourquoi diable êtes-vous encore là, coquin ? rugit-il en tournant sur lui-même et en me voyant demeurer immobile. Pourquoi n'obéissez-vous pas à mes ordres ?

Je regardai ma maîtresse. Si elle m'avait fait signe de boxer Mr James Smith, je pense que tout grand qu'il était, j'y serais parvenu à cet instant.

— Faites ce qu'il vous dit, William ! dit-elle en appuyant fortement la main sur sa poitrine, comme pour tenter d'endiguer par ce moyen l'indignation qu'elle sentait monter en elle. C'est le dernier ordre donné par lui auquel je vous demande d'obéir.

— Essayeriez-vous de me menacer, espèce de folle... ?

Il conclut sa question par un mot que je ne puis répéter.

— Je vous déclare, répondit-elle d'une voix claire et résolue, que vous m'avez outragée au-delà de tout pardon, de toute endurance, et que vous ne m'insulterez plus à nouveau comme vous l'avez fait ce soir.

En achevant ces mots, elle posa sur lui un regard ferme, puis se retourna et s'en alla doucement vers la porte.

Une seconde auparavant, Mr Meeke avait retrouvé assez de courage pour se lever et quitter doucement la chambre. Je le vis marchant le long du mur avec son violon sous un pan de son long manteau noir, comme s'il redoutait que la sauvage colère de Mr Smith s'exerce sur l'inoffensif instrument. Il avait atteint la porte avant ma maîtresse.

Quand il l'ouvrit doucement, je le vis tressaillir, et je perçus à nouveau le bruissement d'un vêtement de l'autre côté.

Ma maîtresse l'accompagna dans le couloir, puis tourna dans la direction opposée à la sienne pour gagner l'escalier qui conduisait à sa chambre. Je sortis peu après, laissant Mr James Smith seul.

Je rejoignis le pasteur dans le hall et lui ouvris la porte.

— Je vous demande pardon, monsieur, mais n'avez-vous pas heurté quelqu'un qui écoutait derrière la porte du salon de musique quand vous en êtes sorti ?

— Oui, William, dit-il avec une voix faible. Je crois que c'était Joséphine. Mais je suis si terriblement agité que je ne puis en être tout à fait certain.

Avait-elle surpris notre secret ? C'est la question que je me posai en allant allumer le feu dans la chambre rouge. D'après l'instant exact où j'avais entendu le premier bruissement derrière la porte, j'en arrivai à la conclusion qu'elle n'avait pu saisir que la dernière partie de la querelle entre ma maîtresse et son chenapan de mari. Les mots intrépides au sujet de la nouvelle femme avaient certainement été prononcés avant que j'entende la quarteronne épier à la porte.

Dès que le feu fut allumé et le lit fait, je retournai au salon de musique annoncer que les ordres avaient été exécutés. Mr James Smith marchait de long en large dans la pièce, l'air troublé, son chapeau toujours sur la tête. Il m'accompagna à la chambre rouge sans dire un mot.

Dix minutes plus tard, il sonna pour la bouillotte et la bouteille de brandy. Quand je les lui apportai, je le trouvai déballant un petit sac de voyage, le seul bagage qu'il avait apporté avec lui. Il continuait à garder un silence absolu et ne parut même pas s'apercevoir de ma présence, aussi je le laissai immédiatement sans que nous ayons échangé un seul mot.

Autant que je m'en souvienne, la nuit se passa tranquillement.

Le lendemain matin, j'appris que ma maîtresse souffrait cruellement d'une attaque nerveuse et qu'elle était incapable de quitter son lit. Cela ne me surprit pas, moi qui savais ce qu'elle avait enduré le soir précédent.

Vers 9 heures, je me dirigeai vers la chambre rouge avec un broc d'eau chaude. Après avoir frappé deux fois, j'essayai d'ouvrir la porte ; ne la trouvant pas verrouillée, j'entrai dans la pièce.

Je regardai vers le lit puis autour de moi, aucune

trace de Mr James Smith. Pourtant, à en juger par les apparences, la chambre avait été occupée. La chemise de nuit qu'il avait dû revêtir était jetée en travers des draps. Voyant qu'elle portait des taches, je la pris en main. Je regardai de plus près... c'étaient des taches de sang !...

V

Cette découverte me jeta dans un tel état de stupeur et d'épouvante que je perdis toute présence d'esprit, et sans m'arrêter d'abord à penser ce qu'il convenait le mieux de faire, je courus dans le hall des domestiques en criant que quelque chose avait dû arriver à mon maître.

Toute la bande, y compris Joséphine, se précipita dans la chambre rouge. À cet instant, je revins brusquement à moi en remarquant l'étrange expression de sa physionomie quand elle aperçut la chemise de nuit, puis la chambre vide. Toutes les autres servantes étaient muettes de terreur ; elle seule, après avoir tressailli, recouvra immédiatement son sang-froid.

Un regard de diabolique satisfaction éclaira un instant sa face, puis elle quitta la chambre rapidement mais silencieusement, sans échanger un seul mot avec aucun de nous. Je le remarquai, et cela éveilla en moi des soupçons ; il est cependant inutile de les mentionner maintenant, car les événements vont révéler bientôt qu'ils n'étaient que trop bien fondés.

Ayant recouvré un peu mes esprits, je renvoyai tout ce monde, ne gardant avec moi que le cocher, et nous examinâmes alors soigneusement les lieux.

La chambre rouge était habituellement réservée aux visiteurs. Située au rez-de-chaussée, elle donnait sur le jardin. Les volets que j'avais barrés la veille au soir étaient ouverts, mais la fenêtre, elle, était fermée. Le feu devait être éteint depuis longtemps car la grille était toute froide. La moitié de la bouteille de brandy avait été bue.

Le sac de voyage avait disparu.

Il n'y avait aucune trace de violence ou de lutte, ni auprès du lit, ni dans le reste de la pièce. Ce sont là les seules découvertes que nous pûmes faire après avoir encore minutieusement visité chaque coin et chaque recoin.

Quand je revins dans le hall des domestiques, de mauvaises nouvelles m'y attendaient concernant ma maîtresse. Le bruit et la confusion qui avaient régné de façon si inusitée dans la maison étaient parvenus jusqu'à elle, et sans prendre les précautions nécessaires pour la préparer à cette nouvelle, on lui avait raconté ce qui était arrivé.

Dans son état de faiblesse nerveuse, le choc de cette annonce l'avait terrassée. Elle avait eu une syncope et c'est avec les plus grandes difficultés qu'on l'avait fait revenir à elle. Quant à donner des ordres à moi ou à quiconque sur ce qu'il y avait à faire dans cette angoissante circonstance, elle en était totalement incapable.

J'attendis jusqu'à midi, espérant qu'elle se senti-rait assez forte pour me donner des directives, mais aucun message d'elle ne m'arriva. À la fin, je résolus d'envoyer quelqu'un lui demander ce qu'elle pensait qu'il convenait de faire.

Joséphine était toute désignée pour cet office, mais il me fut impossible de la trouver. La servante qui l'avait inutilement cherchée partout me rapporta que son bonnet et son châle ne se trouvaient pas à leur place habituelle.

Puis celle qui était restée à veiller ma maîtresse arriva pendant que nous étions tous pétrifiés par cette nouvelle disparition. Elle put seulement nous apprendre que Joséphine l'avait priée de remplir son office de femme de chambre le matin même car elle n'était pas bien. Pas bien ! Et le premier résultat de sa maladie semblait être qu'elle avait quitté la maison !

Je recommandai aux servantes de ne mentionner sous aucun prétexte cette disparition à notre maî-tresse, et j'allai alors moi-même frapper à sa porte. Mon but était d'obtenir son approbation pour écrire à son parent, l'avoué de Londres, et pour aller décla-rer ce qui était arrivé à la justice de paix la plus proche.

J'aurais dû envoyer une des servantes demander ce renseignement, mais quoique je ne sois pas natu-rellement soupçonneux, j'en étais alors arrivé à soupçonner chaque personne de la maison, qu'elle le méritât ou non.

Je posai ma question en demeurant derrière la porte. Ma maîtresse me remercia d'une voix faible

Wilkie Collins

en me priant de faire immédiatement ce que je lui proposais.

J'allai donc dans ma chambre et écrivis à l'avoué, lui relatant l'apparition subite de Mr James Smith au Hall et les événements qui avaient suivi et qui requéraient sa présence immédiate. Achevée, ma lettre avait pris les dimensions d'un paquet ; je la donnai au cocher avec l'ordre d'attraper la malle sur son chemin vers Londres.

La seconde chose était d'aller chez le juge de paix. Le plus proche, habitant à environ cinq milles, connaissait bien ma maîtresse. Ce vieux célibataire vivait avec son frère veuf. Les deux hommes, de bons et simples gentilshommes qui faisaient beaucoup de bien autour d'eux, étaient très aimés et très respectés dans le comté. Le juge s'appelait Mr Robert Nicholson, son frère Mr Philippe.

J'avais mis mon chapeau et demandais au valet d'écurie quel cheval il valait mieux prendre, quand une voiture découverte s'arrêta devant le perron. Se trouvaient à l'intérieur Mr Philippe Nicholson et deux hommes de mise simple qui ne ressemblaient pas exactement à des domestiques, mais pas à des gentlemen non plus, pour autant que je pouvais en juger.

Quand je le saluai, Mr Philippe me regarda tristement d'un air grave puis demanda à voir ma maîtresse. Je lui appris qu'elle était malade et au lit. Entendant cela, il secoua la tête, déclarant qu'il voulait me parler en particulier.

Je le conduisis dans la bibliothèque ; un des hommes simplement habillés nous accompagna et s'assit dans le hall ; l'autre resta dans la voiture.

— Je partais justement, monsieur, expliquai-je en disposant une chaise pour lui, voir Mr Robert Nicholson au sujet d'une chose très extraordinaire...

— Je sais à quoi vous faites allusion, m'interrompit-il brusquement, et je dois vous prier, pour des raisons que vous allez bientôt comprendre, de ne me donner aucune explication avant d'entendre ce que j'ai à vous dire. Je suis ici pour accomplir une démarche très grave et très triste, qui concerne précisément votre maîtresse et vous-même.

Sa figure suggérait quelque chose de pire encore que ce qu'exprimaient ses paroles. Mon cœur commença à battre très vite, je sentis que je pâlissais.

— Votre maître, Mr James Smith, continua-t-il, est inopinément revenu ici hier soir et a dormi dans cette maison la nuit passée. Avant qu'il ne se retire pour se reposer, lui et votre maîtresse ont échangé des paroles vives qui ont fini, j'étais désolé de l'apprendre, par une menace grave, adressée par votre maîtresse à son mari. Ils ont logé dans des chambres séparées. Ce matin, quand vous êtes entré dans celle de votre maître, vous ne l'y avez pas trouvé, mais vous avez vu sa chemise de nuit posée sur le lit et tachée de sang ?

— Oui, monsieur, affirmai-je d'une voix aussi ferme que possible. C'est tout à fait vrai.

— Il ne s'agit pas d'un interrogatoire, dit Mr Philippe. Je veux seulement connaître certaines vérités que vous pourriez admettre ou nier devant mon frère.

— Devant votre frère, monsieur ? répétai-je. Suis-je soupçonné de quelque crime ?

— Il y a des raisons de craindre que Mr James Smith ait été assassiné.

Ce fut la réponse que j'obtins à cette question.

Je commençai à trembler de la tête aux pieds.

— Je suis effrayé, je suis horrifié de dire, continua-t-il, que les soupçons se portent sur votre maîtresse d'abord, et sur vous ensuite.

Je ne pourrais décrire ce que j'éprouvais en entendant cela. Tout ce que je pourrais, tout ce que quiconque pourrait dire n'en donnerait une idée. Je ne sais ce qu'un autre aurait fait dans ma situation. Moi, je demeurai figé devant Mr Philippe, le regardant fixement, sans parler, sans remuer, presque sans respirer. Si lui ou tout autre m'avait frappé à cet instant, je crois que je n'aurais même pas senti le coup.

— Mon frère et moi-même avons un tel respect pour votre maîtresse, nous éprouvons pour elle une telle sympathie dans ces effroyables circonstances — et aussi une si grande confiance dans son pouvoir de prouver son innocence — que nous sommes désireux de lui épargner le plus possible de pénibles formalités. C'est pour cette raison que j'ai décidé d'accompagner ces hommes, désignés pour exécuter le mandat de mon frère...

— Le mandat ! Monsieur, un mandat contre ma maîtresse ? balbutiai-je en tâchant encore de commander à ma voix en prononçant ce mot.

— Contre elle et contre vous, confirma-t-il. Les circonstances suspectes ont été révélées par un témoin compétent qui a déclaré sous la foi du serment que votre maîtresse est la coupable et que vous êtes son complice.

— Quel témoin, monsieur ?

— Sa femme de chambre quarteronne, qui est

venue trouver mon frère ce matin et qui a fait sa déposition en bonne et due forme.

— Et qui est aussi fausse que l'enfer ! m'écriai-je passionnément. Dans chaque mot qu'elle a prononcé contre ma maîtresse et contre moi !

— J'espère... non, il me faut aller plus loin et affirmer que je la crois fausse, dit Mr Philippe. Mais son parjure doit être prouvé et l'enquête nécessaire poursuivie. Ma voiture va repartir chez mon frère et vous allez la prendre, accompagné d'un de ces hommes qui a le mandat de vous emmener en prison. Je dois rester ici avec l'autre qui attend dans le hall, et avant qu'aucune décision soit prise pour l'exécution du mandat, je vais faire chercher le docteur pour qu'il certifie que votre maîtresse ne peut se lever.

— Oh ! Ma pauvre maîtresse ! m'écriai-je. Ce sera sa mort, monsieur !

— Je prendrai soin que le choc l'atteigne le plus doucement possible, promit Mr Philippe. Je suis ici expressément pour cette raison ; elle a ma grande sympathie ainsi que mon profond respect et recevra toute l'aide et tout l'adoucissement que je pourrai lui apporter.

L'entendant parler ainsi et voyant combien il pensait sincèrement ce qu'il me disait, j'éprouvai le premier petit réconfort depuis que cette terrible catastrophe s'était abattue sur nous. J'étais en rage contre la misérable qui avait fait son possible pour déshonorer ma maîtresse et moi-même, mais en dehors de cela j'étais comme un homme foudroyé dont les facultés ne se sont pas encore rétablies.

Mr Philippe fut obligé de me rappeler que le

temps était précieux et que je ferais mieux d'employer aussitôt le moyen miséricordieux que sa grande bonté m'offrait. Je le remerciai et lui dis au revoir, mais un brouillard semblait tout obscurcir autour de moi, à tel point que je ne pouvais même pas retrouver la porte. Il l'ouvrit pour moi et me murmura amicalement quelques mots que je pus à peine saisir. L'homme qui attendait m'accompagna jusqu'à la porte, et je fus ainsi emmené comme prisonnier pour la première fois de ma vie.

Pendant tout le trajet, j'employai le peu de facultés qui me restaient pour penser, m'efforçant vainement de deviner le motif de l'inconcevable trahison et de la fausseté dont Joséphine venait de se rendre coupable.

Ses paroles, ses regards, ses manières, le malheureux jour où ma maîtresse s'était oubliée au point de la frapper me revinrent à la mémoire... j'eus la conviction que tout cela — au moins — composait le motif que je cherchais et auquel devaient être attribués les événements récents.

Mais était-ce la seule raison de sa diabolique vengeance envers sa maîtresse ? Et dans ce cas, quel imaginaire grief pouvait-elle avoir contre moi ? Pourquoi devais-je être inclus dans cette fausse accusation ?

Compte tenu du trouble où était mon esprit, j'étais incapable à ce moment de trouver la réponse à ces questions, et bientôt, mon cerveau me refusant tout service, je renonçai en désespoir de cause à tenter d'éclaircir tout cela.

Je comparus le jour même devant Mr Robert Nicholson et ce démon de quarteronne fut interrogé en ma présence. La seule vue de son visage — avec sa perverse maîtrise d'elle-même et son expression de triomphe hideuse — me rendait tellement malade que je détournai la tête et ne la regardai plus une seconde durant toute sa déposition. Les réponses qu'elle donnait se bornaient à une répétition de celles qu'elle avait déjà faites. Je l'écoutai en retenant mon souffle afin de n'en pas perdre une syllabe, et restai suffoqué de l'inconcevable astuce avec laquelle elle avait mélangé le vrai et le faux dans sa charge contre ma maîtresse et contre moi.

Voici en substance ce qu'elle déposa en ma présence.

Après avoir évoqué l'arrivée de Mr James Smith dans le hall, elle confessa qu'elle avait été poussée à venir écouter à la porte du salon de musique d'où elle entendait des voix s'élever avec colère. Elle décrivit alors assez véridiquement la dernière partie de l'altercation entre le mari et la femme.

Craignant après cela — continua-t-elle — qu'un drame se produisît, elle était restée à veiller dans sa chambre qui est au même étage que celle de sa maîtresse.

Elle avait entendu la porte de sa chambre s'ouvrir doucement entre 1 et 2 heures du matin, l'avait suivie (elle portait une petite lampe), avait longé le couloir, puis descendu l'escalier.

En bas, dans le hall, elle s'était — dit-elle — assise dans la loge du concierge, avait vu sa maîtresse prendre un poignard dans un fourreau vert parmi la collection de curiosités qui ornaient le hall, l'avait suivie de nouveau et vue entrer doucement dans la chambre rouge.

Elle avait alors entendu le bruit sourd de la respiration de Mr James Smith — car il ronflait en dormant —, s'était glissée dans une pièce vide voisine de celle-ci et avait attendu un quart d'heure, après quoi sa maîtresse était ressortie avec le poignard en main.

Elle l'avait accompagnée de nouveau jusque dans le hall où elle avait remis l'arme à sa place, avait vu sa maîtresse tourner dans un couloir de côté qui conduisait à ma chambre, l'avait entendue frapper à ma porte, avait entendu ma réponse, puis m'avait vu ouvrir, s'était de nouveau cachée dans la loge du portier et m'avait vu passer peu après avec ma maîtresse dans le couloir qui menait à la chambre rouge.

Alors, par crainte d'être découverte et assassinée elle-même si elle nous surveillait plus longtemps, elle s'était enfuie dans sa chambre où elle avait passé le reste de la nuit.

Après avoir affirmé sous serment la vérité de ces atroces mensonges et déclaré pour conclure que Mr James Smith avait été assassiné par sa femme et que j'étais son complice, la quarteronne affirma encore, de façon à prouver le mobile du crime, que Mr Meeke était l'amant de sa maîtresse, que l'entrée de la maison lui avait été interdite par Mr James Smith et qu'il avait été trouvé au château seul avec elle le soir du retour de son maître. Ici, de nouveau, il y avait quelques grains de vérité si habilement mélangés à de révoltantes faussetés qu'ils avaient pour effet de donner aux mensonges une apparence de vraisemblance.

Je fus averti de la façon habituelle, puis on me demanda si j'avais quelque chose à dire. Je répondis que j'étais innocent mais que j'attendais une assistance légale avant de me défendre.

Le juge renvoya l'affaire à huitaine ; l'interrogatoire était terminé.

Quelques jours plus tard, ma malheureuse maîtresse était soumise à la même épreuve. Il ne me fut pas permis de communiquer avec elle. Tout ce que je sus, c'est que l'avocat de Londres était arrivé pour l'aider et la conseiller.

Vers le soir, il obtint de pouvoir venir me voir et hocha tristement la tête quand je lui demandai des nouvelles de ma maîtresse.

— Je crains bien qu'elle succombe à l'horreur de la situation où cette vile créature l'a placée, me dit-il. Affaiblie par toutes ses précédentes agitations, elle semble avoir cédé sous le choc, aussi gentiment et soigneusement que Mr Philippe Nicholson l'ait dosé, ne lui révélant que peu à peu l'affreuse nouvelle. Ses pensées paraissaient étrangement troublées pendant l'interrogatoire d'aujourd'hui ; elle répondait très correctement aux questions qui lui étaient posées, mais mécaniquement, sans le moindre changement d'expression et sans aucun geste depuis le commencement jusqu'à la fin. C'est une mauvaise affaire, William, quand une femme ne peut suivre son penchant naturel en pleurant dans un malheur pareil... et elle n'a encore versé aucune larme depuis qu'elle a quitté Darrock.

— Mais sûrement, monsieur, si mon interrogation n'a pu prouver le parjure de Joséphine, celui de ma maîtresse a dû le démontrer ?

— Rien ne peut le prouver, répondit l'avocat, sauf en produisant Mr James Smith, ou du moins en apportant la preuve légale qu'il est vivant. Moralement parlant, je n'ai aucun doute que le juge devant qui vous avez été interrogé est aussi fermement convaincu que nous pouvons l'être que la quarteronne a menti.

» Moralement parlant, il croit que ces menaces, dont a usé malheureusement votre maîtresse, se référaient — comme elle l'a dit aujourd'hui — à son intention de quitter le Hall le lendemain matin de bonne heure, en vous emmenant avec elle pour venir chez moi si elle avait été assez forte pour voyager et pour chercher une protection effective et légale contre son mari à l'avenir.

» Mr Nicholson croit ce qu'elle lui a dit, et moi qui en sais bien plus long que lui, je crois que Mr James Smith s'est enfui la nuit, redoutant d'être arrêté pour bigamie. Mais si je ne puis le retrouver, si je ne puis prouver qu'il est vivant, si je ne puis expliquer ces taches de sang sur la chemise de nuit, les circonstances accidentelles du cas restent inexpliquées. Le rude langage de votre maîtresse, les mauvais rapports qu'elle entretenait avec son mari et sa malheureuse insouciance des apparences en reprenant ses rapports avec Mr Meeke... tout cela plaide contre nous, et le juge n'a pas d'autre possibilité au point de vue légal que de vous garder prisonniers tous les deux comme il l'a fait, en attendant de nouvelles preuves.

— Mais comment, alors, notre innocence pourra-t-elle jamais être prouvée, monsieur ? m'écriai-je.

— En premier lieu, dit l'avocat, en retrouvant Mr James Smith, et en second lieu en le persuadant, quand il sera découvert, de venir se montrer ici.

— Croyez-vous réellement, monsieur, qu'il pourrait hésiter à faire cela quand il connaîtra l'horrible charge que sa disparition fait peser sur sa femme ? Il est un vilain, sans cœur, je le sais, mais tout de même...

— Je ne pense pas, m'interrompit l'avocat, qu'il est assez scélérat pour refuser de venir se montrer, en supposant qu'il ne court aucun risque en le faisant. Mais rappelez-vous qu'il s'est mis lui-même dans la situation d'être condamné pour bigamie et qu'il croit que votre maîtresse se servira de la loi contre lui.

J'avais oublié cette circonstance. Mon cœur se serra si douloureusement en entendant l'avocat la rappeler à ma mémoire que je fus incapable d'ajouter un mot.

— C'est une très sérieuse chose, continua ce dernier, c'est une grave offense envers les lois du pays de faire en secret une offre de compromis à cet homme. Connaissant ce que nous connaissons, notre devoir de bon citoyen est de donner toute information qui puisse l'amener à un jugement. Je vous le dis en toute sincérité, si je ne me trouvais pas vis-à-vis de votre maîtresse dans la situation d'un parent autant que d'un conseiller légal, je regarderais à deux fois avant de courir ce très sérieux risque pour l'aider.

» J'ai donc pris mes mesures pour que Mr James Smith soit informé qu'il ne sera pas traité comme il le mérite. Quand il connaîtra quelles sont les circonstances, il devra nous croire, en supposant toujours que nous puissions le découvrir. Les recherches dans le voisinage ont été tout à fait infructueuses. J'ai envoyé aujourd'hui par la poste des instructions confidentielles à Mr Dark et avec elles la copie d'une annonce très soigneusement rédigée, à faire paraître dans les principaux journaux. Vous pouvez être certain que tout ce qui est humainement possible sera fait pour retrouver sa trace.

» Mais j'ai encore une importante question à vous poser au sujet de Joséphine. Elle peut en savoir plus long que nous le pensons ; elle peut avoir surpris le secret du second mariage et le garder en réserve pour en user contre nous. Si cela devait arriver, je voudrais avoir une autre preuve contre elle, que de l'accuser de parjure... Pouvez-vous me dire quelle est la raison pour laquelle elle a formulé cette horrible accusation, William ?

— Son motif contre moi, monsieur ?

— Non, non, pas contre vous. Je crois très clairement qu'elle ne vous a accusé que parce que c'était nécessaire pour rendre plausible son histoire qui implique naturellement que vous avez aidé à faire disparaître le corps. Vous avez été froidement sacrifié à quelque diabolique vengeance contre sa maîtresse. Examinons ce point d'abord. Y a-t-il eu quelque querelle entre elles ?

Je lui racontai l'affaire du soufflet, l'attitude de Joséphine et la façon dont elle avait parlé après m'avoir montré sa joue.

— Oui, dit-il, c'est là un grand sujet de revanche pour une femme vindicative et naturellement sans pitié. Mais est-ce tout ? Votre maîtresse ne lui a-t-elle jamais rien confié ? Ne pouvait-il y avoir un intérêt personnel mêlé à son désir de vengeance ? Réfléchissez un peu, William. Rien n'est jamais arrivé à la maison qui ait pu compromettre cette femme ou lui faire s'imaginer qu'elle était compromise ?

Le souvenir des bijoux et des mouchoirs de poche volés à ma maîtresse, que de plus grandes appréhensions m'avaient fait oublier me revint tout à coup à la mémoire. Je lui dis immédiatement quelle alarme il y avait eu dans toute la maison quand cette perte avait été découverte.

— Votre maîtresse a-t-elle suspecté Joséphine ? L'a-t-elle interrogée ? demanda chaudement l'avocat.

— Non, monsieur. Avant qu'elle ait pu dire un mot, Joséphine lui a demandé avec impudence qui elle soupçonnait et a brusquement offert de lui faire visiter ses malles.

Le visage de l'avocat rougit au point de devenir écarlate. Il bondit de sa chaise, et me donna une telle claque sur l'épaule que je le crus devenu fou.

— Par Jupiter ! s'écria-t-il. Nous tenons à la fin le mobile de cette diablesse !

Je le regardais, plein d'étonnement.

— Mais quoi, mon garçon ? Ne voyez-vous pas ce que c'est ? Joséphine est le voleur. Je suis aussi sûr de cela que du fait que nous causons en ce moment ensemble. Cette vile accusation contre votre maîtresse est liée à un autre but que celui de se venger : c'est la meilleure défense que cette sorcière pouvait inventer pour se mettre à l'abri de toute accusation. Elle vous a empêchés, votre maîtresse et vous, d'agir dans la matinée, et elle s'est représentée elle-même sous la fausse apparence d'un honnête témoin agissant contre un couple de criminels ; cela lui a donné le temps de disposer des objets volés, de les cacher ou d'en faire tout ce qu'elle voulait. Attendez que je m'assure de connaître exactement ce qui a disparu... une paire de bracelets, trois bagues et une quantité de mouchoirs de dentelle ? C'est bien tout ce que vous m'avez cité ?

— Oui, monsieur.

— Votre maîtresse devra les décrire minutieusement, et je vais marcher dans cette voie dès demain matin. Bonsoir, William ! Restez calme et confiant. Ce ne sera pas de ma faute si vous ne voyez pas bientôt la quarteronne à la vraie place qui lui convient : derrière les barreaux de la prison.

Avec cet adieu, il me laissa.

Les jours passaient, longs et fastidieux. Je ne le revis que quand ma période de renvoi eut expiré. Quand je parus alors à nouveau devant le juge, ma maîtresse comparut avec moi.

Au premier coup d'œil jeté sur elle, je fus terrifié. Elle était tellement changée, ses traits paraissaient si contractés et amaigris que son visage était devenu celui d'une vieille femme. La languissante et indifférente soumission de son expression était désolante à voir. Elle changea un peu quand ses yeux se tournèrent pour la première fois vers moi, et elle murmura avec un faible sourire :

— Je suis fâchée pour vous, William. Je suis très, très triste pour vous !

Mais dès qu'elle eut prononcé ces mots, elle pâlit à nouveau et s'assit avec la tête inclinée sur la poitrine, tranquille, indifférente, désespérée, changée à un tel point que ses amis les plus intimes ne l'auraient pas reconnue.

Notre interrogatoire n'était ce jour-là qu'une simple formalité. Il n'y avait de nouvelles preuves ni pour ni contre nous, et on nous renvoya de nouveau à huitaine.

Je demandai en particulier à l'avocat s'il n'y avait aucune chance en vue de retrouver la trace de Mr James Smith. Il me parut mystérieux et me répondit seulement :

— Espérez pour le mieux !

Je lui demandai ensuite si aucun progrès n'avait été fait dans la recherche de la culpabilité de Joséphine.

— Je ne me vante jamais, répliqua-t-il, mais si rusée qu'elle soit, je serais surpris que Mr Dark et moi-même ne lui apprenions pas que nous sommes un peu trop forts pour elle.

Mr Dark ! Quelque chose dans le rappel de ce nom me rendit confiance dans l'avenir. Si j'avais pu seulement m'enlever un instant de l'esprit la vision du visage ravagé de ma pauvre maîtresse, je n'aurais pas souffert de dépression durant l'intervalle de

temps qui s'écoula entre notre second et notre troisième interrogatoire.

VI

À notre troisième comparution devant le juge, je
notai dans la salle des visages que j'y voyais pour
la première fois.

À mon étonnement — car les interrogatoires pré-
cédents avaient été menés de façon aussi discrète
que possible —, je remarquai la présence de deux
domestiques de Darrock Hall et de trois ou quatre
tenanciers de la propriété qui habitaient tout près de
la maison. Ils étaient assis tous ensemble sur un des
côtés de la salle du tribunal.

En face d'eux et tout contre une porte était ma
vieille connaissance Mr Dark, avec sa grande tabatière, sa façon réjouie et ses yeux clignotants. Il me
salua quand nos yeux se croisèrent aussi gaiement
que si nous nous rencontrions à une partie de plaisir.

La quarteronne, qui avait été convoquée à la
séance, occupait une chaise placée dans le box des
témoins et en face du siège où se trouvait ma pauvre
maîtresse, dont l'état qui m'effrayait tant ne s'était
pas amélioré, au contraire. L'avocat était auprès
d'elle et je demeurai derrière sa chaise.

Nous étions tous tranquillement disposés de cette
façon quand le juge entra dans la salle en compagnie
de son frère. C'était peut-être le fruit de mon imagi-

nation, mais je crus lire sur leurs visages que quelque chose d'extraordinaire s'était produit depuis le précédent interrogatoire.

La déposition de Joséphine fut lue tout entière par un des clercs et on lui demanda si elle avait quelque chose à ajouter. Elle répondit par la négative. Le juge s'adressa alors à l'avocat, lui demandant s'il avait une déposition à faire se rapportant à la charge portée contre ses clients.

— Effectivement, répondit l'avocat en se levant vivement. Elle justifiera, je le crois, la demande que je vous fais de leur libération.

— Où sont vos témoins ? s'enquit le juge en regardant fixement Joséphine.

— L'un d'eux attend ici votre bon plaisir, déclara Mr Dark en ouvrant la porte près de laquelle il se tenait.

Il sortit de la chambre et revint au bout d'un instant, le témoin sur ses talons.

Mon cœur ne fit qu'un bond, comme s'il voulait sauter hors de ma poitrine. Là, devant nous, mais aujourd'hui avec ses cheveux coupés et ses favoris rasés, se tenait Mr James Smith.

La nature de fer de la quarteronne résista au choc de cette apparition inattendue sur la scène avec une fermeté qui n'était rien de moins que merveilleuse. Ses lèvres minces se serrèrent convulsivement, et elle eut une légère contraction des muscles du front, mais en dehors de cela rien ne la trahit ; même la couleur jaune de son teint demeura inchangée.

— Il n'est pas nécessaire, monsieur le juge, que

je perde du temps et des paroles en me référant à la vicieuse et présomptueuse charge portée contre mes clients, dit l'avocat s'adressant à Mr Robert Nicholson. La justification suffisante pour les faire libérer immédiatement est en ce moment devant vous, dans la personne de ce gentleman. Voici, bien valide, l'assassiné Mr James Smith de Darrock Hall, qui est en état de répondre pour lui-même.

— Ce n'est pas lui ! cria Joséphine d'une voix aussi claire et perçante que jamais. Je dénonce cet homme, c'est un imposteur ! Comme je le connais, je dénie qu'il est Mr James Smith !

— Pas de doute que vous le faites, dit l'avocat, mais nous allons prouver son identité.

Le premier témoin appelé fut Mr Philippe Nicholson. Il pouvait jurer qu'il avait vu Mr James Smith, qu'il avait causé avec lui au moins une douzaine de fois et que la personne qui se trouvait devant lui était en effet Mr James Smith. Bien que changé d'aspect par la disparition de ses longs cheveux et de ses favoris, c'était, sans erreur possible, l'homme qu'il déclarait être.

— C'est une conspiration ! l'interrompit la quarteronne, sifflant odieusement le mot entre ses dents.

— Si vous ne gardez pas le silence, dit Mr Robert Nicholson, vous serez expulsée de la salle. Ce qui raccourcirait considérablement les délais de la justice, poursuivit-il en s'adressant à l'avocat, serait que vous puissiez faire prouver son identité par des gens qui auraient été en commerce journalier avec Mr James Smith.

Là-dessus, un des domestiques prit place dans le

box des témoins. Les changements du visage de son maître troublaient évidemment cet homme, d'autant plus que l'attitude de Mr James Smith était différente aussi.

Tout gredin qu'il était, je dois reconnaître qu'il avait paru effrayé et honteux en apercevant sa malheureuse femme, et le domestique, habitué à ses exigences tyranniques et à sa grossière façon de donner ses ordres, se troubla en le voyant alors honteux, silencieux, balbutiant, et hésita quand on lui demanda de jurer si c'était bien là son maître.

— Je peux toujours assurer, dit l'homme en s'adressant au juge avec un air égaré, qu'il est comme mon maître, et encore qu'il ne l'est pas. S'il avait ses longs cheveux et ses favoris, et s'il était, sauf vot' respect, un peu grossier et dans sa manière habituelle, je pourrais en toute conscience jurer que c'est lui.

Heureusement pour nous, à ce moment, Mr James Smith entra dans une violente irritation de se voir ainsi détaillé et d'entendre son identité stupidement mise en doute par un de ses domestiques.

— Ne pouvez-vous, idiot que vous êtes, dire clairement si vous me reconnaissez oui ou non ? s'écria-t-il, furieux.

— C'est sa voix ! cria l'homme en sautant de sa chaise. Avec ou sans favoris, c'est bien lui !

— S'il y a la moindre difficulté au sujet des cheveux de ce gentleman, dit Mr Dark qui s'avançait en ricanant, j'ai ici un petit paquet qui, je puis me risquer à vous l'assurer, la fera disparaître.

Disant cela, il ouvrit le paquet, en tira des boucles

de cheveux et les posa tout contre la tête de Mr James Smith.

— Joliment bien assortis, votre Honneur, continua-t-il. Je n'ai aucun doute que la tête de ce monsieur soit plus fraîche depuis qu'il s'en est débarrassé. Nous ne pouvons faire de même des favoris, je le crains, mais ils sont aussi ressemblants que les cheveux. D'ailleurs ils se trouvent aussi dans le paquet — si l'on peut dire ceci de favoris ! —, prêts à parler pour eux-mêmes.

— Mensonges ! Mensonges ! Mensonges ! vociféra Joséphine, perdant enfin son empire sur soi à ce point de l'enquête.

Le juge fit un signe à deux des constables présents et les hommes l'emmenèrent dans une pièce voisine.

Le second domestique du Hall fut alors introduit dans le box, accompagné par un des tenanciers. Après ce qu'ils avaient vu et entendu, aucun de ces hommes n'hésita, et jura que c'était bien là leur maître.

— Il est tout à fait inutile, dit le juge, quand le box fut vide à nouveau, d'interroger plus de témoins sur la question d'identité. Toutes les formalités légales sont accomplies, et la charge contre les prisonniers tombe d'elle-même. J'éprouve un très grand plaisir à ordonner la libération immédiate des deux personnes accusées en déclarant qu'elles laissent la Cour sans la moindre tâche sur leur réputation.

Il salua profondément ma maîtresse en disant cela, s'arrêta un moment, puis regarda Mr James Smith d'un air interrogatif.

La Femme rêvée

— Je me suis soigneusement abstenu de faire aucune remarque qui ne soit en rapport direct avec l'affaire en cause, continua-t-il, mais à présent que mon devoir est accompli, je ne puis quitter ce siège sans exprimer ma forte désapprobation de la conduite de Mr James Smith, conduite qui, quels que soient les motifs qui l'ont occasionnée, a donné un faux air de probabilité à l'une des plus horribles charges qui puisse être portée contre une dame de réputation sans tache, et contre une personne d'humble condition, dont la bonne réputation n'aurait pas dû être exposée un seul instant.

» Mr Smith peut choisir d'expliquer ou non sa mystérieuse disparition de Darrock Hall et le changement incompréhensible qu'il a décidé de faire subir à son aspect ; il n'y a pas de charge légale contre lui. Mais moralement parlant, je serais indigne du poste que j'occupe si j'hésitais à déclarer ma conviction que sa conduite a été décevante, inconsidérée et insensible au plus haut degré.

À cette dure réprimande, Mr James Smith — évidemment instruit par un conseiller légal de ce qu'il devait dire — répondit qu'en se présentant devant le juge, il avait voulu remplir un simple devoir, et qu'il souhaitait s'en tenir strictement aux termes de la loi.

Il pensait que la seule obligation légale pesant sur lui était de se présenter de lui-même au tribunal et à des témoins compétents, capables d'affirmer son identité. Ce devoir accompli, il n'avait qu'à ajouter qu'il préférait subir une réprimande de la Cour plutôt que d'entrer dans des explications qui l'obligeraient à dévoiler des circonstances domestiques d'une très malheureuse nature.

Après cette brève réplique, il n'avait rien de plus à dire et sollicitait respectueusement du juge la permission de se retirer.

Elle lui fut accordée.

En traversant la salle, il s'arrêta près de sa femme et dit confusément à voix basse :

— Je vous ai fait beaucoup de mal, mais je n'en avais pas l'intention. J'en suis très fâché. N'avez-vous rien à me dire avant que je m'en aille ?

Ma maîtresse frissonna et se cacha le visage. Il attendit un moment, puis voyant qu'elle ne lui répondait pas, il s'inclina poliment et s'éloigna. À cet instant, je ne pensais pas que je le voyais pour la dernière fois.

Après son départ, l'avocat déclara en s'adressant à Mr Robert Nicholson qu'il avait encore une demande à introduire concernant la femme Joséphine Durand.

En entendant ce nom, ma maîtresse murmura en toute hâte quelques mots à l'oreille de l'avocat. Celui-ci se tourna vers Mr Philippe Nicholson qui s'avança immédiatement, offrit son bras à ma maîtresse et la conduisit hors de la salle.

J'allais les suivre quand Mr Dark m'arrêta, me priant d'attendre encore quelques minutes pour me donner le plaisir de voir « la fin du cas ».

Pendant ce temps, le juge avait donné les ordres nécessaires pour que la quarteronne soit ramenée dans la salle. Elle rentra aussi confiante et hardie que jamais.

Mr Robert Nicholson détourna les yeux avec dégoût et dit à l'avocat :

— Votre demande est de voir cette femme arrêtée pour parjure, naturellement ?

— Pour parjure ? répéta Joséphine avec un méchant sourire. Très bien ! Je vais alors expliquer certaines petites choses que je n'avais pas révélées jusque-là. Vous croyez que je suis à présent entièrement à votre merci ? Bah ! Je puis encore vous enfoncer une épine dans le cœur.

— Elle a eu vent du second mariage, murmura Mr Dark.

Il ne pouvait y avoir le moindre doute à ce sujet. Elle avait évidemment écouté à la porte le soir où mon maître était rentré, depuis plus longtemps que je ne l'avais cru. Elle devait avoir entendu les mots se rapportant à « la nouvelle femme » et constaté leur effet sur Mr James Smith.

— Nous ne voulons pas faire arrêter Joséphine pour son parjure, dit l'avocat, mais pour un autre délit, au sujet duquel il était important d'agir immédiatement, afin de pouvoir effectuer la recherche des objets qu'elle a volés. Je l'accuse d'avoir dérobé à sa maîtresse, étant à son service, une paire de bracelets, trois bagues et plus d'une douzaine de mouchoirs de poche de dentelle. Les objets ont été retrouvés ce matin sous le matelas de son lit et une lettre découverte au même endroit prouve clairement qu'elle a présenté ces objets comme étant sa propriété, et a essayé de les vendre à un acquéreur de Londres.

Tandis qu'il parlait, Mr Dark produisit les bijoux, les mouchoirs et la lettre, et déposa le tout devant le juge.

L'extraordinaire force de contrôle que Joséphine avait sur elle-même finit par s'effondrer. Aux premiers mots de l'accusation inattendue portée contre elle, elle serra ses mains violemment l'une contre l'autre, se mordit la lèvre, puis éclata en un torrent de mots retentissants et farouches dans une langue étrangère — raison pour laquelle je ne les compris pas et ne peux les rapporter ici.

— Je pense que c'est échec et mat pour mam'-zelle, murmura Mr Dark avec son invariable clignement d'œil. Supposez que vous retourniez maintenant à Darrock, William, et que vous tiriez un pot de votre si remarquable bière ? Je vous suivrais dans cinq minutes, aussitôt que l'acte d'accusation sera terminé.

Je pouvais à peine réaliser que je me trouvais, retournant au Hall, un homme de nouveau libre.

Un quart d'heure plus tard, Mr Dark me rejoignit et but à ma santé, à mon bonheur, à ma prospérité, en trois gobelets séparés. Après avoir accompli cette cérémonie, il hocha la tête et cligna de l'œil avec un air de si profonde satisfaction que je ne pus m'empêcher de lui demander ce qui le rendait si gai.

— C'était le cas, William ! Le cas le plus net qu'on ait vu, qui m'enchante ainsi. Oh ! Quel bonheur de participer à une tâche pareille ! s'écria-t-il en frappant ses mains courtes sur ses gros genoux dans une sorte d'extase.

J'avais pour ma part une très différente opinion du cas, mais je ne me risquai pas à l'exprimer. J'étais trop anxieux d'apprendre comment Mr James Smith avait été découvert et emmené à l'interrogatoire pour entrer dans d'autres discussions.

La Femme rêvée

Mr Dark devina ce qui se passait dans mon esprit et, m'engageant à m'asseoir confortablement, il commença de lui-même à m'instruire de tout ce que je désirais connaître.

— Quand j'eus reçu mes instructions et fus mis au courant de tous les détails de la question, commença-t-il, je ne fus pas du tout surpris d'apprendre que Mr James Smith était revenu chez lui — je vous l'avais prédit, vous vous en souvenez, William, la dernière fois que nous nous sommes vus. Mais j'étais néanmoins très surpris du tour que les choses avaient pris, et je ne puis pas dire que j'avais grand espoir de retrouver notre homme. Je suivis pourtant les directives de mon patron et fis mettre l'annonce dans les journaux. Elle s'adressait à Mr James Smith par son nom, mais lui cachait soigneusement ce qu'on désirait de lui.

» Deux jours après, une lettre d'une écriture féminine arrivait à l'étude. Comme ma charge est de dépouiller le courrier, je l'ouvris donc. L'expéditeur était bref et mystérieux, demandant que quelqu'un de l'étude veuille aller à une certaine adresse entre 2 et 4 heures l'après-midi même, en référence à l'annonce qui avait paru dans les journaux. Naturellement, je fus le « quelqu'un » qui y alla. Je me gardais pourtant de bâtir trop d'espoirs sur cette piste, car je sais qu'il y a des quantités de James Smith à Londres.

» En arrivant à la maison désignée, je fus introduit dans un salon, et là je trouvai une très jolie femme, entourée de couvertures, couchée sur un divan, et qui semblait relever de maladie. Elle avait un journal à côté d'elle et aborda la question immédiatement. « Le nom de mon mari est James Smith et j'ai des raisons de désirer savoir s'il est la personne que vous recherchez », déclara-t-elle. Je lui décrivis notre homme comme étant Mr James Smith de Darrock Hall dans le Cumberland. « Je ne connais pas ce Monsieur », me dit-elle alors.

— Comment ? Ce n'était pas la seconde femme ? interrompis-je.

— Attendez une minute, continua Mr Dark. Je citai ensuite le nom du yacht et elle bondit sur le divan, comme si elle avait reçu un coup. « Je pense que vous vous êtes mariés en Écosse, madame ? » lui dis-je. Elle devint d'une pâleur de cendre, retomba sur le divan et dit faiblement : « C'est mon mari ! Oh ! Monsieur, que lui est-il arrivé ? Que voulez-vous de lui ? Est-il endetté ? » Je réfléchis un moment puis décidai de lui dire la vérité, pensant que si je l'effrayais par des airs mystérieux, elle voudrait empêcher qu'on trouve son mari — comme elle l'appelait !

» Une jolie affaire que j'avais là sur les bras, vous pouvez le deviner, William, quand elle apprit que son mari s'était rendu coupable de bigamie. Quels sanglots ! Évanouissements ! Cris ! Et colère, contre moi — comme si j'étais coupable ! Enfin elle me garda près de son canapé presque une heure, et voici que Mr Smith lui-même apparut dans la chambre. Je vous laisse deviner si cela arrangea les affaires. Il me trouva mouillant les tempes de cette malheureuse femme avec de l'eau fraîche, et m'aurait jeté par la fenêtre aussi sûr que je suis ici si je ne l'avais fait subitement chanceler en l'accusant d'être le meurtrier de sa femme. Cela l'arrêta net au moment où il allait vociférer, je vous assure. « Allez et attendez dans la chambre à côté, je viens vous parler tout de suite », me dit-il.

— Et vous y êtes allé ? demandai-je.

— Naturellement je l'ai fait, déclara Mr Dark. Je savais qu'il lui était impossible de fuir du salon par la fenêtre, et je savais aussi que d'où j'étais, je pouvais surveiller la porte. Je sortis donc, le laissant seul avec la dame, dont il m'étais aisé de percevoir le moindre mot depuis la pièce voisine. Toute tempête s'apaise un jour ou l'autre, et un homme qui a un peu de ressources d'esprit peut faire ce qu'il veut avec une femme éprise de lui. Sans tarder, j'entendis celle-ci l'embrasser en pleurant. « Je ne peux pas retourner à la maison », dit-elle ensuite. « Vous avez agi envers moi comme un vilain, un monstre, mais... Oh ! Jemmy ! Je ne peux vous céder à personne. Ne retournez pas chez votre femme. Oh ! Ne le faites pas ! Ne retournez pas chez elle ! » « N'ayez aucune crainte de cela », dit-il. « Ma femme ne voudrait pas me recevoir si je me présentais chez elle. »

» Après cela, j'entendis la porte s'ouvrir et je sortis à sa rencontre sur le palier. Quand il me vit, il commença par jurer comme un charretier, comme si cela pouvait lui faire du bien. « Les affaires d'abord, s'il vous plaît, monsieur, et le plaisir que vous pouvez trouver à jurer, après », dis-je. Je lui expliquai alors mes conditions, lui demandant le plaisir de sa compagnie pour retourner dans le Cumberland.

» Il fut d'abord furieusement soupçonneux, mais

je lui promis de lui remettre un document légal —
un papier qui ne pouvait avoir d'autre utilité sur terre
que celle de le rassurer —, m'engageant à ce qu'il
ne lui soit fait aucun mal au cours de sa démarche.
Ajoutant à cela le tableau du danger effrayant dans
lequel se trouvait sa femme, j'arrivai enfin à mes
fins.

— Mais la seconde épouse ? Elle n'a fait aucune
objection à le laisser partir avec vous ? demandai-je.

— Non ! dit Mr Dark. Je lui exposai le cas tel
qu'il était et l'assurai que Mr James Smith ne courait
aucun danger, sa première femme se refusant à toute
poursuite contre lui. Entendant cela, elle se joignit à
moi pour le persuader de faire son devoir, ajoutant
qu'elle plaignait votre maîtresse de tout son cœur.
Avec son influence pour m'appuyer, je n'avais guère
de crainte que notre homme change d'avis. Je fis
pourtant surveiller la porte toute la nuit pour être
tout à fait tranquille, et le matin suivant, il était prêt
à partir avec moi quand j'arrivai chez lui.

» Un quart d'heure plus tard, nous étions sur la
route du nord ; nous faisions le voyage dans une voiture particulière, ne voulant pas courir le risque de
rencontrer des voyageurs connus dans la voiture
publique. Pendant la route, Mr James Smith et moi
finîmes par être aussi à l'aise que si nous avions été
une paire de vrais amis. Je lui racontai l'histoire de
notre course après lui dans le nord de l'Écosse et il
me donna tous les détails de son évasion de Darrock
Hall. Ils sont plutôt amusants, William. Aimeriez-
vous les connaître ?

Je lui dis qu'il anticipait la question que j'allais
justement lui poser.

— Eh bien, poursuivit-il, cela s'est passé comme ceci. Pour commencer par le commencement, notre homme emmena réellement Mrs Smith numéro deux en Méditerranée, comme on nous l'avait dit. Ils firent voile vers l'Espagne et après quelques excursions à terre, ils revinrent vers la côte française et s'arrêtèrent dans une ville appelée Cannes. Là, Mr Smith trouva une maison entourée de jardins à vendre, et la pensée lui vint que ce serait un charmant coin retiré pour y mettre le numéro deux.

» Il ne fallait rien d'autre que de l'argent pour l'acquérir, mais n'en ayant pas la plus petite partie en sa possession, il fit de nécessité vertu et retourna au pays chez sa femme avec de secrets desseins sur son coffre-fort. Numéro deux, qui objectait à rester seule en arrière, revint avec lui jusqu'à Londres.

» Là, il lui raconta la première histoire qui lui traversa l'esprit, au sujet de rentes à toucher dans le comté d'une maison en Lincolnshire qui était trop humide pour qu'elle puisse y séjourner, et, la laissant pour quelques jours à Londres, il partit pour Darrock Hall. Son projet était d'obtenir de l'argent de sa femme en bonne intelligence, mais il semble qu'il commença très mal en se querellant avec elle au sujet d'un pasteur violoniste...

— Oui, oui, je connais toute cette partie de l'histoire, l'interrompis-je en jugeant par ses paroles qu'il risquait de parler dans l'ignorance et impertinemment de la malheureuse amitié liant ma maîtresse à Mr Meeke. Arrivez-en au moment où je laissai mon maître dans la chambre rouge, et dites-moi ce qu'il fit entre minuit et 9 heures du matin suivant.

— Ce qu'il fit ? répéta Mr Dark. Quoi ? Il se mit au lit avec la déplaisante conviction que votre maîtresse avait tout découvert et ne trouva d'autre réconfort que celui que pouvait lui donner votre bouteille de brandy. Il ne parvenait pas à dormir, et plus il pensait et réfléchissait, plus il était certain que sa femme le ferait arrêter pour bigamie. À la fin, vers les premières heures du matin, ne pouvant y tenir plus longtemps, il se persuada que la seule issue était de fuir tant qu'il avait encore quelque chance d'y réussir.

» Dès qu'il fut habillé, il songea qu'une récompense serait sûrement promise à celui qui le retrouverait et décida d'opérer ce complet changement dans l'aspect de sa tête et de son visage qui troubla tellement le témoin devant le juge ce matin. Il ouvrit son sac de voyage, coupa ses longues boucles en deux temps, et fit de même pour ses favoris. Le feu était éteint, il dut se raser à l'eau froide, et sans doute à cause de cela et du trouble de son aspect qui rendait sa main peu sûre, il se coupa...

— Et essuya le sang avec sa chemise de nuit ? m'exclamai-je.

— Oui. Sa chemise de nuit, parfaitement, reprit Mr Dark. C'est le premier objet qui lui tomba sous la main, et il le saisit. Attendez un instant, la « crème de l'affaire » est encore à venir. Le feu était éteint, il ne trouvait pas d'allumettes, donc impossible de brûler les cheveux. Quant à les jeter, il n'osait le faire ni dans la maison ni aux alentours, de crainte qu'ils soient découverts et trahissent son geste.

» Aussi il les emballa soigneusement dans un

journal et mit le paquet dans sa poche avec l'intention de s'en débarrasser quand il serait à une honnête
distance du Hall. Il prit son sac, sortit par la fenêtre,
la referma doucement derrière lui et rejoignit la route
aussi vite que ses longues jambes pouvaient le
conduire. Là, il marcha jusqu'à ce qu'une voiture le
rejoigne, y monta et revint ainsi à Londres pour se
trouver bientôt dans une nouvelle impasse.

» Une situation intéressante et un voyage fatigant
d'un bout à l'autre de la France ne s'étaient pas très
bien accommodés, William, dans le cas du numéro
deux, et Mr Smith trouva sa femme au lit avec
défense absolue de la part des médecins de l'en
déplacer. Il n'y avait rien d'autre à faire que de
demeurer à Londres jusqu'à ce que la dame aille
mieux. Heureusement pour nous, elle ne se pressa
pas trop, et après tout, votre maîtresse doit remercier
la femme qui l'a supplantée pour avoir sauvé sa
réputation en nous aidant à trouver Mr James Smith.

— Et comment, je vous prie, êtes-vous entré en
possession des cheveux que vous avez apportés ce
matin devant le juge ? demandai-je alors.

— Grâce au numéro deux de nouveau, dit Mr
Dark. Je fus amené à les lui demander après certaines de ses paroles. Tandis que nous nous entrete-
nions à propos de l'assurance, je m'aventurai à
m'informer de ce qui lui avait fait penser que le Mr
James Smith que nous recherchions et son mari
étaient le même homme. « Rien », me dit-elle.
« Mais le voyant rentrer avec ses cheveux coupés
court et ses favoris rasés, et aussi parce qu'il n'arrivait pas à me donner une bonne raison pour s'être

défiguré de cette façon, j'ai soupçonné que quelque chose allait mal, et la vue de votre annonce n'a fait que fortifier mon inquiétude. »

» En l'écoutant, la pensée me vint tout à coup qu'il serait difficile de l'identifier avec ce visage si changé, et avant de quitter Londres, je demandai à Mr James Smith ce qu'il avait fait de ses fameux cheveux. Le paquet fut retrouvé dans la poche de son manteau de voyage comme il l'y avait laissé en quittant le Hall, car l'angoisse et les vexations le lui avaient fait complètement oublier. Je me chargeai naturellement du paquet et vous savez le bon usage que j'en ai fait.

» Ceci a, si l'on peut dire, magnifiquement complété ce cas magnifique, William. En considérant l'affaire du point de vue professionnel, je n'hésite pas à dire que nous avons mené notre enquête à la perfection. Nous l'avons fait apparaître à l'instant voulu et nous en sommes débarrassés aussi au bon moment, car il doit être en route pour un pays étranger avec le numéro deux et ne remettra plus le nez en Angleterre, même s'il vit aussi longtemps que Mathusalem !

Je fus soulagé de l'entendre me dire cela, et bien plus encore d'apprendre ensuite que ma maîtresse n'avait à l'avenir plus rien à craindre de Joséphine. La charge de vol pour laquelle elle serait jugée ne pouvait trouver l'ombre d'une excuse dans la loi, pas plus que dans la logique si elle faisait allusion au crime commis par son maître. Si elle pensait le révéler, elle le ferait là où elle serait déportée, car elle ne pouvait s'imaginer avoir la moindre chance d'être écoutée en justice avant cela.

— En résumé, dit Mr Dark en se levant et se disposant à partir, comme je vous l'ai dit, William, c'est échec et mat pour mam'zelle. Elle n'a pas mené l'affaire du vol aussi astucieusement que je m'y attendais. Elle a commencé assez adroitement en demeurant dans un modeste logement du village pour faire ses dépositions aux interrogatoires quand elle y était appelée. Rien jusque-là ne pouvait paraître plus innocent, plus respectable. Mais cacher les objets volés à sa maîtresse sous le matelas de son lit — l'endroit où l'homme le plus inexpérimenté irait chercher d'abord — était si étonnamment stupide, que considérant le terrible jeu qu'elle jouait, cela paraît étrange.

» Dans tous les cas, elle a à présent les mains liées et la langue aussi quant à cette question. Présentez mes respects à votre maîtresse, dites-lui que son fuyard de mari et sa femme de chambre ligotée ne peuvent plus lui nuire, aussi longtemps qu'ils vivront. Elle n'a rien de mieux à faire maintenant que de reprendre ses esprits et de vivre heureuse. Ainsi, longue vie à elle et à vous, William, avec ce dernier verre de bière, et puis ce dernier toast à moi-même en vidant le fond du pot.

Sur ces mots, il empocha sa vaste tabatière, me fit un dernier clignement de ses yeux brillants et s'en alla, espérant atteindre la malle de Londres. De ce jour, je ne l'ai plus jamais revu.

Quelques derniers mots au sujet de ma maîtresse et des autres personnes qui furent mêlées à ce drame doivent conclure ce récit.

Pendant des mois, ses parents, ses amis et moi-même avons eu de grandes inquiétudes au sujet de la santé de ma maîtresse. Nous nous demandions s'il était possible qu'une nature aussi sensitive que la sienne puisse supporter les chocs successifs qui lui avaient été infligés.

Mais j'ai appris depuis lors que notre pouvoir d'endurance est toujours égal sinon supérieur aux fardeaux que nous avons à porter. J'ai vu beaucoup de surprenantes guérisons de maladies se produire après qu'on eut cru tout espoir perdu, et j'ai vécu assez pour voir ma maîtresse triompher peu à peu des peines et des terreurs qui avaient failli un moment lui être fatales. Il se passa du temps avant qu'elle relevât la tête, mais les soins, les bontés et le temps firent leur effet.

Elle n'est et ne sera jamais plus la femme qu'elle était avant ces événements. Ses traits ont changé, elle paraît beaucoup plus âgée qu'elle ne l'est réellement, mais sa santé ne cause plus d'inquiétudes, son humeur est calme et égale et j'ai grand espoir que beaucoup d'années paisibles passées à son service me seront encore accordées.

Pendant ce long intervalle de temps que je viens de résumer en quelques mots, je me suis marié. Ce changement dans ma vie ne mérite peut-être pas d'être mentionné ici, mais je pense à nos deux petits enfants quand je parle de ma maîtresse dans sa situation actuelle, et cela parce que je crois qu'ils font le grand plaisir, l'intérêt et la distraction de sa vie, l'empêchant de se sentir solitaire et le cœur vide. Cette pensée m'est douce, et peut-être vous la serat-elle aussi, c'est pour cette seule raison que j'en parle ici.

Quant aux autres personnes mêlées aux tristes événements de Darrock Hall, je mentionne d'abord Joséphine, cette femme vile, pour en avoir plus vite fini avec elle.

La conjecture de Mr Dark, quand il essaya d'expliquer son manque d'adresse en cachant les objets volés, me disant que son esprit avait dû supporter un poids trop lourd pour elle, se vérifia n'être rien de moins que la vérité.

Après qu'elle fut déclarée coupable de vol et eut été condamnée à cinq ans de déportation, une pire sentence, prononcée par un tribunal plus haut que ceux de ce monde tomba sur elle. Pendant qu'elle était encore en prison dans le comté, attendant d'être déportée, son cerveau se dérangea, et sa folie se révéla dans une tentative de mettre le feu à la prison. Son cas fut jugé dès le début incurable. Un asile légal la reçut et doit la garder jusqu'à la fin de ses jours.

Mr James Smith qui, à mon humble avis, méritait d'être pendu par la justice ou noyé par accident, vécut tranquillement à l'étranger avec sa femme écossaise — qui n'était pas sa femme — pendant deux ans, et mourut alors de la façon la plus normale et la plus habituelle, dans son lit, après une courte maladie.

Sa fin me fut décrite comme « hautement édifiante », mais comme il fut rapporté aussi qu'il avait envoyé son pardon à sa femme — ce qui signifiait qu'il avait été la personne la plus injuriée des deux —, je me permets de penser qu'il est resté à ses derniers moments le même impudent vagabond qu'il avait été durant sa vie.

Sa femme écossaise s'est remariée et vit à présent à Londres. J'espère que cette fois, son mari est sa réelle propriété.

Mr Meeke ne doit pas être oublié, bien qu'il ait glissé hors de toute la dernière partie de mon récit, parce qu'il n'y avait rien à faire avec les terribles événements qu'entraîna le parjure de Joséphine.

Dans la confusion et les tristesses de ce temps, il fut traité avec très peu de cérémonie, et il était complètement oublié quand nous quittâmes le voisinage. Après avoir frotté et cloué pendant des jours, il abandonna sa cure à la première occasion qui se présenta et prit une sorte de poste de sous-chapelain dans une chapelle anglaise à l'étranger. Il écrit à ma maîtresse une ou deux fois par an pour s'informer de sa santé et de son bien-être, et elle lui répond. Ce sont là les seuls rapports qu'ils auront probablement jamais. La musique qu'ils ont jouée naguère s'est tue. Ses dernières notes ont fini de résonner depuis longtemps, et les derniers mots qui tremblent sur les lèvres du narrateur peuvent à présent s'évanouir avec elles.

MONKTON LE FOU

I

Les Monkton de Wincot Abbaye avaient une mauvaise réputation dans notre comté quant à leur manque de sociabilité. Ils n'allaient jamais en visite et à l'exception de mon père, d'une dame et sa fille qui habitaient tout près d'eux, ils ne recevaient personne sous leur toit.

Ils étaient certainement tous très fiers ; ce n'était pourtant pas cette raison mais la crainte qui les faisait se tenir en dehors de la société. La famille avait depuis des générations souffert d'une terrible hérédité de folie, et les membres qui en restaient redoutaient de devoir exposer leur douloureuse épreuve, s'ils avaient établi des rapports avec le petit monde actif et occupé qui les entourait.

On se racontait l'effrayante histoire d'un crime commis dans les temps passés par deux proches parents des Monkton, et la première apparition d'insanité était supposée datant de là, mais je ne voudrais heurter personne ici en le répétant. Il suffit de dire qu'à intervalles, quelque forme de cette affreuse maladie apparaissait encore dans la famille, la monomanie en étant la plus fréquente manifestation. Je tiens ces détails et quelques autres encore de mon père.

Au temps de ma jeunesse, trois Monkton vivaient à l'abbaye. Mr et Mrs Monkton, et leur fils unique Alfred, héritier de la propriété. Le seul autre membre de la famille était Stephen, le plus jeune frère de Mr Monkton. Il était célibataire et possédait une jolie demeure en Écosse, mais il vivait le plus souvent sur le continent et avait la réputation d'être honteusement dépravé. La famille de Wincot avait aussi peu de rapports avec lui qu'avec ses voisins.

J'ai déjà dit que mon père, une dame et sa fille étaient les seuls privilégiés qui étaient admis chez eux.

Mon père était un vieil ami de collège de Mr Monkton, et un accident les avait tellement rapprochés ces derniers temps que leurs fréquentes rencontres étaient tout à fait compréhensibles. Je ne sais pas aussi bien dans quels termes d'amitié Mrs Elmslie — la dame dont je viens de parler — était avec eux. Son mari, qu'elle avait perdu, était un parent très éloigné de Mrs Monkton et mon père était le tuteur de sa fille.

Mais ces liens ne me paraissaient pas assez forts pour expliquer l'intimité entre cette femme et les habitants de l'abbaye. Intimité qui existait pourtant, et dont le résultat des visites constantes échangées entre les deux familles se révéla de lui-même : le

fils de Mr Monkton et la fille de Mrs Elmslie s'atta-
chèrent l'un à l'autre.

Je n'ai pas eu l'occasion de rencontrer souvent la
demoiselle, je me souviens seulement d'elle à cette
époque comme d'une délicate, gentille et aimable
fille, tout l'opposé en apparence — et semblait-il en
caractère — de Mr Alfred Monkton. Mais peut-être
est-ce l'une des raisons pour lesquelles ils s'éprirent
l'un de l'autre. L'attachement fut bientôt découvert,
et loin d'être désapprouvé par les deux familles. Sur
tous les points essentiels, excepté celui de la fortune,
les Elmslie étaient à peu près les égaux des Monkton, et le manque de richesses de la jeune fille était
de peu d'importance pour l'héritier de Wincot.
Alfred, c'était bien connu, devant recevoir trente
mille livres de rente à la mort de son père.

Bien que les parents des deux côtés trouvaient
qu'ils étaient trop jeunes encore pour être mariés, ils
ne virent aucune raison pour qu'Alfred et Ada ne
soient pas fiancés, avec l'assurance que le mariage
aurait lieu dès que le jeune Monkton atteindrait sa
majorité, deux ans plus tard.

La personne qui après les parents fut consultée en
la matière était mon père, en sa qualité de tuteur
d'Ada. Celui-ci savait que la malheureuse hérédité
de la famille s'était manifestée il y avait déjà des
années chez Mrs Monkton, qui était la cousine de
son mari. La maladie, comme on l'appelait d'un ton
significatif, avait été enrayée par un soigneux traitement et avait, assurait-on, été guérie. Mais mon père
ne pouvait s'y laisser tromper. Il avait vu là la tare
héréditaire, et envisageait avec horreur la simple

possibilité de la voir réapparaître un jour chez les enfants de la fille unique de son ami ; il refusa donc positivement son consentement au mariage.

Le résultat fut que la porte de Wincot et celle de Mrs Elmslie lui furent fermées. La suspension de leur amitié durait depuis peu quand Mrs Monkton mourut. Son mari, qui lui était tendrement attaché, attrapa un mauvais refroidissement en assistant à ses funérailles. Il fut négligé, gagna les poumons, et quelques mois après, Mr Monkton accompagnait sa femme au tombeau. Alfred devenait donc le maître de la grande et vieille abbaye et de la magnifique propriété qui l'entourait.

À ce moment, Mrs Elmslie eut l'indélicatesse de tenter une seconde fois d'obtenir le consentement de mon père au mariage projeté. Il refusa de nouveau et plus positivement encore qu'auparavant.

Plus d'un an se passa. Le temps approchait où Alfred allait atteindre sa majorité. Je revins du collège pour passer les grandes vacances à la maison, et tentai quelques avances pour améliorer mes rapports avec le jeune Monkton, mais elles furent repoussées — avec une parfaite politesse, certes, mais de telle façon que je ne pouvais plus à l'avenir lui offrir mon amitié. Toute la mortification que j'aurais éprouvée d'une telle rebuffade en des circonstances ordinaires fut chassée de mon esprit par le malheur qui s'abattit sur moi. Depuis des mois déjà, la santé de mon père avait été déclinante, et juste au moment dont je parle dans ce récit, son fils avait à pleurer le chagrin irréparable de sa mort.

Par suite d'un vice de forme ou d'une erreur dans le testament du père d'Ada, la mort du mien laissait l'avenir de la jeune fille à l'entière disposition de sa mère. La conséquence fut l'annonce immédiate des fiançailles auxquelles il s'était si fermement opposé.

Aussitôt que l'événement fut annoncé, des amis intimes de Mrs Elmslie, qui étaient au courant des particularités malheureuses affectant la famille de Wincot, se risquèrent à joindre à leurs félicitations une ou deux allusions significatives à la dernière Mrs Monkton et de pressantes demandes sur les dispositions de son fils.

Mrs Elmslie fit à ces insinuations polies une réponse — toujours la même. Elle admettait l'existence des récits sur les Monkton, que ses amis hésitaient à citer clairement, puis déclarait que c'étaient là d'infâmes calomnies. La tare héréditaire s'était éteinte depuis de nombreuses générations.

Alfred était le meilleur, le plus sain des hommes. Il aimait l'étude et la solitude. Ada sympathisait avec ses goûts et avait fait son choix librement. Si quelques traits étaient lancés, suggérant qu'on la sacrifiait dans ce mariage, ces pointes ne pouvaient être qu'une insulte à sa mère, dont il était monstrueux de mettre en question l'affection pour sa fille.

Cette façon de parler ferma la bouche aux gens mais ne les convainquit pas. Ils commencèrent à soupçonner — ce qui était d'ailleurs la vérité — que Mrs Elmslie était une femme égoïste, intéressée, qui voulait voir sa fille richement mariée et se souciait peu des conséquences du moment qu'elle voyait Ada en possession d'une des plus belles propriétés du comté.

Il sembla pourtant que quelque fatalité travaillait à empêcher cette femme d'atteindre le grand but de sa vie. À peine un obstacle à ce mariage avait-il disparu avec la mort de mon père qu'un autre lui succéda sous la forme d'anxiétés et de difficultés causées par le délicat état de santé d'Ada.

Des médecins furent consultés dans toutes les directions ; le résultat de leurs consultations fut que le mariage devait être différé et que miss Elmslie devait quitter l'Angleterre pendant un certain temps, pour aller dans un climat plus chaud, dans le sud de la France si je me souviens bien. Cela se passait juste au moment où Alfred allait atteindre sa majorité, et le mariage fut ainsi indéfiniment ajourné.

Une grande curiosité agita tout le voisinage quant à savoir ce qu'Alfred déciderait de faire devant ces décisions. Accompagnerait-il sa fiancée, ou irait-il faire une croisière en yacht ? Ouvrirait-il enfin les vieilles portes de l'abbaye ? Essayerait-il d'adoucir un jour l'absence d'Ada et le retard apporté à son mariage par un peu de gaieté ?

Il ne fit rien de tout cela. Il resta simplement à Wincot, menant une vie aussi étrange et solitaire que son père l'avait fait avant lui. Il n'avait littéralement à l'abbaye aucun autre compagnon que le vieux prêtre — les Monkton, comme je crois l'avoir déjà dit, étaient catholiques — qui avait rempli le rôle de précepteur auprès d'Alfred pendant toutes ses jeunes années.

Le jour de sa majorité arriva et il n'y eut même pas un dîner intime à Wincot pour célébrer cet événement. Les familles du voisinage, déterminées à oublier l'offense que la réserve de son père leur avait faite, le convièrent chez elles, mais ces invitations furent poliment refusées. Des visiteurs courtois sonnèrent résolument à l'abbaye mais furent aussi résolument congédiés aussitôt après avoir déposé leurs cartes.

Devant cette accumulation de sinistres et aggravantes circonstances, les gens dans toutes les directions prirent l'habitude de hocher la tête mystérieusement quand le nom de Mr Alfred Monkton était mentionné, faisant allusion au malheureux héritage de la famille, se demandant méchamment ou tristement, selon leur nature, ce qu'il pouvait bien faire pour occuper son temps, mois après mois, dans cette vieille et solitaire maison.

La réponse exacte à cette question n'était pas facile à trouver. Il était tout à fait inutile, par exemple, de s'adresser pour cela au vieux prêtre. C'était un vieil homme très doux, très poli ; ses réponses étaient toujours excessivement polies et civiles et paraissaient d'abord apporter un monceau d'informations, mais quand on venait à y réfléchir, on observait que rien de tangible ne pouvait en être tiré.

La femme de charge, une vieille personne brave aux façons brusques et décidées était trop fière et taciturne pour être approchée sans danger. Les quelques domestiques de Wincot étaient depuis assez longtemps dans la famille pour s'être fait une habitude régulière de garder leur langue muette en public. Ce n'est que par les domestiques de la ferme qui portaient les provisions à l'abbaye que quelque information pouvait être obtenue, quoiqu'ils fussent très vagues quand ils devaient la communiquer.

Certains d'entre eux avaient remarqué que le « jeune maître » se promenait beaucoup dans la bibliothèque avec des papiers vieux et poussiéreux dans les mains. D'autres avaient entendu de curieux bruits venant de parties inhabitées de l'abbaye. Ils y étaient allés regarder et avaient vu le « jeune maître » s'efforçant d'ouvrir de vieilles fenêtres, comme pour faire entrer de l'air et de la lumière dans ces chambres qu'on supposait avoir été inoccupées depuis des années et des années. On l'avait découvert entreprenant la périlleuse aventure de pénétrer dans une des sombres tourelles où jamais, à leurs connaissance, on n'était entré, et qui était considérée par le peuple environnant comme habitée par les fantômes des moines qui avaient naguère possédé l'abbaye.

Le résultat de ces observations et de ces découvertes, quand elles furent répandues au-dehors, fut naturellement de fortifier l'idée que « le pauvre jeune Monkton » allait sur le chemin qu'avait pris le reste de la famille avant lui, opinion qui parut être fortifiée dans l'esprit populaire par la croyance — qui ne reposait absolument sur rien — que le vieux prêtre était la cause de tous ces malheurs.

Jusqu'ici, je n'ai parlé que de choses qui me furent rapportées. Ce qui me reste à dire est le résultat de mon expérience personnelle.

II

Cinq mois après qu'Alfred Monkton eut atteint sa majorité, je quittai le collège, bien résolu à me distraire et à m'instruire un peu par moi-même en voyageant quelque temps à l'étranger.

Au moment où je quittais l'Angleterre, le jeune homme menait toujours sa vie de reclus à l'abbaye, et, selon l'opinion de chacun, marchait rapidement, s'il n'y avait pas encore succombé, vers la malheureuse destinée de sa famille.

Quant aux Elmslie, on disait qu'Ada avait beaucoup profité de son séjour à l'étranger et que mère et fille étaient en route pour regagner l'Angleterre et reprendre leurs anciennes relations avec l'héritier de Wincot. Avant qu'elles soient arrivées, j'étais déjà loin dans mon voyage, durant lequel je visitai la moitié de l'Europe avant de poursuivre ma route plus loin.

La chance qui nous conduit parfois m'amena à Naples, où je rencontrai un ancien condisciple qui était à présent attaché à l'ambassade d'Angleterre. Là aussi commença l'événement extraordinaire qui se rapporte à Alfred Monkton et qui fait le principal intérêt de l'histoire que je relate ici.

Un matin, avec mon ami l'attaché, je tuais paresseusement le temps dans le jardin de la ville royale quand un jeune homme nous dépassa et échangea un salut avec mon ami.

Je crus reconnaître les yeux noirs, sérieux, les joues pâles, l'étrange, anxieuse et vigilante expression qui, je m'en souvenais, étaient déjà à l'époque une caractéristique du visage d'Alfred Monkton, et j'allais questionner mon ami à ce sujet quand il me donna l'information que je cherchais et que je n'avais pas eu le temps de formuler.

— C'est Alfred Monkton, m'apprit-il. Et il vient de votre coin d'Angleterre. Vous devez le connaître ?

— Je le connais peu, répondis-je, il était fiancé à miss Elmslie quand j'ai quitté le voisinage de Wincot. Est-il marié, à présent ?

— Non ! Et il ne le sera jamais. Il a suivi la voie du reste de sa famille, ou pour parler plus clairement, il a perdu la raison.

— Fou ? Je ne suis pas surpris d'entendre cela, après tous les racontars sur son compte à Wincot.

— Je ne parle pas de racontars, mais de ce qu'il a fait et dit ici devant moi et devant cent autres personnes. Vous avez sûrement entendu parler de cela ?

— Jamais ! J'ai été hors de portée des nouvelles de Naples ou d'Angleterre depuis des mois.

— Alors j'ai une histoire bien extraordinaire à vous raconter. Vous savez naturellement qu'Alfred avait un oncle, Stephen Monkton. Eh bien, il y a déjà quelque temps, cet oncle se battit en duel dans les États de Rome avec un Français qui le tua net. Les témoins et le Français — qui n'était pas blessé — prirent la fuite en différentes directions comme bien vous pensez. Nous n'avons appris les détails de ce duel qu'un mois après qu'il eut eu lieu, quand un journal français en a publié un récit trouvé dans les papiers du témoin de Monkton, qui venait de mourir de consomption à Paris. Ces documents relataient la manière dont le duel s'était déroulé et comment il s'était terminé. Rien de plus. Le Français survivant et son témoin n'avaient pas été retrouvés depuis lors. Tout ce que chacun savait, c'est que Stephen Monkton était mort ; événement que personne ne pouvait vraiment regretter car jamais on ne vit un plus grand scélérat. La place exacte où il a été tué et ce que l'on a fait de son corps sont encore des mystères qui n'ont pu être éclaircis.

— Mais qu'est-ce que tout cela a à faire avec Alfred ?

— Attendez un moment, et vous allez le savoir. Aussitôt que la nouvelle de la mort de son oncle arriva en Angleterre, que pensez-vous que dit Alfred ? Il ajourna son mariage avec miss Elmslie qui était sur le point d'être célébré pour venir ici se mettre à la recherche de la tombe de son misérable gredin d'oncle. Aucun pouvoir au monde ne pourrait l'inciter maintenant à retourner en Angleterre auprès de sa fiancée avant qu'il ait retrouvé le corps et l'ait emporté avec lui pour le déposer dans le caveau de la famille à Wincot Abbaye.

» Il sème son argent, harcèle la police, s'expose lui-même à la risée des hommes et à l'indignation des femmes depuis trois mois qu'il est ici pour essayer de faire aboutir son projet insensé, et il en est à présent plus loin que jamais. Il ne donne à personne le plus léger motif pour expliquer sa conduite. Il est impossible de le plaisanter ou de tâcher de le raisonner sur ce point. Comme nous venons de le voir, je suis certain qu'il s'en va au bureau de la police générale pour faire envoyer de nouveaux agents à cette recherche, pour découvrir dans les États romains l'endroit où son oncle a été tué.

» Pensez que pendant tout ce temps, il proteste de son attachement passionné à miss Elmslie et de son chagrin de la séparation. Imaginez-vous cela ? Et comprenez-vous quelque chose à cette absence qu'il s'impose à lui-même pour retrouver les restes d'un homme qui a déshonoré sa famille et qu'il n'a vu qu'une fois ou deux en toute sa vie ? De tous les « fous Monkton », comme ils les appellent en Angleterre, Alfred est le plus fou. Il est notre principale cause d'animation en cette ennuyeuse saison d'opéra. Quoique pour ma part, quand je pense à cette pauvre jeune fille qui l'attend, je suis plus disposé à le mépriser qu'à rire de lui.

— Vous connaissez les Elmslie, alors ?

— Intimement. L'autre jour, ma mère m'écrivait d'Angleterre qu'elle venait de voir Ada. Cette escapade de Monkton scandalise tous ses amis. Chacun lui conseille de rompre ce mariage, ce qu'elle pourrait faire, semble-t-il, si elle le voulait. Même sa mère, avide et égoïste comme elle l'est, a été obligée à la fin, en commune décence, de se mettre du côté de la famille, mais la bonne et fidèle jeune fille refuse de rompre avec son fiancé. Elle rit de ses insanités et déclare qu'il lui a donné en secret une bonne raison à son entreprise ; elle prétend qu'elle a toujours pu le rendre heureux quand ils étaient ensemble dans la vieille abbaye, et qu'elle le pourra plus encore quand ils seront mariés.

» En résumé, elle l'aime chèrement et croira en lui jusqu'à son dernier jour. Rien ne la rebute : elle a décidé de lui consacrer sa vie, et elle le fera.

— J'en ai peu d'espoir ! Mais si folle que paraisse sa conduite, il peut avoir une raison sérieuse que nous n'imaginons pas. Son esprit semble-t-il être désordonné lorsqu'il parle de sujets ordinaires ?

— Absolument pas. Quand on peut le décider à dire quelque chose, ce qui n'arrive pas souvent, il parle comme un homme parfaitement sensé et équilibré. Gardez le silence sur le sujet de ses précieuses recherches et vous le déclarez le garçon le plus gentil et le plus modéré du monde. Mais touchez au sujet de son vagabond d'oncle, et l'insanité des Monkton apparaît immédiatement. L'autre soir, une dame lui a demandé en plaisantant, naturellement, s'il n'avait jamais vu le fantôme de son oncle. Il a semblé devenir un parfait démon et a répondu que lui et son oncle répondraient un jour à sa question, s'ils revenaient ensemble pour cela de l'enfer. Nous avons ri en l'écoutant, mais la dame s'est évanouie de frayeur en voyant son regard et nous avons eu pour conséquence une scène hystérique et démoniaque.

» Tout autre homme aurait été jeté dehors pour avoir ainsi effrayé à mort une jolie femme, mais « Monkton le fou », comme nous l'avons baptisé, est un lunatique privilégié dans la société napolitaine parce qu'il est anglais, bien de sa personne et jouit de trente mille livres de rentes. Il va partout où il imagine pouvoir rencontrer quelqu'un qui aurait été mêlé au secret de l'endroit où le mystérieux duel a eu lieu.

» Si vous lui êtes présenté, il vous demandera certainement si vous ne connaissez rien de cette affaire, mais inutile de continuer sur ce sujet après que vous lui aurez répondu. À moins que vous ne vouliez vous assurer qu'il est vraiment privé de ses sens. En ce cas, parlez-lui seulement de ses recherches, et le résultat devrait plus que vous satisfaire.

Un jour ou deux après cette conversation avec mon ami l'attaché, je rencontrai Monkton à une soirée.

Au moment où il entendit prononcer mon nom, il rougit violemment puis me tira à l'écart, et se référant à sa froide réception des avances que je lui avais faites il y a plusieurs années, il me demanda pardon pour ce qu'il appelait lui-même une ingratitude inexcusable, avec une chaleur et une agitation qui m'étonnèrent beaucoup.

La seconde question fut précisément celle dont m'avait parlé mon ami au sujet du mystérieux duel.

Un extraordinaire changement se produisit en lui tandis qu'il m'interrogeait sur ce point. Au lieu de me regarder en face comme il le faisait précédemment, ses yeux se mirent à errer au loin, puis se fixèrent intensivement sur un endroit du mur parfaitement vide — ou sur l'espace entre le mur et nous : il était impossible de savoir lequel.

J'étais venu d'Espagne à Naples par mer et le lui dis brièvement, pensant que c'était le meilleur moyen de lui montrer que je ne pouvais lui être d'aucun secours concernant ses recherches. Il ne poussa pas ses questions plus loin et, me souvenant des avertissements de mon ami, je pris grand soin de diriger la conversation vers des sujets généraux.

Il regardait de nouveau derrière moi d'un air décidé, et aussi longtemps que dura notre causerie dans ce coin, il ne cessa de fixer le mur ou l'espace vide à mes côtés.

Quoiqu'il se montrât plus disposé à écouter qu'à parler, sa conversation ne révéla aucune trace de la plus petite insanité. Il avait évidemment beaucoup lu, pas généralement, mais de façon suivie et coordonnée, et pouvait appliquer ses lectures avec un rare bonheur à l'illustration de la plupart des sujets alors en discussion, sans jamais étaler absurdement ses connaissances ni les cacher avec affectation. Ses façons étaient elles-mêmes une vivante protestation contre un surnom tel que Monkton le fou. Il était si timide, si tranquille et si gentil dans toutes ses actions que j'aurais été plutôt incliné à le trouver un peu efféminé.

Nous avons eu une longue conversation ensemble le soir de notre première rencontre, nous en avons eu d'autres par la suite, ne laissant plus échapper une seule occasion de fortifier notre connaissance.

Je pense qu'il s'était pris d'amitié pour moi de suite, et en dépit de ce que j'avais entendu au sujet de sa conduite envers miss Elmslie, en dépit des soupçons que l'histoire de famille et sa propre attitude avaient éveillés sur lui, je commençai à aimer Monkton autant qu'il semblait tenir à moi. Nous faisions de tranquilles promenades ensemble dans la campagne et allions aussi en mer le long des côtes, sur l'autre rive la Baie. Si ce n'étaient deux excentricités dans sa conduite que je ne pouvais m'expliquer, je me serais bientôt trouvé aussi à l'aise avec lui que s'il avait été mon frère.

La première de ces excentricités consistait dans la réapparition en plusieurs occasions de cette curieuse expression de ses yeux que j'avais remarquée pour la première fois quand il m'avait demandé si je ne savais rien à propos du duel.

Quel que fut le sujet dont nous parlions, l'endroit où nous nous trouvions, il arrivait des moments où subitement, il regardait non plus mon visage en me parlant mais tantôt d'un côté de moi tantôt de l'autre, et toujours où il n'y avait rien à voir avec un regard aussi farouche. Cela m'apparaissait vraiment comme de la folie — ou au moins de l'hypocondrie. Pourtant je n'osais l'interroger, faisant toujours comme si je ne le remarquais pas.

La seconde particularité de sa conduite était qu'il ne parlait jamais devant moi — ou à moi-même — des suppositions qu'on faisait à Naples concernant ses recherches ; il ne me parlait jamais non plus de miss Elmslie ni de Wincot Abbaye. Non seulement cela m'étonnait, mais cela surprenait aussi ceux qui avaient remarqué notre intimité, qui étaient persuadés que j'étais devenu le dépositaire de tous ses secrets.

Le temps approchait cependant où ces mystères et bien d'autres dont je n'avais aucun soupçon à cette époque allaient m'être tous révélés.

Je le rencontrai un soir à un grand bal donné par un noble Russe dont je n'arrivai pas à prononcer le nom alors, et que j'ai oublié depuis.

J'avais erré loin du salon de réception, de la salle de bal à la salle de jeux, puis étais arrivé dans un petit appartement à l'une des extrémités du palais, à moitié salon de musique, à moitié boudoir, brillamment éclairé pour la circonstance par des lanternes chinoises.

Il n'y avait personne dans la chambre quand j'y entrai. On y jouissait d'une vue sur la Méditerranée baignant dans la douce lumière d'un clair de lune italien, et c'était si exquis que je m'arrêtai un long moment à la fenêtre pour regarder dehors en écoutant la musique de danse qui m'arrivait faiblement de la salle de bal.

Mes pensées s'en allaient au loin, près de la famille que j'avais laissée en Angleterre, quand je tressaillis en entendant quelqu'un prononcer mon nom.

Je me retournai immédiatement et vis Monkton entrer dans la pièce. Son visage était d'une pâleur livide et ses yeux se fixaient loin au-delà de moi, avec la même expression extraordinaire à laquelle j'ai déjà fait allusion.

— Cela vous ennuierait-il de quitter le bal tôt, ce soir ? me demanda-t-il, toujours sans me regarder.

— Non pas du tout, dis-je. Puis-je faire quelque chose pour vous ? Êtes-vous souffrant ?

— Non, ou du moins cela ne vaut pas la peine d'en parler. Voulez-vous venir chez moi ?

— À l'instant si vous le désirez.

— Non, pas tout de suite. Je vais rentrer directement chez moi, et je vous prierais de ne me rejoindre que dans une demi-heure. Vous n'êtes encore jamais venu, mais vous trouverez facilement mon appartement, c'est tout près d'ici. Voici ma carte avec mon adresse. Je dois vous parler ce soir, ma vie en dépend. Je vous en prie, venez ! Venez, pour l'amour de Dieu, dans une demi-heure !

Je promis d'être ponctuel et il me laissa immédiatement.

On peut facilement s'imaginer l'état de nerveuse impatience dans lequel je passai la période de temps imposée après avoir entendu les paroles d'Alfred Monkton.

Avant que la demi-heure soit tout à fait écoulée, je commençai à refaire la route en sens inverse à travers les salons et la salle de bal.

En haut de l'escalier, je rencontrai mon ami l'attaché.

— Quoi ? Vous partez déjà ? s'étonna-t-il.

— Oui, et pour une très curieuse expédition. Je vais à l'appartement de Monkton sur son invitation.

— Est-ce sérieux ? Sur mon honneur, vous êtes un garçon audacieux pour accepter de vous trouver seul avec Monkton le fou quand c'est la pleine lune.

— Il est malade, le pauvre garçon. Et puis je ne le crois pas de moitié aussi fou que vous le pensez.

— Nous ne discuterons pas ce point, mais retenez bien mes paroles. Il ne vous a encore jamais demandé d'aller chez lui, et aucun autre visiteur n'y a été admis sans une raison spéciale. Je vous prédis que vous allez voir ou entendre ce soir quelque chose dont vous vous souviendrez toute votre vie.

Nous nous serrâmes la main et je m'en allai. Quand je frappai à la porte de la cour de la maison où habitait Monkton, les derniers mots de mon ami dans l'escalier du palais me revinrent à l'esprit, et quoique je me sois moqué de lui quand il les prononça, je commençai déjà à soupçonner que sa prédiction se réaliserait.

III

Le concierge qui m'introduisit dans la maison me conduisit à l'étage où je trouvai l'appartement de Monkton, et en quittant l'escalier, je vis que sa porte était entrouverte. Il avait dû entendre mon pas, car il me cria d'entrer avant que j'aie eu le temps de frapper.

Je m'exécutai et le trouvai assis près de la table, avec à la main une masse de lettres qu'il était occupé à réunir en un paquet. Quand il me pria de m'asseoir, je vis de suite que son expression était plus calme, bien qu'il fût toujours très pâle. Il me remercia d'être venu, me répéta qu'il avait quelque chose de très important à me confier puis s'arrêta court, apparemment trop embarrassé pour continuer.

J'essayai de le mettre à l'aise en lui assurant que si mon assistance ou mon avis pouvaient lui être de quelque utilité, j'étais prêt à mettre ma personne et mon temps de tout cœur à son service.

Tandis que j'achevai ces paroles, je vis son regard errer de nouveau loin de moi ; il s'avança peu à peu vers un certain point avec la même fixité effrayée qui m'avait si souvent frappé en d'autres occasions.

Puis l'expression tout entière de sa figure s'altéra comme je ne l'avais encore jamais vu, et il s'assit devant moi tel un homme en transes mortelles.

— Vous êtes très bon, murmura-t-il d'une voix faible, n'ayant pas l'air de s'adresser à moi mais de regarder dans la direction où ses yeux restaient fixés. Je sais que vous pouvez m'aider, mais...

Il s'arrêta, pâlit horriblement, sa respiration devint haletante. Il essaya de continuer, dit un mot ou deux, puis s'arrêta de nouveau. Sérieusement alarmé à son sujet, je me levai avec l'intention de lui jeter à la figure un peu d'eau d'une cruche que j'avais vue sur une table à côté.

Il bondit au même moment. Tous les soupçons que j'avais entendu murmurer contre sa santé me revinrent à l'esprit en une seconde, et je me reculai involontairement d'un pas ou deux.

— Arrêtez ! cria-t-il en se rasseyant lui-même. Ne vous préoccupez pas de moi et ne quittez pas votre chaise. Je veux... je souhaite, si vous me le permettez, faire un petit changement avant de vous en dire plus long. Craignez-vous de vous trouver dans une forte lumière ?

— Non, pas du tout.

Il était jusque-là demeuré assis dans l'ombre de sa lampe de bureau, la seule qui éclairait la chambre.

Comme je lui répondais, il se leva de nouveau et, passant dans une autre pièce, revint bientôt avec une grosse lampe à la main, puis il prit deux chandeliers sur la table à côté et deux autres sur la cheminée, les plaça tous ensemble — à mon étonnement — de façon qu'ils soient exactement entre nous, puis il essaya de les allumer. Sa main tremblait tellement que je fus obligé de lui demander de pouvoir l'aider.

Sous sa direction, j'enlevai aussi l'abat-jour de la lampe de bureau après avoir allumé la grosse lampe et les quatre chandelles.

Quand nous fûmes assis de nouveau avec cette concentration de lumière entre nous, sa gentillesse habituelle reparut peu à peu, et tandis qu'il s'adressait à moi, il parla cette fois sans plus aucune hésitation.

— Il est inutile de vous demander quels racontars vous avez entendus à mon sujet, je les connais. Mon but, ce soir, est de vous donner la raisonnable explication de ma conduite, qui a causé ces bavardages. Je n'ai jamais confié mon secret qu'à une seule personne. Je veux à présent le confier à votre discrétion pour la raison qui vous apparaîtra bientôt.

» Je dois d'abord vous dire quelle est la grande difficulté qui m'oblige à demeurer encore loin de l'Angleterre. Je voudrais avoir votre avis, votre aide, aussi, et pour ne rien vous cacher, je veux également mettre à l'épreuve votre patience et votre amicale sympathie avant de pouvoir m'aventurer à vous confier mon misérable secret. Voulez-vous pardonner cette apparente ingratitude envers votre bonté pour moi, depuis la première fois où nous nous sommes vus ?

Je le suppliai de ne pas même parler de cela et de continuer.

— Vous savez, reprit-il, que je suis ici pour retrouver le corps de mon oncle Stephen et le rapporter dans notre caveau de famille en Angleterre. Mais vous devez être conscient aussi que je n'ai pas encore réussi à retrouver ses restes. Essayez de passer sur ce qui, à présent, peut sembler extraordinaire et incompréhensible dans un projet tel que le mien, et lisez cet article de journal, là, où une ligne à l'encre est tracée. C'est le seul témoignage obtenu au sujet de ce fatal duel dans lequel mon oncle a péri, et je voudrais savoir, quand vous aurez lu ces lignes, quelle façon de procéder serait à votre avis la meilleure pour moi.

Il me tendait un journal français. La substance de ce que j'y lus m'est encore tellement présente à la mémoire que je suis certain de rendre ici correctement, après tant d'années, tous les faits qu'il me semble nécessaire de communiquer à mes lecteurs.

L'article commençait, je m'en souviens, par une remarque éditoriale sur la grande curiosité qu'avait excitée le fatal duel entre le comte St Lo et Mr Stephen Monkton, un gentleman anglais. Le journaliste commentait avec force détails l'extraordinaire secret dans lequel l'affaire avait été conclue du début jusqu'à la fin, puis exprimait l'espoir que la publication d'un certain manuscrit auquel ses explications préparatoires se référaient mènerait à de nouvelles preuves émanant d'un autre côté mieux informé.

Ce document avait été découvert dans les papiers de Mr Foulon, le témoin de Mr Monkton, qui était mort de consomption à Paris peu après son retour chez lui de la scène du duel. Il était inachevé, s'arrêtant juste à l'endroit où le lecteur aurait le plus souhaité de le voir continuer. On n'avait découvert à cela aucune raison, et aucun autre écrit sur ce sujet n'avait été retrouvé, malgré les plus minutieuses recherches dans tous ses papiers.

Suivait le document lui-même.

Cela paraissait être un contrat passé secrètement entre Mr Foulon, le témoin de Mr Monkton, et le témoin du comte St Lo, Mr Dalville ; il contenait un exposé de tous les arrangements pris pour la conduite du duel. Il était daté de Naples, le 22 février, et comprenait sept ou huit clauses.

La première expliquait la nature et l'origine de la querelle — une affaire déshonorante des deux côtés qu'il vaut mieux oublier et ne pas répéter.

La seconde établissait que l'offensé avait préféré le pistolet à l'épée et que l'offenseur — un excellent escrimeur — avait insisté de son côté pour que le duel soit mené de telle façon que le premier coup soit décisif quant au résultat.

Les témoins, voyant les fatales conséquences qui allaient inévitablement résulter de l'hostile rencontre, décidèrent avant tout que ce duel devait se dérouler dans le plus profond secret et que l'endroit où il aurait lieu ne devait pas être connu d'avance, même par les intéressés.

Il était ajouté que cet excès de précaution avait été rendu absolument nécessaire à la suite d'une récente adresse du Saint-Père aux Pouvoirs en Italie, commentant la scandaleuse fréquence de cette pratique de duel, et demandant instamment que les lois contre les duellistes soient renforcées à l'avenir avec la plus grande sévérité.

La troisième clause détaillait la façon dont devait

avoir lieu le duel. Les pistolets ayant été chargés sur le terrain par les témoins, les combattants devaient être placés à trente pas l'un de l'autre, puis devaient jouer à pile ou face pour décider qui tirerait le premier.

Le gagnant devait alors s'avancer de dix pas, l'endroit étant marqué à l'avance, et décharger son pistolet sur son adversaire. S'il le manquait ou n'arrivait pas à le mettre hors d'état de répondre, celui-ci était libre d'avancer s'il le désirait des vingt pas qui restaient avant de tirer à son tour. Le règlement supposait que le duel se terminerait à la première décharge de pistolet ; adversaires et témoins s'engageaient tous à l'observer.

La quatrième clause établissait que les témoins avaient décidé que le duel devait avoir lieu en dehors des États napolitains, mais qu'ils se laisseraient guider eux-mêmes par les circonstances quant à la localité exacte qui serait choisie pour ce fait.

Les clauses qui restaient étaient consacrées — pour autant que je m'en souvienne — au détail des différentes précautions qui devaient être prises pour éviter toute découverte. Les duellistes et leurs témoins devaient quitter Naples chacun de leur côté, changer plusieurs fois de voiture et se rencontrer dans certaines villes ou, s'ils se manquaient, à certains bureaux de poste sur la grande route de Naples à Rome. Ils devaient aussi emporter des boîtes à couleurs, des chevalets et des toiles, comme s'ils étaient des artistes voyageant pour prendre des vues de paysages pittoresques, et par crainte de trahison, ils ne pouvaient employer aucun guide pour découvrir l'endroit propre au duel. Ces détails et d'autres — visant à faciliter la fuite des survivants après que l'affaire serait terminée — formaient la conclusion de cet extraordinaire document qui était signé des initiales seules des témoins.

En dessous, on pouvait lire le début d'un récit daté de Paris et destiné évidemment à décrire le duel dans ses plus minutieux détails. L'écriture était celle du témoin décédé.

Mr Foulon, le gentleman en question, y disait sa conviction que quelque chose finirait par transpirer, qui rendrait un récit fait par un témoin oculaire de la rencontre entre St Lo et Mr Monkton un document important.

Il proposait donc qu'un des témoins certifie que le duel avait été conduit en parfait accord avec les termes du contrat. Les deux adversaires s'étaient conduits comme des hommes d'honneur et chevaleresques (!), et il déclarait plus loin que pour ne compromettre personne, il déposerait les feuillets renfermant ce témoignage en mains sûres avec de chaudes injonctions de n'en permettre l'ouverture que dans un cas de la dernière urgence.

Après ce préambule, Mr Foulon relatait que le duel avait eu lieu deux jours après la signature du contrat, dans une localité où un accident avait amené les quatre hommes. Le nom de l'endroit n'était pas mentionné, pas plus que ses environs. Les adversaires ayant été placés selon les décisions prises, le comte St Lo avait gagné au pile ou face, s'était avancé de dix pas vers son adversaire et avait tiré. Mr Monkton n'était pas tombé immédiatement mais s'était avancé de six ou huit pas, avait déchargé son pistolet sur son adversaire sans l'atteindre, puis était tombé mort.

Mr Foulon déclarait qu'il avait immédiatement déchiré un feuillet de son carnet de poche pour y faire une brève description de la façon dont Mr Monkton était mort et qu'il avait glissé le papier dans ses vêtements.

Cette précaution avait été rendue nécessaire par la nature particulière des arrangements qui avaient été pris quant à la façon de faire disparaître le corps sans danger. Ce qu'était ce plan et comment il fut exécuté n'était pas révélé pour la raison que le récit s'arrêtait brusquement là.

Un post-scriptum du journal expliquait comment il avait obtenu de pouvoir publier ce document et répétait l'information contenue dans les remarques d'introduction de l'éditeur : aucun autre écrit n'avait été découvert par les personnes qui avaient examiné tous les papiers de Mr Foulon. J'ai à présent donné la substance de tout ce que je lus ce soir-là et ai relaté tout ce qui était connu alors sur la mort de Mr Monkton.

Quand je rendis le journal à Alfred, il était trop agité pour parler, mais il me montra d'un geste qu'il était anxieux d'apprendre ce que j'avais à dire à ce sujet. Ma position était à la fois difficile et pénible. Je ne pouvais prévoir quelles conséquences résulteraient du moindre manque de précaution de ma part et ne découvris d'autre issue que de le questionner soigneusement avant de m'aventurer dans une voie ou l'autre.

— Voulez-vous m'excuser, dis-je, si je vous pose une ou deux questions avant de vous donner mon avis ?

Il inclina la tête avec impatience.

— Oui, oui, toutes les questions que vous voulez.

— Étiez-vous à cette époque en relations suivies avec votre oncle ?

— Je ne l'ai vu que deux fois dans toute ma vie, et cela quand j'étais enfant.

— Alors vous ne pouviez ressentir une grande affection pour lui ?

— De l'affection pour lui ? J'aurais été honteux d'en éprouver. Où qu'il soit allé, il nous a déshonorés !

— Puis-je vous demander si quelque raison de famille est mêlée à votre anxiété de retrouver ses restes ?

— Des raisons de famille peuvent être mêlées à d'autres... Mais pourquoi me demandez-vous cela ?

— Parce qu'ayant appris que vous employiez des policiers pour vous seconder dans vos recherches, j'étais désireux de savoir si vous aviez persuadé leurs chefs d'agir du mieux qu'ils pourraient, en donnant en haut lieu de fortes raisons personnelles au projet peu ordinaire qui vous a amené ici.

— Je n'ai pas donné de raisons. Je paye le travail que je demande, et en retour de ma libéralité, je suis traité avec la plus infâme indifférence de tous côtés. Étranger au pays et peu familiarisé avec sa langue, je puis très peu m'aider moi-même. Les autorités de Rome et d'ici prétendent le faire, prétendent chercher, faire des enquêtes comme je le leur demande, et elles ne font rien de plus. Je suis insulté, et souvent on me rit à la figure !

— Ne pensez-vous pas qu'il est possible... Je ne veux aucunement excuser le manque de zèle des autorités, et ne partage pas moi-même leur opinion, mais... Ne pensez-vous pas qu'il est possible que la police doute que vous soyez sérieux ?

— Pas sérieux ? s'écria-t-il, bondissant de sa chaise et me fixant farouchement, les yeux méchants et le souffle précipité. Pas sérieux ! Vous pensez aussi que je ne suis pas sérieux ? Je sais que vous le pensez, quoique vous me disiez que vous ne le faites pas ! Arrêtez ! Avant que nous ajoutions un seul mot, vous allez être convaincu par vos propres yeux. Venez ici, pour une minute seulement. Seulement pour une minute...

Je l'accompagnai dans sa chambre à coucher qui s'ouvrait sur le salon. À côté de son lit était une grande caisse de bois d'au moins sept pieds de long.

— Soulevez le couvercle et regardez dedans pendant que j'élève la chandelle pour vous éclairer, me dit-il.

J'obéis et découvris à mon étonnement que la caisse contenait un cercueil magnifiquement décoré aux armes de la famille Monkton, portant inscrit en lettres anciennes le nom de Stephen Monkton, son âge, et en dessous la façon dont il était mort.

— Je tiens ce cercueil prêt pour lui, murmura Alfred à mon oreille. Est-ce que je ne parais pas sérieux ?

Cela me semblait tenir tellement de la folie que j'évitai de répondre.

— Oui, oui, je vois que vous êtes convaincu, continua-t-il rapidement. Nous pouvons retourner dans l'autre chambre et nous parler à cœur ouvert, maintenant.

En reprenant ma place, je reculai machinalement un peu ma chaise de la table. J'avais à ce moment l'esprit tellement troublé et confus, et me sentais si incertain sur ce qu'il était mieux pour moi de dire ou de faire ensuite que j'oubliai la place qu'il m'avait demandé d'occuper quand il avait allumé les chandelles. Il me le rappela immédiatement.

— Ne vous éloignez pas, dit-il très sérieusement. Restez assis dans la lumière, je vous en prie ! Je vais vous expliquer tout de suite pourquoi je suis un peu particulier sur ce point. Mais donnez-moi d'abord votre avis, aidez-moi dans ma grande détresse. Souvenez-vous que vous avez promis de le faire !

Je fis un effort pour concentrer ma pensée et y réussis. Il était inutile de traiter l'affaire autrement que sérieusement devant lui. C'eût été lui refuser un conseil du mieux que je le pouvais.

— Vous savez, lui dis-je, que deux jours après la signature de l'accord à Naples, le duel avait lieu hors des États napolitains. Ce fait doit nous conduire naturellement à la conclusion que toutes les investigations quant à la localité doivent être limitées au territoire romain...

— Certainement ! Les recherches actuelles ont été faites là, et rien que là. À en croire la police, elle et ses agents ont enquêté pour découvrir l'endroit du duel — offrant en mon nom une large récompense à la personne qui pourrait le faire découvrir — tout le long des hauteurs de Naples à Rome.

» Ils ont aussi répandu — du moins me l'ont-ils dit — la description des duellistes et de leurs témoins, ont laissé un agent pour continuer des investigations aux bureaux de postes et un autre dans les villes désignées comme des points de rencontre dans le rapport ; ils ont aussi communiqué par correspondance avec des autorités étrangères pour tâcher de découvrir quelque trace de Mr St Lo et de Mr Dalville, ainsi que le lieu de leur résidence actuelle. Tous ces efforts, en supposant qu'ils ont été faits, n'ont amené aucun résultat.

— Mon impression, dis-je après un instant de réflexion, est que toutes les enquêtes faites — le long de la route ou ailleurs — près de Rome l'ont probablement été en vain. Quant à la recherche des restes de votre oncle, cela revient, je pense, à rechercher l'endroit où il a été tué, car les survivants n'auraient certainement pas voulu risquer d'être découverts dans leur fuite en emportant le corps à une grande distance. L'endroit est donc tout ce que nous voulons trouver.

» Maintenant, réfléchissons un moment. Les duellistes et leurs témoins ont changé plusieurs fois de voiture et, voyageant séparément deux à deux, prenant sans doute des chemins détournés, ils se sont arrêtés au bureau de poste dans les villes désignées et ont fait vers le soir de longs trajets sans aucun guide. En résumant cela et en songeant à de telles précautions — que vous savez qu'ils ont prises —, il nous faut admettre qu'il ne leur restait pas grand temps en ces deux jours — même s'ils ont voyagé peut-être du lever du soleil à la nuit — pour s'être beaucoup éloignés.

» Ma conviction est donc que ce duel a eu lieu quelque part près de la frontière napolitaine, et si j'avais été l'agent de police qui dirigeait les recherches, je les aurais poursuivies le long de la frontière, allant de l'ouest à l'est, plutôt que de visiter les endroits isolés dans les montagnes. Ceci est mon idée. Pensez-vous qu'elle vaille quelque chose ?

Il rougit violemment.

— Je pense que c'est une inspiration ! s'écria-t-il. Il faut suivre ce nouveau plan sans plus perdre un seul jour. On ne peut se fier à la police. Je dois voir cela moi-même demain matin et vous...

Il s'arrêta, devenant soudain très pâle, et soupira douloureusement. Ses yeux errèrent une fois de plus, avec ce regard fixe et sans expression, et ses traits avaient une rigidité de statue.

— Je dois vous confier mon secret avant de parler de demain, murmura-t-il faiblement. Si j'hésitais plus longtemps à tout vous révéler, je serais indigne de votre bonté passée, indigne de l'aide qui est mon dernier espoir et que vous voudrez bien m'apporter quand vous saurez tout.

Je le suppliai d'attendre qu'il se sente un peu mieux, car il était encore à peu près incapable de parler, mais il ne parut pas entendre ce que je lui disais.

Doucement, et semblait-il en luttant contre lui-même, il se détourna un peu de moi ; penchant la tête vers la table, il l'appuya sur sa main. Le paquet de lettres avec lequel je l'avais trouvé occupé en arrivant était posé juste sous ses yeux.

Il le regarda fermement en se remettant à parler.

— Vous êtes né dans notre pays, je crois ? dit-il.
Peut être avez-vous entendu parler il y a longtemps
d'une vieille et curieuse prophétie sur notre famille
qui est encore conservée parmi les traditions de Wincot Abbaye ?

— Oui, j'ai entendu parler de cette prophétie,
répondis-je, mais je n'ai jamais su dans quels termes
elle était exprimée. Elle prétendait annoncer l'extinction de votre famille ou quelque chose de ce
genre, n'est-ce pas ?

— Aucune recherche, continua-t-il, n'a pu faire
retrouver sa trace au temps où elle fut faite. Aucun
souvenir de notre famille ne nous dit rien de son
origine. Nos vieux serviteurs et tenanciers se sou-
viennent la tenir de leurs arrière-grands-parents. Les
moines à qui nous avons succédé dans l'abbaye au
temps d'Henri VIII en avaient une certaine connaissance, et j'ai moi-même découvert les vers, forme
dans laquelle nous savions que la prophétie avait été
conservée depuis une période très reculée. Ils sont
écrits sur un feuillet blanc d'un vieux manuscrit de
l'abbaye. Voici ces vers, s'ils peuvent être appelés
ainsi :

Quand une place dans le caveau Wincot
Attendra un membre de la famille Monkton.
Quand celui-ci, abandonné, restera étendu
Sans sépulture sous le ciel ouvert
Mendiant pour six pieds de terre

Quoique possédant titres et terres par sa nais-
sance
Là, doit être un signe certain
De la fin de la lignée Monkton
Dépérissant toujours plus vite, plus vite,
Dépérissant jusqu'au dernier maître resté
De cette vie mortelle, de la lumière du jour
La race des Monkton disparaîtra.

— La prédiction semble assez vague pour avoir été faite par un ancien oracle, dis-je, voyant qu'après avoir lu ces vers, il attendait comme s'il pensait que j'allais lui en dire quelque chose.

— Vague ou non, elle est en train de s'accomplir, continua-t-il. Je suis à présent le « dernier maître resté », le dernier de la branche aînée de notre famille à qui la prophétie fait allusion, et le corps de Stephen Monkton n'est pas dans le caveau de Wincot. Attendez, avant de vous exclamer contre moi ! J'ai encore autre chose à vous dire à ce sujet.

» Longtemps avant que l'abbaye devienne nôtre, quand nous habitions un ancien manoir voisin de celle-ci — dont les ruines ont depuis longtemps disparu —, le caveau de la famille était déjà sous la chapelle de l'abbaye. Quand, dans ces temps reculés, la prédiction contre nous était connue et redoutée ou non, ce qui est certain, c'est que chacun des Monkton, qu'il habite près de Wincot ou une propriété en Écosse, était enterré dans ce caveau sans qu'on se soucie des risques ou des sacrifices que cela imposait. Dans les terribles époques de guerres du vieux temps, les corps de mes ancêtres qui tombaient en terre étrangère étaient ramenés à Wincot à n'importe quel prix, quelle que fût la rançon ou le sang versé qu'exigeait leur retour.

» Cette superstition, si vous voulez l'appeler ainsi, n'est jamais morte dans la famille depuis lors jusqu'à présent. Pendant des siècles, la succession des morts dans le caveau de Wincot n'a pas été interrompue ; elle est absolument ininterrompue jusqu'à ce jour. La place mentionnée par la prophétie attend d'être occupée par Stephen Monkton. La voix qui crie vainement à la terre pour recevoir un abri est celle de l'esprit du mort. Aussi sûrement que si je le voyais, je sais qu'ils l'ont laissé sans sépulture sur le sol, là où il est tombé.

Il m'arrêta avant que j'aie pu prononcer un mot de remontrance en se levant doucement et en montrant la direction vers laquelle ses yeux s'étaient si étrangement fixés peu avant.

— Je peux deviner ce que vous vouliez me demander ! s'exclama-t-il sévèrement. Vous voulez savoir comment je peux être assez fou pour croire en une prophétie remaniée, faite en un temps de superstitions pour effrayer les auditeurs ignorants. Je vous réponds...

À ces mots, sa voix ne fut plus qu'un murmure.

— Je vous réponds : parce que Stephen Monkton lui-même est là, en ce moment, me confirmant dans ma croyance.

Était-ce à cause de l'horreur qui apparut dans la pâleur mortelle de son visage ou parce que jusqu'ici je n'avais pas cru aux racontars sur sa folie et que la conviction de leur vérité s'imposa brusquement à moi ?

Je ne sais, mais je sentis mon sang se glacer dans mes veines, et j'avoue que je demeurai là, assis, incapable d'articuler un mot, n'osant même me retourner pour regarder le point qu'il désignait.

— Je vois là, continua-t-il à voix basse, les traits d'un homme au teint brun, debout, et la tête découverte. Une de ses mains est encore crispée sur son pistolet et pend à son côté ; l'autre presse un mouchoir ensanglanté sur sa bouche. Le spasme d'une mortelle agonie convulse ses traits, et je reconnais le visage d'un homme basané qui deux fois m'a effrayé en me prenant dans ses bras quand j'étais encore enfant, à Wincot Abbaye. Dans ce temps-là, j'ai demandé souvent à mes nurses qui était cet homme et elles m'ont dit que c'était mon oncle Stephen Monkton. Je le vois à présent à côté de vous aussi clairement que s'il était vivant, avec l'expression de la mort dans ses grands yeux noirs, et je l'ai toujours vu ainsi depuis le moment où il a été tué. À la maison, à l'étranger, éveillé ou dormant jour et nuit, nous sommes toujours ensemble où que j'aille.

Sa voix devint presque inintelligible quand il murmura ces derniers mots. D'après la direction et l'expression de ses yeux, je soupçonnai qu'il parlait d'une apparition. Si je l'avais vue moi-même à cet instant, ç'eût été, je crois, une impression moins horrible que de le voir, lui, sans voix et le regard perdu dans le vide. Mes nerfs étaient tellement tendus que je pouvais à peine croire possible ce à quoi j'assistais. Une vague crainte de me trouver près de lui dans son état étrange s'empara de moi et je reculai d'un pas ou deux.

Il remarqua immédiatement mon geste.

— Ne partez pas ! Je vous en prie ! Je vous en prie, ne partez pas... Vous ai-je effrayé ? Ne me croyez-vous pas ? Ces lumières vous font-elles mal aux yeux ? Je vous ai demandé de vous asseoir dans la lumière parce que je ne puis supporter de voir celle qui entoure toujours le fantôme, là, dans l'obscurité, briller sur vous quand vous êtes assis dans l'ombre. Ne partez pas, je vous en prie. Ne me quittez pas encore !

Son visage exprimait un tel dénuement, une si inexprimable misère en disant ces mots que cela me rendit à l'instant mon empire sur moi par la seule force de l'éveil d'une intense pitié.

Je repris ma chaise et l'assurai que je resterais auprès de lui aussi longtemps qu'il le désirait.

— Je vous remercie mille fois. Vous êtes la patience et la bonté mêmes, dit-il en reprenant aussi son siège et en retrouvant ses gentilles manières habituelles. À présent que j'ai fait ma première confession, je pense que je pourrai vous dire calmement ce qui me reste à vous confier. Vous voyez, comme je vous l'ai dit, mon oncle Stephen...

Il tourna rapidement la tête et regarda la table comme ce nom passait sur ses lèvres.

— ... est venu deux fois à Wincot quand j'étais enfant, et en ces deux occasions, il m'a effrayé épouvantablement. Il m'a seulement pris dans ses bras et m'a parlé — très doucement pour lui, comme je l'ai entendu dire après —, mais pourtant il m'a terrifié.

» Peut-être que j'étais effrayé par sa haute stature, son teint basané, ses longs cheveux noirs et sa moustache, comme l'eussent été d'autres enfants ; peut-être que sa seule vue exerçait sur moi une étrange influence que je ne pouvais comprendre alors, et que je ne puis m'expliquer à présent.

» Enfin, quoi qu'il en soit, il m'arrivait de rêver de lui longtemps après qu'il fut parti et d'imaginer qu'il était caché pour m'attraper dans ses bras dès que j'étais laissé dans l'obscurité. Les servantes qui prenaient soin de moi le découvrirent et prirent l'habitude de me menacer de mon oncle chaque fois que j'étais désobéissant ou difficile à diriger.

» Ainsi, en grandissant, j'ai toujours gardé cette crainte vague et cette aversion pour ce parent absent. Chaque fois que son nom était prononcé par mes parents, j'écoutais toujours attentivement, avec l'inexplicable pressentiment que quelque chose de terrible lui était arrivé à lui ou allait m'arriver à moi.

» Cette pensée n'a changé que lorsque je suis resté seul à l'abbaye et s'est transformée en une ardente curiosité — qui avait d'ailleurs déjà commencé avant — pour l'origine de l'ancienne prophétie annonçant l'extinction de notre race. Me suivez-vous ?

— Je suis chacune de vos paroles avec la plus fidèle attention.

— Alors je dois vous dire que j'ai d'abord trouvé des fragments de ces vers, cités comme une curiosité dans un livre très ancien de la bibliothèque. Sur la page opposée à cette citation se trouvait collée une vieille et grossière gravure sur bois représentant un homme aux cheveux noirs dont le visage était si semblable à celui de mon oncle Stephen tel que je m'en souvenais que la vue de ce portrait me fit tres-saillir.

» Quand j'ai questionné mon père à ce sujet — c'était peu de temps avant sa mort —, il ne connaissait rien ou a prétendu ne rien connaître de ce vieux livre ; quand j'ai parlé de la prédiction, il a changé de sujet avec impatience.

» Il en a été de même avec notre chapelain quand j'ai essayé de lui en parler. Il m'a dit que ce portrait datait de plusieurs siècles avant la naissance de mon oncle et a traité la prophétie de chimère et de non-sens.

» J'ai tenté de discuter ce dernier point avec lui, demandant pourquoi nous, catholiques, qui croyons que le don de faire des miracles n'a jamais cessé d'être accordé à certains êtres favorisés ne pouvons croire aussi bien que le don de prophétie n'a pas été non plus retiré au monde. Il n'a pas voulu disserter de la question avec moi, me disant seulement que je ne devais pas perdre mon temps ainsi à de telles bêtises, que j'avais trop d'imagination et que je devais par conséquent l'endiguer au lieu de l'exalter.

» De tels avis n'ont fait qu'irriter ma curiosité. J'ai décidé de faire des recherches secrètes dans les parties les plus inhabitées de l'abbaye et de voir si je ne pouvais découvrir dans des récits oubliés de la famille de qui était ce portrait, et quand la prophétie avait été écrite ou formulée. Avez-vous jamais passé une journée seul, dans les chambres depuis long-temps inhabitées d'une très vieille maison ?

— Jamais. Une pareille solitude n'est pas du tout dans mes goûts.

— Ah ! Quelle vie j'ai menée quand j'ai commencé mes recherches ! J'aimerais la revivre. Quelle attente d'étranges découvertes, de capricieuses fantaisies, d'indescriptibles terreurs se mêlait à ma vie. Songez seulement à ce fait d'enfoncer la porte d'une chambre dans laquelle aucun être vivant n'est entré avant vous depuis plus de cent ans, aux premiers pas faits dans cette région sans air, où la lumière n'arrive que faiblement à travers des fenêtres closes et des rideaux rongés, songez aux craquements sinistres du vieux plancher sous vos pas, quelque légers que vous vous efforciez de les faire, à ces boucliers, ces armures, ces vieilles tapisseries des temps passés... les murs semblent s'avancer vers vous tandis que vous avancez dans la lumière imprécise.

» Imaginez l'impression de puiser dans d'immenses coffres cerclés de fer sans savoir jamais quelles horreurs peuvent apparaître au moment où vous les ouvrez, de vous pencher sur leur contenu, dans l'obscurité qui tombe et qui bientôt devient terrible dans cet endroit solitaire ; puis d'essayer d'en sortir le contenu, et s'en sentir incapable comme si quelque chose vous paralysait. Imaginez le vent qui souffle de tous côtés, les ombres qui s'épaississent autour de vous et vous enferment peu à peu dans les ténèbres. Songez à tout cela et vous comprendrez la fascination pour l'attente et la terreur qui a rempli ma vie durant cette période.

Je n'avais pas besoin d'imaginer cette vie : ses résultats étaient assez tristes à contempler tels qu'ils m'apparaissaient en ce moment.

— Mes recherches ont duré des mois et des mois, puis je les ai arrêtées un petit temps, puis reprises à nouveau. En quelque direction que je les poursuive, je trouvais toujours quelque chose mais qui n'était qu'un leurre : de terribles confessions de crimes passés, des preuves angoissantes d'affreux secrets qui avaient été cachés à tous les yeux et que j'amenais ainsi à la lumière.

» Quelquefois, ces découvertes étaient associées à certaines parties de l'abbaye qui avaient toujours excité chez moi un profond intérêt ; d'autres fois à certains portraits anciens de la galerie de tableaux que je redoutais à présent de regarder, depuis ces découvertes. Il y a eu des périodes où ces recherches m'ont tellement horrifié que j'ai décidé de les abandonner complètement. Mais je ne pouvais jamais persévérer longtemps dans cette résolution : la tentation d'aller de l'avant semblait à certains moments plus forte que ma volonté et j'y cédais de nouveau.

» À la fin, j'ai trouvé dans un livre ayant appartenu aux moines la prophétie entière écrite sur une page blanche. Ce dernier succès m'a encouragé à vouloir pénétrer plus avant encore dans les secrets de la famille. Je n'ai rien découvert quant à l'identité du mystérieux portrait, mais la même intuitive conviction qui m'avait assuré de son extraordinaire ressemblance avec mon oncle Stephen semblait me révéler qu'il devait être étroitement associé à la prophétie, et en savoir plus que personne d'autre. Je n'ai eu aucun moyen d'entrer en contact avec lui afin de découvrir si mon étrange conviction était vraie ou fausse, jusqu'au jour où mes doutes ont été dissipés à jamais par la terrible preuve qui est maintenant pour moi présente dans cette chambre.

Il s'arrêta un moment, me regarda intensément et avec suspicion, puis me demanda si je croyais tout ce qu'il m'avait dit jusqu'ici. La réponse affirmative que je lui donnai immédiatement sembla le satisfaire complètement et il continua.

— Un beau soir de février, j'étais seul dans une des chambres inhabitées de la tour ouest de l'abbaye, regardant le coucher du soleil juste avant qu'il disparaisse. J'ai ressenti une impression qu'il me serait impossible d'expliquer. Je n'ai rien vu, rien entendu, rien découvert. Cette perte de conscience absolue est venue soudainement. Ce n'était pas une syncope, car je ne suis pas tombé et n'ai pas bougé d'un pouce de l'endroit où j'étais.

» Si cette chose était possible, je dirais que c'était une séparation temporaire de l'âme et du corps sans la mort. Mais toute description de mon état à ce moment serait impossible. Appelez cela comme vous voulez, transe ou catalepsie. Je sais que je suis resté devant la fenêtre complètement inconscient jusqu'à ce que le soleil ait disparu. Puis j'ai recouvert mes sens et ai trouvé Stephen Monkton devant moi, faiblement lumineux, juste comme il est en ce moment à côté de vous.

— Était-ce avant que la nouvelle du duel arrive en Angleterre ? demandai-je.

— Deux semaines avant qu'elle parvienne à Wincot. Et même quand on a appris que le duel avait eu lieu, on n'a pas su encore la date de l'événement. Je ne l'ai connue que lorsque l'article que vous avez lu a été publié dans ce journal français. La date du document est, vous vous en souvenez, le 22 février, et il établit que le duel a eu lieu deux jours après. Le soir même où le fantôme m'est apparu pour la première fois, j'ai noté le jour dans mon carnet de poche. C'était le 24 février.

Il s'arrêta de nouveau comme s'il s'attendait à ce que je lui dise quelque chose. Mais après ce qu'il venait de me préciser, que pouvais-je dire ? Que pouvais-je penser ?

— Même dans l'horreur de cette première apparition, continua-t-il, la prophétie contre notre maison m'est immédiatement revenue à l'esprit, et avec ce souvenir la conviction que j'avais devant moi la spectrale présence de ma destinée. Dès que je me suis senti un peu remis, j'ai décidé d'éprouver la réalité de ce que je voyais et de découvrir aussitôt si j'étais seulement dupe de mon imagination malade.

» J'ai quitté la tourelle, le fantôme l'a quittée avec moi. J'ai inventé un prétexte pour faire éclairer brillamment le salon de l'abbaye, et ai retrouvé le spectre devant moi. Je suis allée me promener dans le parc, il était là dans la claire lumière. Je suis parti en voyage, je suis allé à des milles, au bord de la mer... L'homme grand et noir à l'agonie y était avec moi.

» Après cela, j'ai cessé de me débattre. Je suis retourné à l'abbaye et ai essayé de me résigner à ma misère. Mais cela ne devait pas être. J'ai un espoir qui m'est plus cher que la vie, je possède un tel trésor que je frémis à la pensée de le perdre, et quand le fantôme se dresse comme un obstacle entre moi et mon trésor, mon plus cher espoir, alors mon fardeau devient tellement lourd que je ne puis plus l'endurer. Vous savez à qui je fais allusion ? Vous devez avoir entendu dire souvent que je suis fiancé ?

— Oui, souvent. Je connais même personnellement miss Elmslie.

— Vous ne pouvez savoir tout ce qu'elle a sacrifié pour moi, vous ne pouvez vous imaginer ce que j'ai enduré pendant des années et des années.

Sa voix tremblait et des larmes lui venaient aux yeux.

— Mais je ne me sens pas encore en état de parler de cela ; la pensée de jours heureux passés à l'abbaye me brise le cœur, à présent. Laissez-moi revenir à l'autre question.

» Je dois vous dire que j'ai caché à tout le monde la présence de l'effrayante vision qui continue à me poursuivre à tout moment et dans tous les endroits, car je connais les vils racontars au sujet de ma soi-disant folie, dont j'aurais hérité de ma famille, et si je l'avais révélée, je craignais qu'on en fît une nouvelle arme contre ma réputation.

» Quoique le fantôme fût toujours en face de moi et apparût toujours devant ou à côté de la personne à qui je parlais, je me suis dompté moi-même, m'efforçant de cacher aux autres ce que je voyais, sauf en de rares occasions, quand je me suis peut-être trahi devant vous. Mais mon empire sur moi ne me servait à rien au sujet d'Ada. Le jour de notre mariage approchait.

Il s'arrêta et frissonna. J'attendis en silence qu'il soit à nouveau maître de lui.

— Pensez, continua-t-il, pensez à ce que j'endurerais à voir toujours cette hideuse vision chaque fois que je regarderais ma femme bien-aimée. M'imaginez-vous lui prenant toujours la main au travers du spectre ? Pensez à son visage doux et angélique, et à la face torturée du spectre se trouvant toujours avec lui devant mes yeux. Pensez à tout cela et vous ne vous étonnerez pas que je lui aie confié mon secret. Elle souhaitait chaudement connaître le pire... je dirai plus : elle a insisté pour le savoir.

» À sa prière, je lui ai tout raconté et l'ai laissée libre de rompre notre engagement. L'idée de la mort était bien dans mon cœur quand je lui ai dit ces derniers mots — la mort par ma volonté si la vie m'était laissée après une telle séparation. Elle a soupçonné cette pensée en moi, l'a lue et ne m'a pas laissé, jusqu'à ce que sa bonne influence la détruise à jamais. Sans elle je ne serais plus vivant à cette heure et sans elle je n'aurais jamais eu le projet qui m'a amené ici.

— Vous voulez dire que c'est sur une suggestion de miss Elmslie que vous êtes venu à Naples ? demandai-je avec étonnement.

— Je veux dire que ce qu'elle m'a conseillé suggérait le dessein qui m'a amené à Naples, répondit-il. Tant que je croyais que ce fantôme m'était apparu comme un messager de mort, il n'y avait aucune possibilité pour moi de trouver aucun réconfort dans ma misère, mais elle m'a aussitôt assuré qu'aucun pouvoir sur terre ne pourrait la décider à se séparer de moi, qu'elle voulait vivre pour moi et avec moi à travers n'importe quelle épreuve.

» Ainsi tout est devenu différent à mes yeux quand, après avoir raisonné ensemble sur l'œuvre que l'apparition était venue accomplir, elle m'a démontré que sa mission devait être bienfaisante et non hostile et que l'avertissement qui m'était envoyé devait m'être utile et non causer ma perte. À ces mots, la nouvelle idée qui m'a rendu l'espoir de vivre m'est venue à l'esprit ; j'y ai cru alors comme j'y crois aujourd'hui.

» Je vis dans cette foi, sans elle je mourrais. Elle ne l'a jamais ridiculisée et ne s'en est jamais moquée comme d'une insanité. Faites bien attention à ce que je vous dis. L'esprit qui m'est apparu à l'abbaye, qui ne m'a jamais quitté depuis, qui est en ce moment à côté de vous m'avertit d'échapper à cette fatalité qui pèse sur notre race et me commande, si je veux l'éviter, d'enterrer le corps abandonné. Les amours mortelles et les intérêts matériels doivent s'incliner devant ce terrible commandement. Le spectre ne me laissera jamais tant que je n'aurai pas retrouvé ce corps qui demande à la terre de le couvrir ! Je n'ose pas retourner en Angleterre, je n'ose pas me marier avant d'avoir rempli la place vide du caveau de Wincot.

Ses yeux brillaient et se dilataient, sa voix s'élevait, une extase fanatique perçait dans son expression quand il acheva ces mots.

Effrayé et peiné comme je l'étais, je n'essayai pas de le réprimander ni de raisonner avec lui. Il aurait été inutile d'en appeler à quelque lieu commun au sujet des illusions d'optique ou des désordres d'imagination. Il eût été pire encore de tenter de l'expliquer par

des causes naturelles après ces extraordinaires coïncidences, ces événements dont il avait parlé.

Si brièvement qu'il eût fait allusion à miss Elmslie, il m'en avait dit assez pour me montrer que le
seul espoir de la pauvre fille qui l'aimait mieux et
le connaissait depuis plus longtemps que personne
était de flatter son illusion jusqu'au bout. Comme
elle s'attachait fidèlement à l'espoir de pouvoir le
guérir ! Comme elle se sacrifiait résolument à sa
morbide imagination dans l'espoir d'un avenir heureux qui ne devait jamais venir ! Bien que je
connusse peu miss Elmslie, la seule pensée de sa
situation, quand j'y réfléchissais, me faisait mal au
cœur.

— Ils m'appellent Monkton le fou ! s'exclama-
t-il, brisant soudainement le silence qui s'était établi
entre nous. Ici comme en Angleterre, chacun,
excepté Ada et vous, croit que je suis privé de mes
sens. Ada a été mon salut, et vous le serez aussi.
Quelque chose me le dit. Le premier jour où je vous
ai rencontré à la villa royale, j'ai lutté contre l'ardent
désir de vous confier mon secret, mais je n'ai pu
résister plus longtemps quand je vous ai vu ce soir
au bal. Le fantôme semblait m'attirer vers vous,
alors que vous étiez seul dans cette chambre tranquille.

» Parlez-moi davantage de votre idée pour découvrir l'endroit où le duel a eu lieu. Si je décide de
commencer demain la recherche moi-même, où
dois-je aller d'abord ? Où ?

Il s'arrêta ; ses forces étaient évidemment épui-
sées et son esprit devenait confus.

— Que dois-je faire ? Je ne puis plus me le rappeler ! Mais vous savez tout, et vous allez m'aider, n'est-ce pas ? Ma misère m'a rendu incapable de m'aider moi-même !

Il s'arrêta, murmura quelque chose au sujet d'un échec possible à la frontière et parla confusément d'un délai qui serait fatal, puis il essaya de prononcer le nom d'Ada, mais en articulant la première lettre sa voix se brisa en il éclata en sanglots.

Ma pitié à son égard fut plus forte que ma prudence, et sans mesurer mes responsabilités, je lui promis à l'instant de faire pour lui tout ce qu'il souhaitait.

Le sauvage triomphe que montra l'expression de son visage quand il bondit de sa chaise et saisit ma main me montra que j'aurais mieux fait d'être plus prudent ; mais il était trop tard pour me rétracter. La meilleure chose à faire était d'essayer, s'il était possible, de le calmer un peu, puis de m'en aller pour examiner à nouveau froidement toute cette affaire.

— Oui ! Oui ! répondit-il aux quelques mots avec lesquels je m'efforçais de l'apaiser. Ne vous inquiétez pas à mon sujet. Après ce que vous m'avez dit, je réponds de mon calme et de mon empire sur moi en toute circonstance. Je suis tellement habitué à l'apparition que je fais peu attention à sa présence, sauf en de rares exceptions. Ensuite, j'ai ici dans ce paquet de lettres la médecine qui guérit toute maladie d'un cœur en peine. Ce sont les lettres d'Ada.

» Je les relis pour me calmer quand ma peine me semble dépasser mon endurance. J'ai voulu les lire pendant une demi-heure ce soir, avant que vous arriviez, pour me mettre en état de tout vous confier. Et je vais les relire à nouveau quand vous serez parti. Aussi, je vous le répète, ne vous inquiétez pas pour moi. Je sais que je réussirai avec votre aide, et Ada vous remerciera aussi, comme vous le méritez, quand nous serons de retour en Angleterre. Si vous entendez les fous de Naples parler de ma soi-disant insanité, ne vous préoccupez pas de les contredire : le scandale est si méprisable qu'il doit finir par se contredire lui-même.

Je le laissai alors, lui promettant de revenir tôt le lendemain.

Quand je rentrai à mon hôtel, toute tentative pour dormir après ce que j'avais vu et entendu était hors de question ; aussi j'allumai ma pipe et m'assis près de la fenêtre. Comme cela me rafraîchit l'esprit, à ce moment, de contempler ce calme clair de lune ! J'essayai de penser à ce qu'il convenait de faire.

En premier lieu, tout appel à des docteurs ou des amis d'Alfred en Angleterre était impossible. Je ne pouvais arriver à me persuader que son intelligence était suffisamment désordonnée pour que je sois justifié, dans les circonstances actuelles, de trahir le secret qu'il avait confié à ma discrétion.

En second lieu, toute tentative de ma part de l'induire à abandonner son idée de rechercher les restes de son oncle serait complètement inutile après ce que je lui avais imprudemment promis.

Étant arrivé à ces deux conclusions, la seule difficulté qui me rendait encore perplexe était de savoir si j'avais le droit de l'aider à exécuter cet extraordinaire projet.

Supposons qu'avec mon aide, il trouve le corps de Mr Monkton et l'emporte avec lui en Angleterre : avais-je le droit de l'aider personnellement à réaliser ce mariage qui suivrait évidemment de près cet événement, un mariage qu'il devait être du devoir de chacun d'empêcher à tout hasard ?

Cela me conduisit à penser à l'étendue de sa folie, ou pour parler plus doucement, de son illusion.

Sain, il l'était sûrement sur toutes les questions ordinaires de la vie. De même dans toute la partie narrative de ce qu'il m'avait dit ce soir, me parlant clairement et posément.

Quant à l'histoire de l'apparition, d'autres hommes, avec des intelligences aussi claires que la sienne, s'étaient imaginé être poursuivis par un fantôme et avaient même écrit sur ce sujet de hautes et philosophiques spéculations. Il était clair que la réelle hallucination dans ce cas était la croyance de Monkton dans la vérité de la vieille prophétie, et dans l'idée que l'imaginaire apparition était un surnaturel avertissement pour le faire échapper à sa destinée.

Et il était également clair que les deux illusions avaient été produites d'abord par la vie solitaire qu'il avait menée, et qui avait agi sur son tempérament excitable, plus exposé qu'un autre à des désordres moraux à cause de l'hérédité.

Était-ce curable ? Miss Elmslie, qui le connaissait bien mieux que moi, semblait le penser d'après sa conduite. Avais-je des raisons ou le droit de déterminer a priori qu'elle s'était trompée ?

Supposons que je refuse d'aller à la frontière avec lui, il y partirait certainement seul, commettant toutes sortes d'erreurs et s'exposant peut-être à maints accidents tandis que moi je resterais à Naples, l'abandonnant à son destin après lui avoir suggéré le plan de cette expédition et l'avoir encouragé à se confier à moi. Je tournai et retournai la question dans mon esprit, me sentant tout à fait libre, dois-je ajouter, de ne considérer la chose que du point de vue pratique.

Je croyais fermement qu'Alfred se trompait lui-même en imaginant qu'il avait vu l'apparition de son oncle avant que la nouvelle de la mort de Mr Monkton atteigne l'Angleterre ; je n'étais, sur ce point, nullement influencé par la moindre contagion des illusions de mon malheureux ami, quand à la fin je décidai de l'accompagner dans son extraordinaire recherche.

Il est possible que mon goût de l'extraordinaire me poussât un peu à prendre cette décision, mais je dois ajouter, pour me rendre justice, que j'agis aussi pour des motifs de réelle sympathie envers Monkton et un sincère désir d'alléger, si je le pouvais, l'anxiété de la pauvre jeune fille qui attendait Alfred si fidèlement, espérant sa guérison là-bas, bien loin en Angleterre.

Des arrangements préliminaires à notre départ que je me trouvai obligé de faire après une seconde discussion avec Alfred trahirent l'objet de notre voyage auprès de plusieurs de nos amis napolitains. L'étonnement de chacun fut naturellement immense, et l'on me soupçonna d'être aussi fou que Monkton lui-

même. Certains essayèrent de combattre ma résolution en me disant quel scélérat sans honte avait été
Stephen Monkton, comme si j'avais eu un intérêt
personnel à retrouver sa dépouille ! Le ridicule
m'émut aussi peu que les autres arguments ; j'avais
pris ma décision, et j'étais aussi obstiné alors que je
le suis resté jusqu'à présent.

En deux jours de temps tout fut prêt, et j'avais
ordonné qu'une voiture de voyage se trouvât à la
porte plusieurs heures avant celle fixée pour notre
départ. Je reçus un amical « Bon voyage » de toutes
nos connaissances anglaises, mais j'avais jugé préférable d'éviter ces adieux à mon ami, car il avait été
plus excité par les préparatifs du voyage que je l'aurais désiré.

C'est pourquoi dès le lever du soleil, sans personne dans la rue pour nous fixer avec étonnement,
nous quittâmes secrètement Naples.

Personne ne s'étonnera, je pense, d'apprendre que
j'évitai de regarder l'avenir quand je me trouvai, partant en compagnie de Monkton le fou, à la recherche
du corps d'un duelliste tout le long de la frontière
des États romains.

V

J'avais décidé que le mieux était de prendre la
ville de Fondi, tout près de la frontière, pour notre
quartier général, et d'y commencer nos recherches ;

j'avais également convenu avec l'ambassade que le cercueil vide nous accompagnerait jusque-là, dissimulé dans sa caisse. Outre nos passeports, nous étions bien fournis en lettres d'introduction aux autorités locales des principales villes de la frontière, et pour couronner le tout, nous avions assez d'argent à notre disposition (grâce à la grande fortune de Monkton) pour être assurés des services de quiconque nous semblerait utile durant nos recherches.

Ces différentes ressources nous assuraient toute facilité d'action, pourvu, toujours, que nous réussissions à découvrir le corps de Stephen Monkton. Dans le cas très probable de non-réussite, notre futur projet — surtout depuis les responsabilités que j'avais assumées — n'était plus que de contempler une belle nature. Je confesse que je me sentais mal à l'aise et sans grand espoir tandis que nous avancions dans l'éblouissant soleil italien le long de la route vers Fondi.

Il nous fallut deux jours pour l'atteindre, car j'avais insisté, dans l'intérêt d'Alfred, pour que nous voyagions doucement.

Durant la première journée, l'excessive agitation de mon compagnon m'alarma un peu ; il montrait en divers points plus de symptômes de désordre mental que je n'en avais observé jusque-là.

Le second jour, pourtant, il parut s'accoutumer à contempler calmement cette nouvelle sorte de recherche que nous entreprenions, et sauf en un point, il se montra animé mais assez calme.

Néanmoins, son oncle défunt faisait le sujet

presque constant de la conversation. Il persistait toujours — s'appuyant sur la vieille prophétie, et sous l'influence de l'apparition qu'il croyait voir en permanence — à assurer que le corps de Stephen Monkton, où qu'il fût, n'était pas enterré.

Sur tous les autres sujets, il s'en référait à moi avec la plus grande promptitude et la plus grande docilité, mais sur celui-là, il maintenait son étrange conviction avec une obstination qui rendait tout raisonnement, toute persuasion inutile.

Le troisième jour, nous arrivâmes enfin à Fondi. La caisse contenant le cercueil nous y attendait et fut mise en sûreté dans un endroit fermé à clef. Aussitôt, nous louâmes des mules et trouvâmes un homme qui, connaissant bien le pays, pouvait nous servir de guide en territoire romain. Il me parut qu'il valait mieux ne confier le réel objet de notre voyage qu'à des personnes en qui nous pouvions avoir confiance, ce que nous ne trouverions que parmi les gens de meilleure éducation.

Pour cette raison, nous suivîmes en un point l'exemple des duellistes, partant tôt le matin du quatrième jour avec nos albums et boîtes à couleurs, comme si nous n'étions que des artistes à la recherche de vues pittoresques.

Après avoir avancé pendant des heures en direction du nord le long de la frontière romaine, nous nous arrêtâmes pour nous reposer nous-mêmes et reposer nos mules, dans un pauvre petit village loin des chemins pris habituellement par les touristes.

La seule personne de quelque importance était le

curé, et c'est à lui que j'adressai mes premières questions, laissant Monkton m'attendre auprès du guide.

Parlant assez couramment l'italien, j'étais extrêmement poli et prudent en introduisant notre sujet, mais en dépit de toutes les peines que je prenais, je ne réussis qu'à effrayer de plus en plus le pauvre prêtre au fur et à mesure que je lui en disais davantage. L'idée d'un duel à mort et d'un homme tué sembla le mettre sens dessus dessous.

Il salua d'un air agité, leva les yeux au ciel, et secouant piteusement les épaules, il me dit avec la rapidité d'élocution des Italiens qu'il n'avait pas la plus petite idée de la chose dont je lui parlais. C'était mon premier insuccès. J'avoue que je fus assez faible pour en être un peu déprimé tandis que je rejoignais Monkton et notre guide.

Quand la forte chaleur du jour fut passée, nous reprîmes notre voyage.

À environ trois milles de ce village, la route, ou plutôt le chemin de charrettes que nous suivions se sépara en deux directions différentes. Le sentier de droite, nous dit le guide, menait à travers la montagne à un couvent isolé éloigné d'environ six milles. Si nous atteignions ce couvent, nous serions presque à la frontière napolitaine. Le chemin de gauche s'enfonçait plus profondément en territoire romain et nous conduirait à une petite ville où nous trouverions à nous loger.

À présent, le territoire romain représentait le premier et le plus sûr champ de recherches, et le couvent pourrait toujours être visité au retour, en supposant que nous revenions à Fondi sans aucun résultat.

En outre, le chemin de gauche conduisait à la partie la plus étendue de la contrée que nous voulions explorer, et j'étais toujours partisan d'affronter d'abord les plus grandes difficultés. Aussi fut-il décidé de tourner à gauche. L'expédition que cette décision nous faisait entreprendre dura une semaine entière et ne donna aucun résultat.

Nous rejoignîmes donc notre quartier général à Fondi si complètement découragés que nous ne savions plus où diriger nos pas.

Je me sentis encore plus mal à l'aise en constatant l'effet que notre échec produisait sur Monkton que par l'échec lui-même. Sa résolution parut s'effondrer complètement aussitôt qu'il fut décidé de revenir sur nos pas. Il devint d'abord irritable et capricieux, puis silencieux et attristé.

Finalement, il tomba dans un tel abattement léthargique, moral et physique qu'il commença à m'inquiéter sérieusement.

Le jour de notre retour à Fondi, il fut pris d'une étrange tendance à s'endormir sans cesse qui me fit craindre que son cerveau ne fût atteint, physiquement cette fois. Durant toute la journée, il échangea à peine quelques mots avec moi et sembla n'être jamais tout à fait éveillé. Le lendemain, j'allai tôt dans sa chambre et le trouvai aussi silencieux et ensommeillé que la veille. Son domestique, qui nous accompagnait, me dit qu'Alfred avait déjà manifesté une ou deux fois ces symptômes d'épuisement physique et mental durant la vie de son père à Wincot. Ce renseignement me rassura un peu et me laissa l'esprit assez libre pour reconsidérer l'affaire qui nous avait amenés à Fondi.

Je résolus d'occuper mon temps, en attendant que mon compagnon aille mieux, en poursuivant mes recherches tout seul. Ce chemin de droite qui menait au couvent n'avait pas encore été exploré. Si j'essayais de le suivre ? Je ne m'éloignerais de Monkton qu'une nuit au plus, et peut-être qu'à mon retour, je pourrais lui donner la satisfaction d'apprendre qu'un nouvel endroit avait été exploré au sujet du duel. Cette pensée me décida. Je laissai un message pour mon ami au cas où il demanderait où j'étais et repartis pour ce village où nous avions décidé du chemin à prendre lors de notre première expédition.

Voulant aller jusqu'au couvent, je pris le guide et les mules avec moi, comptant les laisser au village où les chemins bifurquaient pour attendre mon retour.

Pendant les quatre premiers miles, le chemin monta doucement à travers un pays découvert, puis il s'incurva brusquement et me conduisit de plus en plus profondément à travers des fourrés et des bois dont on n'apercevait pas la fin. À ce moment, ma montre m'apprit que je devais avoir parcouru la distance indiquée. La vue était cachée de tous côtés et le ciel disparaissait complètement derrière l'entrelacement des branches et des feuilles. Je continuai à suivre le chemin qui était mon seul guide et au bout de dix minutes, émergeant soudain sur un petit terrain uni et suffisamment clair, je trouvai le couvent devant moi.

C'était un bâtiment noir, bas, à l'aspect sinistre. Aucun signe de vie ou de mouvement n'était visible nulle part. De grandes taches vertes striaient la façade blanche de la chapelle dans toutes les directions. D'épaisses touffes de mousse sortaient de chaque crevasse du mur lourd et menaçant qui entourait le couvent. De longues herbes minces jaillissaient des fissures du toit et du parapet, se balançant de-ci de-là contre les barreaux des fenêtres du dortoir. La croix placée en face de la porte d'entrée semblait gluante, verte et pourrie.

Un cordon de sonnette avec une poignée brisée pendait à la porte. Je m'approchai, hésitai — je ne sais pourquoi —, regardai de nouveau le couvent et m'en allai vers l'arrière du bâtiment, en partie pour me donner le temps de réfléchir à ce qu'il convenait le mieux de faire, en partie motivé par une incontrôlable curiosité qui me poussait à observer d'abord tout ce que je pouvais voir de l'extérieur du bâtiment avant d'essayer d'y être admis.

Au-delà du couvent, je trouvai une dépendance accolée au mur : une grossière bâtisse avec la plus grande partie du toit écroulée et un grand trou dans la muraille de côté qui représentait sans doute l'endroit où une fenêtre avait existé. Derrière ce pavillon, les arbres devenaient de plus en plus serrés.

En regardant vers eux, je ne pouvais déterminer si le sol s'élevait ou descendait, et s'il était herbeux, terreux ou rocheux. Je ne voyais que les envahissantes feuilles de fougères et les longues herbes.

Pas un mot ne rompait ce silence oppressant. Pas un chant d'oiseau ne montait des buissons autour de moi. Aucune voix ne s'entendait dans le jardin du couvent derrière le mur épais ; aucun son ne résonnait dans le clocher de la chapelle, pas un chien n'aboyait dans l'appentis ruiné.

Ce silence de mort accroissait de façon inexprimable la solitude de l'endroit. Je commençai à la sentir peser lourdement sur mon esprit, d'autant plus que les bois n'avaient jamais été un de mes endroits de promenade favoris.

Cette sorte de bonheur pastoral que représentent souvent les poètes quand ils chantent la vie dans la forêt n'a jamais eu à mes yeux la moitié du charme de la vie en montagne ou dans la plaine.

Quand je suis dans un bois, la joliesse du ciel et la délicieuse douceur que la distance donne au paysage me manquent terriblement. J'éprouve une oppression à me sentir passer de l'air libre à l'air étouffé par l'emprisonnement des feuilles, et je suis toujours frappé de terreur plutôt que ravi par cette mystérieuse lumière qui filtre avec un si étrange éclat par endroits au milieu des arbres. Cela peut impliquer chez moi un manque de goût et une absence d'amour pour les merveilleuses beautés de la végétation, mais je dois franchement reconnaître que je n'ai jamais pénétré loin dans un bois sans penser qu'en sortir serait la partie la plus agréable de ma promenade — que ce soit pour aboutir à la plus basse vallée, à la moins pittoresque falaise ou au sommet de la plus noire montagne, que ce soit n'importe où, pourvu que je puisse revoir le ciel au-dessus de moi.

Tandis que j'étais encore près de la dépendance

en ruine, après la confession que je viens de faire, personne ne s'étonnera d'apprendre que j'étais disposé à tourner les talons au plus vite et à reprendre le chemin qui m'amènerait hors du bois.

J'avais en effet décidé de m'en aller quand la pensée du but qui m'avait amené à ce couvent arrêta soudain mes pas. Il semblait douteux pourtant que j'y fusse admis même si je tirais la sonnette, et plus que douteux que, si même j'étais introduit, aucun des habitants puisse me donner le moindre fil conducteur pour l'information que je cherchais. Néanmoins c'était mon devoir vis-à-vis de Monkton de ne laisser aucune occasion de l'aider dans son projet désespéré, aussi je résolus de retourner à la porte d'entrée et de sonner.

Par un curieux hasard, je regardai de nouveau en passant le trou percé dans la muraille de l'appentis et remarquai qu'il était à une certaine hauteur.

Comme je m'arrêtais, je sentis tout à coup que l'air enfermé des bois m'oppressait de plus en plus.

J'attendis une minute et desserrai ma cravate.

Lourdeur ? Il y avait sûrement quelque chose de plus que cela. L'air était même aussi désagréable pour mon nez que pour mes poumons. Il y avait là une odeur fade indescriptible, une odeur dont je n'avais jamais eu l'expérience, une odeur qui, à présent que mon attention avait été attirée sur elle, devenait de plus en plus forte au fur et à mesure que j'approchais de la dépendance.

Quand j'eus répété l'expérience deux ou trois fois, ma curiosité s'éveilla. Il y avait là, tout autour, nombre de fragments de pierres et de briques. J'en mis quelques-uns en tas contre le mur, sous le trou, et me sentant plutôt honteux de mon acte, je montai dessus et regardai avec précaution à l'intérieur.

La vision d'horreur qui se présenta à mes yeux au moment où je regardais à travers le trou est aussi présente à ma mémoire en ce moment que si elle datait seulement d'hier. Je puis à peine l'écrire, même maintenant, sans qu'un frisson de mon ancienne terreur ne me parcoure des pieds à la tête.

La première impression que j'éprouvai tandis que je regardais, fasciné, fut celle d'un objet long et immobile tout entouré d'une lueur bleuâtre, étendu sur un tréteau, ayant une certaine et hideuse ressemblance avec un corps et un visage humains.

En regardant mieux, j'en fus convaincu. Je voyais à présent la proéminence du front, du nez, du menton, mais faiblement, comme à travers un voile, puis la forme de la poitrine, puis un creux, et enfin les genoux et la forme fantomatique de deux pieds dressés.

Je regardai de nouveau, plus attentivement. Mes yeux, s'accoutumant à la faible lumière venant du toit à demi démoli me permirent de m'assurer que d'après la longueur, ce devait être le corps d'un homme. Un corps qui avait apparemment été recouvert d'un drap, mais étant resté longtemps exposé à ciel ouvert sur le tréteau, le tissu avait pris cette lividité lumineuse et était tout pénétré par l'humidité qui le couvrait.

Je ne pourrais dire combien de temps je restai les yeux fixés sur cet effrayant signe de mort, sur ces malheureux restes d'humanité, sans sépulture et empoisonnant l'air, et qui semblaient même souiller la faible lumière qui tombait sur eux.

Je me souviens d'un son distant parmi les arbres, comme si la brise se levait, du sourd rampement, d'un son tout près de l'endroit où j'étais immobile ; je me souviens de la chute muette d'une feuille morte sur le corps, à travers une des crevasses du toit, et de l'effet que ce si léger changement de la scène que je contemplais produisit sur moi en ranimant mon énergie et en soulevant le poids qui oppressait mon cœur.

Je redescendis sur le sol et m'assis sur le tas de pierres pour essuyer la sueur qui couvrait mon visage. C'était quelque chose de plus que le spectacle hideux et inattendu offert à mes regards qui avait ébranlé mes nerfs comme je le sentais en ce moment. La prédiction selon laquelle nous le trouverions sans sépulture si nous arrivions à retrouver le corps de son oncle me revint à l'esprit après avoir vu le tréteau et son spectral fardeau.

J'éprouvai au moment où je trouvai l'homme tué en duel — la vieille prophétie me revenant à la mémoire — une étrange tristesse, une vague appréhension de danger, une inexplicable terreur. La pensée de ce pauvre garçon qui attendait mon retour dans cette ville éloignée me traversa avec un froid de crainte superstitieuse qui m'enleva pour un instant tout pouvoir de résolution et de jugement, me laissant, quand j'eus un peu recouvré mes sens, aussi faible et étourdi que si je venais de traverser une crise d'épouvantables douleurs physiques.

Je me hâtai vers la porte du couvent et tirai impatiemment la sonnette. J'attendis un instant puis sonnai à nouveau. Alors j'entendis des pas approcher.

Au milieu de la porte, juste au niveau de mon visage, un petit panneau s'ouvrit, qui ne mesurait que quelques centimètres. Il fut tiré du dedans, je vis à travers les barreaux de fer deux brillants yeux gris me regardant vaguement et j'entendis une voix rauque et faible qui me dit :

— Que voulez-vous, s'il vous plaît ?

— Je suis un voyageur, commençai-je.

— Nous vivons dans une maison si pauvre que nous ne pouvons accueillir de voyageurs.

— Mais je ne demande rien de la sorte. J'ai une importante question à poser et à laquelle je crois que quelqu'un dans ce couvent peut répondre. Si vous ne désirez pas me laisser entrer, ne voulez-vous pas sortir et venir me parler ici ?

— Êtes-vous seul ?

— Tout à fait seul.

— Il n'y a pas de femmes avec vous ?

— Aucune.

La barre de la porte fut doucement tirée et un vieux capucin très infirme, très craintif et très misérable d'aspect se trouva devant moi. J'étais bien trop excité et impatient pour perdre du temps en phrases inutiles, aussi je lui dis immédiatement que j'avais regardé par le trou du hangar, ce que j'y avais aperçu à l'intérieur et lui demandai en termes clairs qui était cet homme dont j'avais vu le corps et pourquoi ce corps n'avait pas été enterré.

Le vieux moine m'écouta d'un air effrayé, me

fixant de ses yeux mouillés et clignotants. Il avait une petite tabatière ancienne à la main, et ses doigts cherchaient à retrouver quelques grains de tabac en passant et repassant tout autour de la boîte vide pendant que je lui parlais. Quand j'eus fini, il hocha la tête et dit que c'était certainement l'un des plus laids spectacles, il était sûr, que j'avais vus de toute ma vie.

— Je ne parle pas de la vision, répondis-je impatiemment. Je veux savoir qui est cet homme, comment il est mort et pourquoi il n'est pas décemment enterré. Pouvez-vous me le dire ?

Les doigts du vieux frère ayant enfin capturé trois ou quatre grains de tabac, il les porta lentement à son nez, laissant la boîte ouverte pendant l'opération pour empêcher toute possibilité d'en perdre un seul. Il renifla une ou deux fois voluptueusement puis ferma la tabatière, me fixant de ses yeux mouillés et clignotants avec un air quelque peu soupçonneux.

— Oui, dit-il, c'est une laide vision dans notre pavillon, une très laide vision, certainement.

De toute ma vie, je n'ai jamais éprouvé plus de difficulté à conserver mon calme qu'à cet instant. J'y arrivai pourtant en réprimant quelques expressions irrespectueuses que j'avais au bout de la langue et fis un autre essai pour triompher de l'exaspérante réserve du vieil homme. Heureusement pour moi et mes chances de réussite, j'avais dans ma poche une boîte pleine d'un excellent tabac anglais que je sortis ; c'était ma dernière ressource.

— Je pense avoir vu que votre tabatière était vide, lui dis-je. Voulez-vous puiser dans la mienne ?

L'offre fut acceptée avec un geste de joyeux entrain. Il prit une large prise entre ses deux doigts et l'aspira doucement sans en perdre un grain, tenant les yeux à demi fermés. Relevant la tête, il me frappa paternellement dans le dos.

— O mon fils ! Quel tabac délectable ! Je vous en prie, donnez m'en encore une petite, petite prise !

— Laissez-moi remplir plutôt votre tabatière. Il m'en reste encore bien assez pour moi.

La boîte usée me fut tendue comme j'achevais ces mots. La main paternelle me frappa avec plus d'approbation dans le dos, la voix faible et brisée devint éloquente pour me remercier. J'avais évidemment trouvé le point faible du vieux capucin, et en lui rendant sa tabatière, je pris immédiatement avantage de ma découverte.

— Pardonnez-moi de vous importuner de nouveau à ce sujet, commençai-je, mais j'ai des raisons particulières pour désirer apprendre tout ce que vous pouvez me dire au sujet de cette horrible chose qu'il y a dans votre pavillon.

— Venez ici, répondit le moine.

Il me fit entrer, referma la porte et me conduisit à travers une cour où l'herbe poussait en liberté dans une longue chambre au plafond bas qui contenait un long et vieux dressoir, quelques stalles grossièrement sculptées et un ou deux vieux tableaux pour tout ornement. C'était la sacristie.

— Il n'y a personne ici, il y fait bon et frais, dit le vieux capucin.

En réalité, cette fraîcheur était une humidité telle que je frissonnai en entrant.

— Aimeriez-vous voir l'église ? me demanda-t-il. Un joyau ! Ah, si nous pouvions seulement la faire réparer ! Mais nous ne le pouvons pas. Quelle misère d'être si pauvres que nous ne puissions même pas réparer notre église !

Il secoua la tête et commença à jouer avec un gros trousseau de clefs.

— Ne pensez pas à l'église pour le moment, lui intimai-je. Pouvez-vous ou ne pouvez-vous pas m'apprendre ce que je veux connaître ?

— Tout, du commencement à la fin, absolument tout. Comment j'ai répondu à l'appel de la sonnette, dit le capucin.

— Mais de grâce ! Qu'est-ce que la sonnette a à faire avec le corps sans sépulture dans votre pavillon ?

— Écoutez-moi, mon fils, et vous allez comprendre. Il y a déjà un certain temps... plusieurs mois, peut-être... Ah ! Que je suis vieux ! J'ai perdu la mémoire. Je ne sais plus combien il y a de mois. Pauvre de moi ! Je suis un très, très vieux moine.

Ici, il se réconforta par une autre prise de mon tabac.

— Ne nous inquiétez pas du temps exact, dis-je. Je ne m'en soucie pas.

— Bien, reprit le capucin. À présent, je vais continuer. Bien, supposons qu'il y ait des mois, nous étions tous à déjeuner, de pauvres petits déjeuners dans ce couvent, mon enfant. Nous étions donc à déjeuner quand nous avons entendu : Bang ! Bang ! Deux fois. « Coups de fusil » ai-je déclaré. « Que sont-ils en train de faire ? » a demandé le frère Jérémie. « Si j'en entends davantage, je vais envoyer quelqu'un pour découvrir ce que cela signifie », a dit le père supérieur. Mais on n'a plus rien entendu, et le misérable déjeuner a continué.

— D'où venait le son de ces armes à feu ? demandai-je.

— De là, derrière, au-delà des grands arbres qui sont près du couvent, où il y a une clairière. Un beau terrain, mis à part les mares et les bourbiers. Ah ! Misère ! Comme il fait humide dans cette région ! Qu'il fait humide !

— Bien, mais qu'arriva-t-il après ces coups de feu ?

— Vous allez le savoir. Nous étions encore à déjeuner, tous silencieux, car de quoi pourrions-nous parler ici ? Nous n'avons qu'à faire nos dévotions, soigner le jardin et manger nos misérables bouts de déjeuners et de dîners !

» Je dis que nous étions donc tous silencieux, quand un coup de sonnette a résonné comme je n'en avais jamais entendu avant — une vraie sonnerie du diable —, un coup qui nous a arrêtés au moment où nous portions un morceau de pain à la bouche. « Allez, mon frère », m'a dit le père supérieur, « allez, c'est votre charge. Allez à la porte. »

» Je suis brave, un vrai lion. Je suis parti sur la pointe des pieds. J'ai écouté, écouté. J'ai ouvert le petit guichet de la porte. Je me suis arrêté, j'ai écouté à nouveau et jeté un regard à travers la grille. Rien, absolument rien que je puisse voir. Je suis brave. Je suis indomptable. Aussi, qu'est-ce que j'ai fait ensuite ? J'ai ouvert la porte... Ah ! Sainte Mère du

Ciel ! Qu'est-ce que j'ai aperçu couché en travers de la porte... tout le long de la porte ? Un homme... mort... un homme grand, plus grand que vous, plus grand que moi, plus grand que personne de ce couvent, boutonné dans une belle jaquette, avec des yeux noirs, fixant le ciel. Mais le sang coulait à travers sa chemise. Que devais-je faire ? J'ai crié, crié une seconde fois et couru à toutes jambes appeler le père supérieur...

Toutes les particularités de ce duel fatal que j'avais lues dans le journal français chez Monkton, à Naples, me revenaient vivantes à la mémoire. Le soupçon que j'avais eu aussitôt en regardant dans le pavillon devint une certitude en entendant les derniers mots du moine.

— Pour autant que je vous comprenne, dis-je, le corps que je viens de voir dans le pavillon est celui de l'homme que vous avez trouvé devant votre porte ? À présent, expliquez-moi pourquoi vous ne lui avez pas donné une sépulture décente.

— Attendez, attendez !... répondit le vieux moine. Le père supérieur m'a entendu crier et est arrivé, puis tous nous avons couru à la porte. Nous avons relevé le corps et l'avons soigneusement examiné. Mais il était mort ! Mort ! Aussi mort que cela, ajouta-t-il en frappant sur le dressoir. En le regardant mieux, nous avons découvert un morceau de papier attaché au col de sa jaquette. Ah ! Mon fils, vous tressaillez. Je crois que je vais vous faire frémir, à présent.

J'avais tressailli, en effet. Ce papier était sans doute le feuillet mentionné dans le récit inachevé du témoin ayant été arraché de son carnet de poche et contenant l'explication de la mort de cet homme. Si une preuve positive était souhaitée pour identifier le corps du mort, elle se trouvait ici.

— Que pensez-vous de ce qui était écrit sur ce papier ? continua le capucin. Nous l'avons lu en frissonnant. Cet homme avait été tué dans un duel, le pauvre misérable désespéré était mort en état de péché mortel, et ceux qui avaient assisté à cette mort nous demandaient à nous, capucins, ils nous demandaient de l'enterrer !...

— Attendez un moment, dis-je, voyant que le vieux moine s'excitait par son récit et allait, si je ne l'arrêtais, parler de plus en plus de ce qui ne m'intéressait guère. Attendez un moment. Avez-vous conservé le papier qui était attaché à la jaquette du mort ? Pourrais-je le voir ?

Le capucin semblait sur le point de me répondre quand il s'arrêta soudain. Je vis ses yeux quitter mon visage, et au même instant, une porte s'ouvrit et se referma derrière moi.

Me retournant immédiatement, j'aperçus un second moine dans la sacristie, un homme grave et mince, avec une barbe noire, en présence duquel mon vieil ami à la tabatière devint soudain plein de déférence et de respect. Je devinai qu'il s'agissait du père supérieur et vis que je ne m'étais pas trompé dès qu'il s'adressa à moi.

— Je suis le supérieur de ce couvent, me dit-il d'une voix claire et douce en me regardant attentivement. J'ai entendu la fin de votre conversation, et j'aimerais savoir pourquoi vous êtes si anxieux de lire ce bout de papier qui était attaché au costume de l'homme tué en duel.

La douce mais impérative façon dont il formula sa question me troubla tellement que pendant une minute, je sus à peine comment j'allais lui répondre.

Il remarqua mon hésitation, et l'attribuant à une cause erronée, il fit signe au vieux frère de se retirer. Inclinant humblement sa longue barbe grise et se consolant par une nouvelle prise du « délectable tabac », mon vénérable ami se dirigea vers la porte ; après une profonde inclinaison, il disparut.

— À présent, dit le père supérieur, j'attends votre réponse, monsieur.

— Vous l'aurez dans le moins de mots possible, déclarai-je. J'ai trouvé, avec dégoût et horreur, un corps sans sépulture dans le pavillon attenant à votre couvent. Je pense que c'est celui d'un gentilhomme anglais de haut rang et de grande fortune qui a été tué dans un duel. Je suis venu dans le voisinage avec le neveu et seul parent de cet homme dans le but exprès de retrouver ses restes.

» Je souhaite voir le papier trouvé sur le corps parce que je crois que ce feuillet doit l'identifier, comme le pense ce parent dont je vous parle. Trouvez-vous ma réponse suffisamment claire ? Et pensez-vous pouvoir me permettre de lire ce papier ?

— Je suis très satisfait de votre réponse, et ne vois aucune raison de vous refuser la lecture de ce document, dit le père supérieur, mais j'ai quelque chose à vous dire d'abord. En parlant de l'impression que vous avez éprouvée en découvrant ce corps, vous avez employé les mots « dégoût » et « horreur ». Le fait que vous employiez ces mots en parlant de choses vues dans les bornes d'un couvent me prouve que vous n'appartenez pas à l'Église catholique. Vous n'avez donc pas le droit d'exiger de moi aucune explication ; néanmoins je veux vous la donner comme une faveur.

» Cet homme est mort sans absolution en commettant un péché mortel. Nous nous en référons pour cela non seulement au papier en question, mais au témoignage de nos yeux et de nos oreilles. Il a été tué sur le territoire de l'Église, commettant une violation directe des lois spéciales contre le duel que le Saint-Père a signées de sa main et imposées à tous les fidèles vivant sur son territoire.

» Le terrain qui appartient au couvent est consacré, et nous, catholiques, n'avons pas l'habitude d'enterrer les proscrits de notre religion, les ennemis du Saint-Père ou les violateurs de nos lois les plus sacrées en terre consacrée.

» En dehors du couvent, nous n'avons ni droit ni pouvoir, et si même nous avions les deux, nous devrions nous souvenir que nous sommes des moines et non des fossoyeurs, et que les seules sépultures qui peuvent nous concerner sont celles qu'accompagnent les prières de l'Église. Voilà l'explication que je désirais vous donner. Maintenant, attendez-moi un instant, vous allez voir ce papier.

Sur ces mots, il quitta la chambre aussi doucement qu'il y était entré.

J'avais à peine eu le temps de réfléchir aux paroles qui venaient de m'être dites qu'il rentrait, tenant un feuillet à la main. Il le plaça devant moi sur le dressoir, et je lus avidement les lignes suivantes écrites au crayon :

Ce papier est attaché sur le corps du décédé Mr Stephen Monkton, un Anglais de haut rang. Il a été tué dans un duel accompli avec honneur et galanterie des deux côtés. Son corps est déposé à la porte de ce couvent pour recevoir la sépulture des mains de ses habitants, car les survivants de la rencontre sont obligés de se séparer et d'assurer leur sécurité par une fuite immédiate. Moi, le témoin du vaincu, j'écris ces lignes, et donne ma parole d'honneur de gentilhomme que le coup de feu qui tua mon ami sur-le-champ fut tiré honorablement et conformément aux règles fixées préalablement pour la conduite de ce duel.

F.

F. Je reconnus facilement par l'initiale le nom de Mr Foulon, le témoin de Mr Monkton, qui était mort de consomption à Paris.

La découverte et l'identification étaient à présent complètes. Il ne me restait plus qu'à en informer Alfred et obtenir la permission d'emporter les restes qui étaient dans le pavillon.

Je doutais presque de l'évidence de mes sens quand je songeais que le projet, apparemment impraticable pour l'accomplissement duquel nous avions quitté Naples était déjà, par le plus heureux des hasards, virtuellement accompli.

— La preuve de cet écrit est décisive, dis-je en le rendant. Il ne peut plus y avoir le moindre doute que ce soit bien là le corps que nous recherchons. Est-ce qu'aucun obstacle ne se dresserait si le neveu du décédé Mr Monkton souhaitait emporter le corps de son oncle dans le caveau de la famille en Angleterre ?

— Où est-il, ce neveu ? demanda le père supérieur.

— Il attend en ce moment mon retour à Fondi.

— Est-il dans la possibilité de prouver sa parenté ?

— Certainement. Il a avec lui tous les papiers nécessaires pour ne laisser planer aucun doute à ce sujet.

— Du moment qu'il aura assuré les autorités civiles de son droit, il ne doit craindre de personne ici aucun obstacle à ses souhaits.

Le jour baissait rapidement, mais que la nuit tombât sur moi ou non, j'étais décidé à ne plus m'arrêter une minute avant d'être rentré à Fondi. J'assurai donc le père supérieur qu'il aurait immédiatement de mes nouvelles, je le saluai et quittai la sacristie.

À la porte du couvent, je trouvai mon vieil ami à la tabatière qui m'attendait pour me faire sortir.

— Soyez béni, mon enfant, me dit le vénérable moine, me donnant une amicale tape d'adieu sur l'épaule. Revenez bientôt et favorisez-moi encore d'une petite prise de ce tabac délectable.

VI

Je courus plutôt que je ne marchai pour rejoindre le village où j'avais laissé les mules. Elles furent sellées immédiatement et je réussis ainsi à atteindre Fondi un peu avant que la nuit soit tombée complètement.

Tout en montant l'escalier de notre hôtel, je me sentais envahi par la plus pénible incertitude quant à savoir comment il était préférable de communiquer ma découverte à Alfred. Si je ne réussissais pas à le préparer suffisamment à entendre mes nouvelles, je pouvais porter un coup fatal à un organisme comme le sien. En ouvrant la porte de sa chambre, je n'étais rien moins que sûr de moi, et quand je l'abordai, sa façon de m'accueillir fut si surprenante que pendant une seconde ou deux, je perdis tout empire sur moi.

La moindre trace de la léthargie dans laquelle il semblait plongé à mon départ avait disparu. Ses yeux étaient brillants, ses joues colorées. Comme j'entrais, il tressaillit et refusa la main que je lui tendais.

— Vous ne m'avez pas traité en ami, s'emporta-t-il. Vous n'aviez pas le droit de continuer les recherches, à moins que je ne les fasse avec vous. Vous n'aviez pas le droit de me laisser seul ici. J'ai eu tort d'avoir confiance en vous, vous ne valez pas mieux que tous les autres.

J'avais eu le temps de me remettre de ma première stupeur et pus lui répondre avant qu'il ait le temps d'en dire davantage. Il était absolument inutile, étant donné son état, de raisonner avec lui ou d'essayer de me défendre. Je résolus de tout risquer, et lui donnai la nouvelle sans délai.

— Vous me traiterez avec plus de justice, Monkton quand vous saurez le service que je vous ai rendu durant mon absence, à moins que je ne me sois grandement trompé, dis-je. Le but pour lequel nous avons quitté Naples peut être bien plus proche de nous que...

Les couleurs de ses joues disparurent à l'instant. Quelque chose dans mes traits ou dans le ton de ma voix, dont je n'étais pas conscient, lui en avait révélé plus que je n'avais l'intention de lui dire d'abord. Ses yeux fixaient intensément les miens, sa main s'appuyait à mon bras, et il me souffla dans un ardent murmure :

— Dites-moi la vérité tout de suite ! L'avez-vous trouvé ?

Il était trop tard pour hésiter ; je répondis en inclinant la tête.

— Enterré ou non ?

Sa voix s'était brusquement élevée en posant cette question et sa main inoccupée s'attacha à mon autre bras.

— Il n'est pas enterré.

J'avais à peine prononcé ces mots que le sang reflua à ses joues, ses yeux brillèrent de nouveau en plongeant dans les miens et il éclata d'un rire triomphant qui m'effraya de façon inexprimable.

— Qu'en dites-vous ? Que dites-vous à présent de la vieille prophétie ? s'écria-t-il en s'appuyant toujours sur mon bras et en marchant de long en large dans la chambre. Avouez que vous vous trompiez ! Avouez que tout Naples se trompait ! Maintenant, je vais l'avoir en sécurité dans ce cercueil !

Sa voix devenait de plus en plus violente. J'essayai en vain de l'apaiser.

À ce moment, son domestique et le propriétaire de la maison entrèrent dans la chambre, mais leur présence ne fit que jeter de l'huile sur le feu, et je les renvoyai aussitôt.

Comme je refermais la porte sur eux, j'aperçus sur la table proche le paquet de lettres de miss Elmslie que mon malheureux ami conservait avec tant de soins, qu'il lisait et relisait avec une dévotion si fidèle.

Il regarda vers moi juste comme je passais près de la table, et son regard tomba sur les lettres. Le nouvel espoir que ma déclaration avait déjà éveillé dans son cœur sembla le combler aussitôt à la vue de ces précieux souvenirs qui lui venaient de sa fiancée bien-aimée.

Son rire cessa, son expression changea, il courut à la table, saisit les lettres, les regarda un instant avec une expression altérée qui m'alla au cœur et éclata en sanglots. Je voulus que cette nouvelle émotion ne fût pas interrompue et sortis sans prononcer un mot.

Quand je revins après quelque temps, je le trouvai assis tranquillement sur sa chaise, lisant une des lettres dont le paquet restait sur ses genoux.

Son regard exprimait à présent la bonté même, et ses gestes étaient redevenus presque féminins dans leur gentillesse quand il se leva en me voyant et qu'il me tendit anxieusement la main.

279

Il était assez calme, maintenant, pour entendre tous les détails que j'avais à lui donner. Je ne lui cachai rien des conditions dans lesquelles j'avais trouvé le corps. Je ne voulais pas décider moi-même dans quelle mesure il participerait à nos futures démarches, mais je lui fis promettre de s'en remettre complètement à moi pour le recouvrement du corps, et de se contenter de voir le papier de Mr Foulon après avoir reçu mon assurance que les restes de son oncle seraient placés dans le cercueil, étant réellement et sûrement ceux que nous avions recherchés.

— Vos nerfs ne sont pas aussi forts que les miens, lui dis-je en guise d'excuse pour mon apparente dictature. C'est pourquoi je dois vous prier de me permettre d'assumer le rôle de commandant du navire pour tout ce qu'il nous reste à faire jusqu'à ce que j'aie vu le cercueil soudé et en sûreté, en votre possession. Après cela, mes fonctions auprès de vous seront terminées.

— Je voudrais trouver des mots qui vous expriment ma reconnaissance pour votre bonté, répondit-il. Un frère n'aurait pas agi plus affectueusement et ne m'aurait pas aidé plus patiemment que vous.

Il s'arrêta, devint pensif, se mit à ranger doucement et soigneusement le paquet de lettres de miss Elmslie puis regarda tendrement vers le mur, derrière moi, avec ce regard fixe que je lui connaissais bien.

Depuis que nous avions quitté Naples, j'avais soigneusement évité de l'exciter en lui parlant de l'inutile et pénible sujet de l'apparition dont il se croyait perpétuellement accompagné. Mais à cet instant où il semblait se calmer et être en pleine possession de lui — alors que d'autres fois, il était visiblement agité par toute allusion au dangereux sujet —, je m'aventurai à en parler.

— Le fantôme vous apparaît-t-il encore ? demandai-je. Comme il vous apparaissait à Naples ?

Il me regarda et sourit.

— Ne vous ai-je pas dit qu'il m'accompagnait partout ?

Ses yeux errèrent de nouveau vers l'espace vide, et il continua à parler dans cette direction comme s'il poursuivait la conversation avec une troisième personne qui se serait trouvée dans la chambre.

— Nous nous séparerons, murmura-t-il, quand la place vide sera remplie dans le caveau de Wincot. Alors, je conduirai Ada à l'autel, dans la chapelle de l'abbaye, et quand mes yeux se poseront sur elle, ils ne verront plus jamais la face torturée.

Disant cela, il appuya la tête sur sa main, soupira, et commença à réciter doucement, comme pour lui-même, les vers de la vieille prophétie.

— *Quand une place dans le caveau Wincot*
Attendra un membre de la famille Monkton.
Quand celui-ci, abandonné, restera étendu
Sans sépulture sous le ciel ouvert
Mendiant pour six pieds de terre
Quoique possédant titres et terres par sa naissance
Là, doit être un signe certain
De la fin de la lignée Monkton
Dépérissant, toujours plus vite, plus vite,
Dépérissant jusqu'au dernier maître.

De cette vie mortelle, de la lumière du jour
La race des Monkton disparaîtra !

M'imaginant qu'il prononçait les derniers vers d'une façon un peu incohérente, j'essayai de le faire changer de sujet. Il n'accorda aucune attention à ce que je lui disais et continua à se parler à lui-même.

— La race des Monkton s'éteindra, répéta-t-il, mais pas avec moi ! La fatalité ne pèse plus sur ma tête. J'enterrerai le corps qui est resté sans sépulture, je remplirai la place vide du caveau de Wincot, et alors... Alors une nouvelle vie, la vie avec Ada !

Ce nom sembla le rappeler à lui-même. Il attira son pupitre de voyage vers lui, y plaça le paquet de lettres et prit un feuillet.

— Je vais écrire à Ada, dit-il en se tournant vers moi, et lui annoncer les bonnes nouvelles. Son bonheur, quand elle les apprendra, sera encore plus grand que le mien !

Exténué par tous les événements de cette journée, je le laissai écrire et allai me coucher. J'étais cependant trop anxieux ou trop fatigué pour dormir. Durant ces heures de veille, mon esprit retourna naturellement à la découverte du couvent et aux conséquences qu'elle entraînerait probablement.

Quand je pensai à l'avenir, une dépression que je ne pouvais m'expliquer pesa sur mon esprit. Il n'y avait pas la moindre raison à la vague mélancolie qui m'oppressait. Les restes, dont la recherche avait une si grande importance aux yeux de mon ami, avaient été retrouvés ; ils seraient certainement mis à sa disposition dans quelques jours.

Il les emmènerait en Angleterre par le premier

navire marchand qui quitterait Naples, et cet étrange caprice réalisé, il y avait toute raison d'espérer que son cerveau se calmerait et que la nouvelle vie qu'il mènerait à Wincot ferait de lui un homme heureux.

De telles considérations n'avaient en elles rien qui pouvait exercer une influence mélancolique sur moi, et cependant durant toute la nuit, la même inconcevable dépression pesa lourdement sur mes pensées, lourdement durant les heures d'obscurité, lourdement aussi quand je sortis respirer la première fraîcheur de l'air matinal.

Avec le jour commencèrent les négociations avec les autorités civiles.

Ceux-là seuls qui ont eu affaire avec les départements officiels italiens peuvent imaginer combien ma patience fut mise à l'épreuve pour chaque personnage avec lequel il fallut entrer en contact. Nous étions relancés d'un bureau à l'autre, examinés, questionnés, mystifiés...

Non que le cas présentât aucune difficulté spéciale ou inextricable, mais parce qu'il était absolument nécessaire que chaque dignitaire civil à qui nous nous adressions puisse affirmer son importance en nous menant vers notre but de la façon la plus compliquée possible.

Après notre première journée d'expérience de la vie officielle en Italie, j'abandonnai à Alfred les absurdes formalités que nous n'avions pas le choix d'écourter et m'occupai de l'importante question de savoir comment les restes de Stephen Monkton seraient enlevés du couvent avec sécurité.

Le meilleur plan qui se présenta de lui-même à mon esprit fut d'écrire à un ami demeurant à Rome, où je savais que c'était la coutume d'embaumer les corps des hauts dignitaires de l'Église et où, par conséquent, je conclus que l'assistance que nous réclamions pouvait être obtenue.

Je soulignai simplement dans ma lettre que l'enlèvement du corps était pénible et décrivis l'état dans lequel je l'avais trouvé, ajoutant qu'aucune dépense ne serait épargnée de notre part si la ou les personnes aptes à ce travail pouvaient être trouvées.

Finalement la patience, la persévérance et l'argent triomphèrent, et deux hommes venus expressément de Rome purent entreprendre le travail qu'on attendait d'eux.

Il est inutile de chagriner nos lecteurs en entrant dans les détails de cette partie de mon récit. Quand j'aurai dit que les progrès de la décomposition furent arrêtés par des moyens chimiques pour que les restes soient placés dans le cercueil et pour les transporter en Angleterre avec une parfaite sécurité, j'en aurai dit assez.

Après que dix jours eurent été occupés par d'inutiles délais et difficultés, j'eus la satisfaction de voir enfin vide le pavillon du couvent.

J'offris une dernière prise au vieux capucin et ordonnai que les voitures nous amènent à la porte de l'hôtel.

À peine un mois s'était écoulé depuis notre départ quand nous rentrâmes à Naples, ayant réussi cette entreprise qui avait paru ridicule et complètement impraticable à chacun de nos amis en ayant eu connaissance.

Toutes les recherches pour trouver un navire marchand sur le point de mettre la voile vers l'Angleterre furent sans résultat ; il ne nous restait qu'un moyen d'assurer le transport immédiat de la dépouille en Angleterre, c'était de louer un navire.

Impatient de rentrer et résolu à ne pas perdre le cercueil de vue jusqu'à ce qu'il l'ait vu placer dans le caveau Wincot, Monkton décida immédiatement de fréter le premier bateau qui se présenterait. Celui qui, m'apprit-on, pourrait être mis le plus vite en état de prendre la mer était un bateau sicilien, et mon ami l'engagea sur-le-champ.

Les meilleurs ouvriers de l'arsenal pouvant être trouvés furent mis au travail ; l'élégant capitaine et l'équipage qu'il fallait réunir pour la circonstance à Naples furent choisis pour armer le brick.

Après m'avoir de nouveau exprimé dans les termes les plus chaleureux sa gratitude pour les services que je lui avais rendus, Monkton cacha toute intention de me demander de l'accompagner dans son voyage de retour en Angleterre.

Grandes furent sa surprise et sa joie quand je lui offris spontanément de monter sur le brick. L'étrange coïncidence que j'avais constatée et l'extraordinaire découverte que j'avais faite depuis notre première rencontre à Naples me l'avaient rendu intéressant.

Je ne croyais à aucune de ses illusions, pauvre ami, mais ce serait exagérer de prétendre que mon chaleureux désir de poursuivre notre aventure jusqu'à sa conclusion était aussi grand que son anxiété à voir le cercueil déposé dans le caveau de Wincot. La curiosité m'influençait, je le crains, presque autant que l'amitié quand je lui offris de l'accompagner dans son voyage.

Par un bel après-midi, le bateau mit la voile sur l'Angleterre.

Pour la première fois depuis que je le connaissais, Monkton semblait vraiment joyeux ; il parlait et plaisantait sur toutes sortes de sujets et se moquait de ma crainte d'être atteint du mal de mer. Je ne le redoutais pas, à la vérité, mais c'était là une excuse pour dissimuler à mon compagnon le retour de cette inexplicable dépression dont j'avais déjà souffert à Fondi.

Tout paraissait nous sourire, chacun à bord était de la meilleure humeur. Le capitaine était enchanté du vaisseau, et l'équipage composé d'Italiens et de Maltais était plein d'entrain à l'idée de faire un court voyage pour de bons gages sur un navire bien approvisionné. Moi seul avais le cœur triste, même s'il n'y avait aucune raison valable à alléguer pour cette mélancolie qui m'oppressait et contre laquelle je luttais en vain.

Tard dans la soirée de notre première journée en mer, je fis une découverte qui n'était rien moins que capable de remettre mes pensées dans leur équilibre normal. Monkton se trouvait dans la cabine sous le plancher de laquelle avait été placée la caisse contenant le cercueil, moi j'étais sur le pont.

Le vent était tombé, tout était calme, et je fixais paresseusement les voiles du brick qui frappaient de temps en temps contre les mâts, quand le capitaine s'approcha et, m'attirant à l'écart, hors de portée des hommes de quart, il me murmura à l'oreille :

— Il y a quelque chose d'anormal et qui impressionne mes hommes. Avez-vous observé comme ils sont subitement devenus silencieux depuis le coucher du soleil ?

Je l'avais remarqué et le lui dis.

— Il y a un Maltais à bord, poursuivit le capitaine, qui est un gars très capable, mais qui devient dangereux quand il a peur. Il a dit à l'équipage que la caisse dans la cabine de votre ami contenait le corps d'un homme mort.

Mon cœur se serra à ces mots. Connaissant la superstition naturelle des marins — spécialement des marins étrangers —, j'avais pris soin, avant de la faire embarquer, de lui dire qu'elle contenait une statue de marbre de grande valeur à laquelle Mr Monkton tenait tellement qu'il ne pouvait supporter de la perdre de vue. Comment le Maltais pouvait-il avoir découvert que la prétendue statue était le corps d'un homme ? Comme je me posais la question, mon soupçon se porta sur le domestique de Monkton qui parlait facilement l'italien et qui était, je le savais, un incorrigible bavard.

L'homme nia quand je l'accusai de nous avoir trahis, mais jusqu'à aujourd'hui, je n'ai jamais cru à sa sincérité.

— Le petit drôle ne veut pas dire où il a recueilli cette information au sujet de ce corps, continua le capitaine. Ce n'est pas mon affaire de percer les secrets, mais je vous conseille de parler à l'équipage et de récuser ses propos, qu'il ait dit ou non la vérité. Ces hommes sont des demi-fous qui croient aux revenants et au reste. Certains d'entre eux m'ont confié qu'ils n'auraient jamais signé un engagement s'ils avaient su qu'ils navigueraient avec un mort ; d'autres grommellent seulement, mais je crains que nous ayons des ennuis avec eux tous en cas de mauvais temps, à moins que le garçon ait été instruit par vous ou par l'autre gentleman. Les marins disent que si vous ou votre ami leur donnez votre parole d'honneur que le Maltais a menti, ils le pendront au bout d'une corde, mais si vous ne le faites pas, ils sont décidés à croire le garçon.

Le capitaine s'arrêta, attendant ma réponse, mais je ne pus lui en donner aucune ! Je me voyais sans espoir dans cette malheureuse circonstance.

Faire punir ce garçon en donnant ma parole d'honneur et en certifiant un mensonge ne pouvait être admis un seul instant. Quel autre moyen me restait-il de sortir de cet inextricable dilemme ?

Aucun, me semblait-il. Je remerciai le capitaine pour son souci de nos intérêts, lui déclarai qu'il me fallait un peu de temps pour réfléchir au meilleur moyen à employer et le priai de ne rien dire à mon ami de la découverte qu'il venait de faire. Il me promit d'être silencieux et s'éloigna d'un air maussade.

Nous avions espéré de la brise pour nous seconder le matin, mais elle ne se leva pas. Vers midi, la température devint insupportable, suffocante, et la mer était aussi unie qu'un miroir. Je vis les yeux du capitaine se tourner anxieusement du côté du vent. Loin dans cette direction, et seul au milieu du ciel bleu, j'apercevais un petit nuage noir ; je lui demandai s'il nous amènerait quelque grain.

— Plus que vous n'en voudrez, répliqua-t-il brièvement.

Alors, à mon grand étonnement, il ordonna à l'équipage de rouler les voiles.

L'exécution de cette manœuvre révéla clairement l'état d'esprit des matelots.

Ils firent leur travail en maugréant, lentement, grognant et murmurant entre eux. L'attitude du capitaine qui les excitait de la voix et du geste me convainquit que nous étions en danger.

Je regardai de nouveau dans la direction du vent ; le petit nuage s'était élargi au point d'être devenu une grande bande de sombre vapeur, et la mer à l'horizon avait changé de couleur.

— La bourrasque sera sur nous avant que nous ayons eu le temps de nous reconnaître, dit le capitaine. Allez en bas, ici vous ne serez que dans le chemin.

Je descendis dans la cabine et préparai Monkton à ce qui allait se passer. Il me questionnait encore sur ce que j'avais observé sur le pont que la tempête s'abattait sur nous. On entendait le brick craquer comme s'il allait se séparer en deux, puis il sembla tourner en rond sur lui-même et resta un moment immobile et tout tremblant ; à la fin, un choc nous arracha de nos sièges, il y eut un effrayant craquement et un flot d'eau envahit la cabine. Nous nous étions précipités à moitié noyés sur le pont ; le bateau, selon l'expression maritime, était « embroché » et il se coucha sur le côté.

Avant d'avoir pu rien distinguer dans cette confusion horrible, excepté l'affreuse certitude que nous étions entièrement à la merci de la mer, j'entendis une voix venant d'une autre partie du vaisseau qui criait et appelait le reste de l'équipage.

Ces paroles étaient prononcées en italien, mais je ne compris que trop bien leur signification. Nous avions touché un rocher, et la mer envahissait le bateau comme la chute d'un torrent.

Le capitaine ne perdit pas sa présence d'esprit devant ce nouveau danger. Il demanda la hache pour abattre immédiatement le haut mât et envoya tout l'équipage aux pompes.

Il finissait à peine de donner ses ordres que les hommes commencèrent à se mutiner. Avec un regard sauvage vers moi, leur meneur déclara que les passagers pouvaient faire ce qu'il leur plairait, mais que lui et ses camarades étaient déterminés à prendre le canot et à laisser le brick maudit et « l'homme mort » qui était à bord aller au fond ensemble.

Comme il parlait, des applaudissements éclatèrent et je remarquai que le matelot regardait d'un air moqueur dans mon dos ; je me retournai et vis Monkton qui était resté jusqu'ici à côté de moi se diriger vers la cabine.

Je l'accompagnai immédiatement, mais l'eau, la confusion qui régnait sur le pont et l'impossibilité, vu la position du vaisseau, de mouvoir les pieds sans l'assistance des mains m'empêchèrent d'avancer au point que je ne pus le rejoindre à temps.

Quand j'arrivai enfin, il était couché sur le cercueil, l'eau de la cabine ruisselant autour de lui, selon que le bateau montait ou descendait. Je vis une dangereuse lueur dans ses yeux et une vive rougeur sur ses joues lorsque je m'approchai pour lui dire :

— Il ne reste plus, Alfred, qu'à supporter notre malheur, et faire ce que nous pouvons pour sauver nos vies.

— Sauvez la vôtre, car vous avez un avenir devant vous ! s'écria-t-il en étendant la main vers moi. La mienne sera finie quand le cercueil ira au fond. Si le bateau coule, je saurai que la fatalité est accomplie et je coulerai avec lui !

Je vis qu'il n'était pas en état d'être raisonné ou persuadé et je remontai sur le pont.

Les hommes s'occupaient à supprimer tous les obstacles afin de dégager le léger canot placé de travers sur la cloison du brick, qui était couché sur le côté. Le capitaine, ayant vainement essayé de rétablir son autorité, les regardait en silence. La violence de la tempête semblait déjà s'épuiser d'elle-même, et je demandai s'il n'y avait réellement aucune chance pour nous d'échapper à la mort en restant sur le navire...

Il me répondit qu'il y aurait eu une chance si les hommes avaient obéi à ses ordres, mais qu'à présent, il était trop tard.

Sachant que je ne pouvais avoir aucune confiance dans la présence d'esprit du domestique de Monkton, je confiai au capitaine dans les termes les plus brefs — mais les plus clairs — la condition de mon malheureux ami et lui demandai s'il acceptait de m'offrir son aide. Il inclina la tête, et nous descendîmes alors dans la cabine.

Même à ce jour, cela me fait un réel chagrin d'écrire à quelle terrible mesure la puissance et l'obstination de l'illusion de Monkton nous réduisirent. Nous dûmes nous assurer de ses mains et l'emporter de force sur le pont. Les hommes qui étaient sur le point de détacher le canot refusèrent d'abord de nous prendre à bord.

— Poltrons ! s'écria le capitaine. Avez-vous le corps du mort avec vous, cette fois ? Ne va-t-il pas aller au fond de l'eau avec le brick ? De quoi avez-vous peur en nous laissant monter ?

Cet appel produisit l'effet désiré : les hommes honteux d'eux-mêmes rétractèrent leurs paroles.

Juste comme nous quittions le bateau en perdition, Alfred fit un effort pour m'échapper, mais je le tins ferme ; après cela, il n'essaya plus de résister. Il s'assit à côté de moi, la tête inclinée, immobile et silencieux tandis que les rameurs nous emmenaient loin du vaisseau.

Soudain, d'un commun accord, ils s'arrêtèrent à une certaine distance car nous nous attendions tous à voir le bateau sombrer ; il disparut brusquement, plongeant littéralement dans un remous de la mer. À cette minute, Alfred hésita un instant, se souleva un peu, puis retomba assis et ne remua plus.

Perdus et ravis pour jamais à notre pouvoir, ce corps que nous avions retrouvé par miracle, ces restes jalousement conservés et sur lesquels reposaient si étrangement les espoirs et la vie de deux êtres vivants.

Au dernier signe du bateau disparaissant dans les eaux, je sentis Monkton, assis tout près de moi, trembler des pieds à la tête. Je l'entendis se répéter à lui-même, plusieurs fois, tristement, le nom « Ada ».

J'essayai en vain d'attirer son attention vers d'autres sujets ; il me montra l'endroit où le navire avait disparu et où l'on ne pouvait plus voir que les vagues bouillonnantes.

— La place vide restera vide, à présent, dans le caveau de Wincot, me dit-il.

En prononçant ces mots, il me regarda un moment en face tristement puis regarda de nouveau au loin, appuya sa joue sur sa main et ne parla plus.

Nous fûmes aperçus avant que la nuit ne tombe par un navire marchand, pris à bord et emmenés en Espagne, à Carthagène.

De tout le temps qui s'écoula pendant notre voyage sur ce bateau, Alfred ne m'adressa pas la parole, ne releva pas la tête. J'observais avec inquiétude qu'il se parlait souvent à mi-voix de façon incohérente — récitant sans cesse les vers de la vieille prophétie —, se référant constamment à la place fatale qui restait vide dans le caveau de Wincot, répétant incessamment d'une voix brisée qui me perçait le cœur le nom de la pauvre fille qui attendait son retour en Angleterre. Mais ce n'était pas là ma seule cause d'appréhension à son sujet.

Vers la fin de notre voyage, il commença à souffrir d'alternances de fièvre et eut des frissons que, dans mon ignorance, j'attribuai d'abord à la fatigue ; je fus bientôt détrompé.

À peine étions-nous depuis deux jours à terre qu'il

devint tellement malade que je dus recourir aux soins d'un médecin. Je fis appeler les docteurs les plus renommés de Carthagène.

Pendant un jour ou deux, leurs avis différèrent, comme d'habitude, sur la nature de sa maladie. Mais les longs et alarmants symptômes parlèrent bientôt d'eux-mêmes. Les médecins déclarèrent que sa vie était en danger et qu'il s'agissait d'une fièvre cérébrale.

Désolé et inquiet comme je l'étais, je ne savais comment agir devant cette nouvelle responsabilité qui reposait sur mes épaules. Finalement, je décidai d'écrire au vieux prêtre qui avait été le précepteur d'Alfred et qui, je le savais, habitait toujours à Wincot Abbaye.

Je lui dis ce qui était arrivé et le priai d'annoncer le plus doucement possible à miss Elmslie la mauvaise nouvelle, l'assurant que je ne quitterais pas Monkton.

Après avoir expédié ma lettre et demandé à Gibraltar l'aide du meilleur médecin anglais qu'on puisse y trouver, je pensais que j'avais fait de mon mieux et qu'il ne restait plus qu'à attendre et à espérer.

Je passai de nombreuses heures tristes et anxieuses auprès du lit de mon ami. Parfois je doutais de moi, me reprochant de l'avoir encouragé dans son illusion. Mes raisons s'étaient présentées d'elles-mêmes après ma première intervention, mais elles me semblaient pourtant, à la réflexion, garder toute leur valeur.

La seule façon de hâter son retour en Angleterre

et auprès de miss Elmslie, qui aspirait à le voir, était d'agir comme je l'avais fait. Ce n'était pas de ma faute si ce désastre qu'aucun homme ne pouvait empêcher avait ruiné tous ses projets et les miens. Mais à présent que la calamité était arrivée et était irrévocable, comment, s'il guérissait physiquement, son affection mentale serait-elle combattue ?

Quand je réfléchissais à cette tare héréditaire dont souffrait son esprit, à cette première frayeur enfantine de Stephen Monkton dont il ne s'était jamais remis, à la vie désespérément solitaire qu'il avait menée à l'abbaye et à sa ferme conviction que l'apparition par laquelle il se voyait constamment accompagné était réelle, j'avoue que je désespérais de le voir triompher de sa foi superstitieuse en chaque vers de cette vieille prophétie familiale.

Si la série d'étonnantes coïncidences qui paraissaient attester de la vérité avait fait une impression fugitive sur moi (ce qui était certainement le cas), comment pouvais-je m'étonner qu'elles aient produit l'effet d'une conviction absolue sur son esprit, constitué comme il l'était ? Si je discutais avec lui et qu'il me répondait, comment pouvais-je poursuivre ?

S'il me disait : « La prophétie désigne le dernier descendant de la famille, je suis ce dernier descendant. La prophétie mentionne une place vide dans le caveau de Wincot, il y a là une place vide en ce moment. Sur la foi de cette prophétie, je vous ai dit que le corps de Stephen Monkton n'était pas enterré et vous l'avez trouvé sans sépulture. » S'il me disait tout cela, quelle utilité y aurait-il à répondre : « Ce ne sont là que d'étranges coïncidences » ?

Plus je songeais à la tâche qui restait à accomplir s'il guérissait, plus j'étais enclin à désespérer. Fréquemment, le médecin anglais qui le soignait me disait : « Il peut aller mieux après cette fièvre, mais il a une idée fixe qui ne le quitte ni le jour ni la nuit, qui a dérangé sa raison et qui finira par le tuer à moins que vous, ou ses amis, puissiez la lui enlever. »

Chaque fois que j'entendais cela, je sentais avec plus d'acuité mon impuissance, et je tremblais davantage à chaque pensée qui se rapportait à l'avenir. J'espérais recevoir une réponse d'Angleterre par lettre ; je fus par conséquent très surpris — aussi bien que soulagé — d'apprendre un jour que deux gentlemen demandaient à me parler et de découvrir que l'un était le vieux prêtre, l'autre un parent de miss Elmslie.

Juste avant leur arrivée, les symptômes de fièvre avaient disparu et Alfred avait été déclaré hors de danger. Tous deux furent d'accord pour décider qu'il fallait attendre qu'il soit plus fort avant de le faire voyager. Ils étaient venus à Carthagène expressément pour l'emmener en Angleterre avec eux, et se montraient beaucoup plus confiants que moi dans l'effet que l'air natal exercerait sur la guérison d'Alfred.

Après que le premier point important fut réglé, celui du retour en Angleterre, je m'aventurai à poser quelques questions sur miss Elmslie. Son parent me dit qu'elle souffrait horriblement, physiquement et moralement, d'un excès d'inquiétude au sujet d'Alfred. Ils avaient été obligés de la tromper en lui cachant le danger de sa maladie pour l'empêcher de les accompagner dans leur mission en Espagne.

Quoique doucement et lentement, Monkton regagna, les semaines suivantes, quelque chose de son ancienne force physique, mais son état mental était loin d'être amélioré.

Le premier jour qu'il commença à aller mieux, on découvrit que la fièvre cérébrale avait exercé une étrange influence sur sa mémoire. Il avait perdu tout souvenir des derniers événements.

Chaque chose se rapportant à Naples, à moi ou à son voyage en Italie avait glissé d'une façon mystérieuse hors de sa mémoire.

Bien qu'il reconnût le vieux père et son domestique dès les premiers jours d'amélioration, il ne me reconnut jamais, mais me regardait avec une soucieuse expression dont j'étais atrocement peiné quand j'approchais de son lit. Toutes ses questions étaient destinées à s'informer de miss Elmslie et de Wincot Abbaye, et toutes ses conversations se rapportaient au temps où son père était encore en vie.

Les docteurs auguraient plus de bien que de mal de cette perte de mémoire des derniers incidents, disant que cela ne serait que temporaire et aiderait son esprit à redevenir normal.

J'essayais de les croire, j'essayais d'être aussi optimiste qu'eux, quand le jour arriva où il partit avec ses vieux amis pour rejoindre son foyer. Mais l'effort avait outrepassé ses forces. La certitude que je ne le reverrais jamais oppressait mon cœur, et les larmes me montèrent aux yeux quand je vis mon pauvre ami, à moitié soutenu, à moitié porté, emmené doucement, loin, sur le chemin du retour.

Il ne m'avait pas encore reconnu et les médecins m'avaient demandé de leur donner plus de temps pour guetter une occasion, si possible, de me rappeler à son souvenir.

Sans cette requête, je l'aurais accompagné en Angleterre. Il ne me restait rien d'autre à faire que d'essayer de changer de cadre et de rétablir du mieux que je pouvais mon énergie physique et morale, déprimée par tant de veilles et d'anxiété.

Les fameuses villes d'Espagne ne m'étaient pas inconnues, mais je les visitai de nouveau et revécus nos anciennes impressions à l'Alhambra et à Madrid.

Une fois ou deux, j'avais pensé faire un pèlerinage dans l'est, mais les derniers événements m'avaient calmé et fatigué.

L'épuisant état d'esprit qui s'appelle le mal du pays devint la proie de mon cœur, et je résolus de retourner en Angleterre.

J'y allai par Paris, ayant décidé avec le prêtre qu'il m'écrirait là, chez mon banquier. À mon arrivée, je passai à la banque avant de rejoindre mon hôtel.

Au moment où je pris l'enveloppe en main, son bord noir me dit le pire. Il était mort ! Il n'y avait qu'une consolation : il était mort calmement, tout à fait heureux, sans avoir jamais fait allusion à l'issue fatale indiquée par la vieille prophétie.

Mon élève bien aimé, écrivait le vieux prêtre, *a d'abord semblé se remettre un peu, quelques jours après son retour, mais il n'a pas retrouvé de réelles forces et a bientôt recommencé à avoir des accès de fièvre. Après cela, il s'est affaibli doucement, jour par jour, et nous a enfin été enlevé il y a deux jours. Miss Elmslie (qui sait que je vous écris) me prie de vous exprimer sa gratitude pour toute votre bonté envers Alfred ; elle m'a dit, quand nous l'avons ramené ici, qu'elle l'avait attendu comme sa future femme et qu'elle voulait le soigner à présent comme sa femme l'aurait fait ; elle ne l'a jamais quitté. Son visage était tourné vers elle, sa main était dans les siennes quand il est mort. Cela doit vous consoler qu'il n'ait jamais fait mention des événements de Naples ni des accidents qui l'ont accompagné, depuis le jour de son retour jusqu'au jour de sa mort.*

Trois jours après la lecture de cette lettre, j'étais à l'abbaye et j'apprenais tous les détails des derniers moments d'Alfred des lèvres mêmes du prêtre.

Je ressentis un choc qu'il ne me serait pas facile d'analyser ou d'expliquer quand j'appris qu'il avait été enterré, selon son désir, dans le fatal caveau de Wincot.

Le prêtre m'emmena voir l'endroit : une sombre et froide bâtisse souterraine avec un toit bas supporté par de lourdes arches saxonnes. Des niches rapprochées où le bord du cercueil était seul visible se trouvaient des deux côtés du caveau. Les clous et les ornements d'argent brillèrent çà et là lorsque mon compagnon passa auprès d'eux, une petite lampe à la main.

À l'extrémité de cette longue galerie, il s'arrêta, montra une niche et dit :

— Il repose là, contre son père et sa mère. (Je

regardai un peu plus loin, et vis ce qui paraissait être un noir tunnel.) Ce n'est qu'une niche. Si le corps de Mr Stephen Monkton avait été rapporté à Wincot, son cercueil aurait été placé là.

Un froid de glace sembla me tomber sur les jambes, et une sueur de mort, que je suis honteux d'avouer à présent mais que je ne pouvais combattre alors m'envahit. La lumière bénie du jour brillait gaiement à l'autre bout du caveau par la porte ouverte. Je tournai le dos à la niche vide et me hâtai de regagner l'air frais et la chaleur du soleil.

Comme nous avancions à travers le gazon qui menait au caveau, j'entendis le bruissement d'une toilette féminine derrière moi et, me retournant, je vis une jeune femme s'avancer, enveloppée de vêtements de deuil. Son triste et doux visage ainsi que la façon dont elle me tendit la main me dirent à l'instant qui elle était.

— J'ai appris que vous étiez ici, commença-t-elle, et je souhaitais...

Sa voix se brisa un peu. Mon cœur saignait en voyant sa lèvre trembler, mais avant que j'aie pu dire un mot, elle surmonta son trouble et continua.

— Je souhaitais vous serrer la main et vous remercier pour votre bonté fraternelle envers Alfred. Je voulais vous dire que je suis certaine qu'en tout ce que vous avez fait, vous avez assurément agi pour le mieux. Peut-être allez-vous retourner chez vous bientôt, et nous ne nous verrons plus. Moi, je n'oublierai jamais, jamais, que vous avez été si bon pour lui quand il a eu besoin d'un ami et que vous avez plus qu'aucune autre personne le droit à mon reconnaissant souvenir aussi longtemps que je vivrai.

L'inexprimable tendresse de sa voix, la pâle beauté de son visage et la candeur sincère de ses doux yeux m'affectèrent tellement que je ne pus d'abord lui répondre que par un geste.

Avant que j'eusse retrouvé la voix, elle m'avait serré la main et s'était éloignée.

Je ne la revis jamais. Les événements et les changements de la vie ne nous rapprochèrent pas.

La dernière fois que j'entendis parler d'elle, il y a déjà des années de cela, elle était toujours fidèle à la mémoire du mort, et s'appelait toujours Ada Elmslie pour l'amour de Monkton le fou.

AMÈRE RANCŒUR

*De l'inspecteur en chef Theakstone au policier
détective le sergent Bulmer, de la même Force :*

Londres, le 4 juillet 18..

Sergent Bulmer,

Ceci pour vous informer que votre aide est requise
pour un cas d'une très grande importance, qui doit
retenir toute l'attention d'un membre expérimenté de
la force publique. Vous allez donc confier l'affaire
dans laquelle vous étiez engagé au jeune homme qui
vous porte cette lettre.

Vous devez lui expliquer toutes les circonstances
du cas exactement comme elles sont et le mettre au
courant des progrès que vous avez réalisés (si vous
en avez fait) en recherchant la ou les personnes par
qui cet argent a été volé, puis le laisser tirer le meilleur parti des renseignements actuellement en votre
possession. Il aura l'entière responsabilité de l'action
et aura tout l'honneur de l'entreprise s'il parvient à
la mener à bonne fin.

Ce sont tous les ordres que j'ai à vous communiquer.

Un mot à l'oreille encore, au sujet de cet homme qui va prendre votre place. Il s'appelle Mathieu Sharpin et a une chance de faire son chemin dans nos bureaux — en supposant qu'il soit assez fort pour la saisir.

Vous allez naturellement me demander comment il a obtenu ce privilège. Je puis seulement vous dire qu'il a une puissante protection en certain haut lieu que vous et moi ferions mieux de ne mentionner qu'à voix basse. Il a été clerc d'avocat et est plein de suffisance et de confiance en lui quant à ses capacités de découvrir les secrets.

D'après ses dires, il abandonne sa profession et embrasse la nôtre par sa seule volonté et par préférence. Mais vous ne devez pas plus le croire que je ne le fais moi-même.

Mon opinion est qu'il a obtenu par une source privée quelque information en connexion avec les affaires d'un des clients de son patron, ce qui lui donne assez de prise sur son supérieur pour que ce dernier trouve dangereux de l'acculer en le mettant à la porte.

Je pense que lui donner cette chance inespérée d'entrer chez nous équivaut à lui offrir une bonne somme d'argent pour le faire tenir tranquille.

Quoi qu'il en soit, Mr Mathieu Sharpin aura le cas qui est en ce moment entre vos mains, et s'il réussit à le résoudre, il plongera son vilain nez dans notre bureau, aussi sûr que je vous écris. Je vous préviens de tout ceci, sergent, pour que vous puissiez agir en connaissance de cause et ne donner à ce nouvel agent aucune raison de se plaindre de vous en haut lieu.

Je reste votre

Francis Theakstone.

De Mr Mathieu Sharpin à l'inspecteur chef Theakstone :

Londres, le 5 juillet 18..

Cher monsieur,

Ayant à présent reçu les instructions nécessaires du sergent Bulmer, je viens vous rappeler certaines directives que j'ai reçues au sujet du rapport sur mes prochaines recherches, que je dois préparer pour le soumettre à examen en haut lieu.

La raison de ma lettre et de l'analyse que je vous prie de faire de ce que j'ai écrit avant de le transmettre à de plus hautes autorités est, m'a-t-on dit, de me donner, étant encore inexpérimenté, l'avantage de vos avis au cas où j'en aurais besoin tout au long de mon enquête (ce qui, j'ose l'espérer, ne se produira pas).

Comme les circonstances extraordinaires du cas dans lequel je suis engagé à présent ne me permettent pas de m'absenter de l'endroit où le vol a été commis avant d'avoir fait quelque progrès vers la découverte du voleur, je suis naturellement empêché de vous consulter personnellement. D'où la nécessité pour moi de vous écrire les différents détails qu'il serait peut-être préférable de vous communiquer de vive voix. C'est, si je ne me trompe, la situation dans laquelle nous sommes à présent placés. Je classe mes impressions sur le sujet par écrit, de façon que nous puissions nous comprendre parfaitement et clairement à distance, et j'ai l'honneur de demeurer

Votre obéissant serviteur,

Mathieu Sharpin.

De l'inspecteur en chef à Mr Mathieu Sharpin :

Londres, le 6 juillet 18..

Monsieur,

Vous avez commencé par dépenser inutilement temps, encre et papier. Nous connaissions parfaitement la situation dans laquelle nous sommes l'un vis-à-vis de l'autre quand je vous ai envoyé avec ma lettre chez le sergent Bulmer.

Il n'y avait aucune nécessité de le répéter par écrit. Soyez assez bon d'employer dorénavant votre plume uniquement pour l'affaire actuellement en train. Il y a trois points distincts au sujet desquels vous avez à m'écrire.

Primo : vous devez m'adresser un rapport sur les instructions que vous avez reçues du sergent Bulmer de façon à nous prouver que rien n'a échappé à votre mémoire, et que vous êtes parfaitement au courant de toutes les circonstances qui accompagnent le cas qui vous est actuellement confié.

Secundo : vous devez m'informer de ce que vous vous proposez de faire.

Tertio : vous devez tenir un rapport de chaque progrès (si vous en faites) que vous accomplirez de jour en jour, et s'il y a lieu d'heure en heure. Voilà « votre » devoir. Quant à celui qui m'incombe, quand je voudrai que vous m'en fassiez souvenir, je vous écrirai pour vous le dire.

En attendant, je reste votre

Francis Theakstone.

De Mr Mathieu Sharpin à l'inspecteur en chef Theakstone :

Lundi, 6 juillet 18..

Monsieur,

Vous êtes plutôt un homme d'âge et comme tel, porté à être un peu jaloux des jeunes gens qui, à mon exemple, sont dans leur prime jeunesse.

Dans ces circonstances, il est de mon devoir d'être indulgent envers vous et de ne pas ressentir trop durement vos petites faiblesses. Je me refuse donc à m'offenser en aucune manière de votre lettre et vous donne le bénéfice de la générosité naturelle de ma nature. Je veux chasser de ma mémoire jusqu'au souvenir de votre hargneuse communication.

En résumé, inspecteur chef Theakstone, je vous pardonne et reviens à mon affaire. Mon premier devoir est de vous envoyer le rapport complet et détaillé des instructions que j'ai reçues du sergent Bulmer. Les voici à votre service, suivant ce que j'en ai retenu :

Au n° 13 de la rue Rutherford à Soho se trouve une boutique de parapluies. Elle est tenue par un certain Mr Yatman. Il est marié mais n'a pas d'enfants. Outre Mr et Mrs Yatman, les habitants de la maison sont : un locataire célibataire du nom de Jay qui occupe la chambre du second étage, un garçon de magasin qui loge dans une des mansardes et une servante à tout faire dont le lit se trouve dans l'arrière-cuisine. Une fois par semaine, une femme de ménage vient aider cette servante. Ce sont les seules personnes ayant journellement accès dans la maison, qui naturellement doit leur rester ouverte.

Mr Yatman, qui est dans les affaires depuis de longues années, a vu prospérer sa maison au point qu'elle lui a procuré une belle indépendance pour un homme de sa condition. Malheureusement, il a entrepris d'accroître encore sa fortune par des spéculations. Il a risqué de fortes sommes dans ses placements, mais la chance a été contre lui, et en moins de deux ans, il s'est retrouvé pauvre à nouveau.

Tout ce qu'il a pu sauver du naufrage de sa fortune, c'est une somme de deux cents livres. Quoiqu'il ait fait de son mieux pour réagir à cette situation en renonçant à tout le luxe et le confort auxquels sa femme et lui avaient été habitués, il lui a été impossible de réduire assez son train de vie pour se contenter du seul revenu de la boutique. Le commerce a décliné ces dernières années, des papetiers annonçant des articles au rabais ont éloigné la clientèle...

Bref, la semaine dernière, toute la fortune de Mr Yatman se réduisait à ces deux cents livres sauvées de la catastrophe. Cette somme était placée en dépôt dans une banque jouissant de la meilleure réputation.

Il y a huit jours, Mr Yatman et Mr Jay ont eu une conversation au sujet des difficultés commerciales qui paralysent actuellement la vente dans toutes les directions. Mr Jay (qui vit du produit de petits articles placés dans les journaux relatant les accidents, querelles et brefs récits de remarquables événements en général, métier qu'en résumé on appelle le penny-ligne) a dit à son propriétaire qu'il était allé en ville ce même jour et qu'il avait entendu des rumeurs défavorables au sujet de la banque en question.

Les rumeurs auxquelles il a fait allusion étant déjà parvenues aux oreilles de Mr Yatman par d'autres canaux, la remarque ajoutée par son locataire l'a inquiété à tel point que, prédisposé comme il l'était à s'alarmer par l'expérience de ses anciennes pertes d'argent, il a décidé d'aller immédiatement retirer son dépôt. C'était vers la fin de l'après-midi, et il est arrivé juste à temps pour recevoir son argent avant que la banque ne ferme.

Il a reçu la somme en billets dont voici le détail : un de cinquante livres, trois de vingt livres, six de dix livres et six de cinq livres. En demandant l'argent sous cette forme, son but était de l'avoir tout prêt en petites coupures à placer immédiatement en petits prêts, avec bonne garantie, parmi les petits travailleurs de son district qui sont souvent si terriblement pressés pour leurs moyens d'existence actuels. Les placements de cette sorte semblaient à Mr Yatman l'opération la plus sûre et la plus profitable dans laquelle il pouvait encore oser s'aventurer.

Il a emporté ses fonds dans une enveloppe placée dans la poche intérieure de son veston et a demandé à son garçon de magasin, en rentrant chez lui, de retrouver une petite caisse à argent dont il ne s'était plus servi depuis des années, et qui, il s'en souvenait, avait juste les dimensions voulues pour contenir les billets.

Pendant tout un temps, la caisse est restée introuvable ; Mr Yatman a appelé sa femme pour lui demander si elle n'avait aucune idée de l'endroit où elle pouvait se trouver. La question a dû être entendue par la servante à tout faire — qui apportait précisément le plateau pour le thé — et par Mr Jay, qui descendait l'escalier pour se rendre au théâtre. Finalement, la boîte a été retrouvée par le garçon de magasin. Mr Yatman y a placé les billets et l'a mise dans la poche de sa veste. Elle en dépassait à peine, mais assez pourtant pour être vue. Il est resté en bas toute la soirée. Aucune visite n'est venue. À 10 heures, il s'en est allé au lit et a déposé la petite caisse sous son oreiller.

Quand lui et sa femme se sont éveillés le lendemain matin, la boîte avait disparu. On a immédiatement fait suspendre le paiement des billets dans les banques d'Angleterre, mais aucune nouvelle de l'argent n'a été obtenue depuis ce jour.

Jusqu'ici, les circonstances du cas sont parfaitement claires. Elles conduisent immanquablement à la conclusion que le vol doit avoir été commis par une des personnes habitant la maison. Les soupçons sont donc tombés sur la servante, le garçon de magasin et Mr Jay.

Les deux premiers savaient que leur maître avait cherché cette boîte, mais ils ignoraient ce qu'il voulait mettre dedans. Ils devaient pourtant présumer que c'était de l'argent. Tous deux ont eu l'occasion (la servante quand elle a emporté le plateau du thé, le garçon quand, après avoir fermé le magasin, il est venu donner les clefs à son maître) de voir la caisse à argent dépasser de la poche de Mr Yatman, et en conclure naturellement qu'il comptait l'emporter avec lui dans sa chambre à coucher.

Quant à lui, Mr Jay a appris pendant sa conversation de l'après-midi au sujet de la banque que son propriétaire y avait un dépôt de deux cents livres. Il savait aussi que Mr Yatman l'avait quitté avec l'intention d'aller retirer son argent, et il a entendu sa demande au sujet de la boîte en descendant l'escalier pour sortir. Il a dû en conclure que l'argent se trouvait dans la maison et que cette petite caisse était le réceptacle destiné à le contenir.

Mais il est impossible qu'il ait eu la moindre idée de l'endroit où Mr Yatman allait la mettre pour la nuit, puisque, parti avant qu'elle soit retrouvée, il n'est rentré qu'après que son propriétaire fut au lit. Par conséquent, si c'est lui qui a commis le vol, sa recherche dans la chambre à coucher ne repose que sur des suppositions.

Parlant de la chambre à coucher, je me souviens qu'il est nécessaire de noter sa situation dans la maison et les moyens par lesquels on peut facilement y accéder à toute heure de la nuit.

La pièce en question est située à l'arrière de la maison, au premier étage. En raison de la nervosité naturelle de Mrs Yatman et de sa terreur du feu — car elle redoute par-dessus tout d'être brûlée vive dans sa chambre en cas d'incendie —, le loquet étant cassé et la serrure fonctionnant de l'intérieur, son mari a pris l'habitude de ne jamais fermer sa porte à clef.

Tous deux sont de leur propre avis de profonds dormeurs. Par conséquent, le risque couru par une personne mal intentionnée en pénétrant la nuit dans leur chambre était très mince. Elle a pu y entrer en tournant simplement le loquet de la porte, et si elle s'est déplacée avec les précautions habituelles en pareil cas, il n'y avait aucun risque de les réveiller.

Ce fait a beaucoup d'importance et fortifie notre conviction que l'argent doit avoir été volé par un des familiers de la maison, parce que cela tend à démontrer que l'acte a alors été commis par une ou des personnes ne possédant pas l'astuce et l'adresse de cambrioleurs expérimentés.

Voici les circonstances telles qu'elles ont été rapportées au sergent Bulmer quand il a été appelé à découvrir le ou les coupables, et si possible à retrouver les billets perdus. La plus stricte enquête qu'il ait pu faire a échoué, en ce sens qu'elle n'est parvenue à produire aucune preuve contre chacune des personnes sur lesquelles les soupçons devaient naturellement se porter.

Leurs paroles et leur attitude en apprenant le vol

ont été en tout point celles de gens innocents. Le sergent Bulmer a pensé dès le début que c'était là un cas qui exigeait une enquête privée et des observations secrètes. Il a commencé par recommander à Mr et Mrs Yatman d'affecter une confiance absolue dans l'innocence des personnes vivant sous leur toit, et il a alors ouvert sa campagne, surveillant lui-même les allées et venues, découvrant les amis, les habitudes et les secrets de la servante à tout faire.

Trois jours et trois nuits exténuants pour lui et les aides compétents qu'il s'était adjoints pour l'aider dans ses investigations ont suffi à lui prouver qu'il n'existait aucune raison de soupçonner cette brave fille.

Il a recommencé le même travail au sujet du garçon de magasin. Il a eu beaucoup de difficultés pour découvrir ses particularités sans que le jeune homme s'en aperçoive, mais à la fin les obstacles ont été surmontés avec un certain succès, et bien qu'il n'ait pas encore obtenu la même certitude que pour la servante, il y a pourtant de bonnes raisons de croire qu'il n'a pris aucune part au vol de la caisse à argent.

En conséquence, les soupçons se portent à présent sur le locataire, Mr Jay.

Quand j'ai présenté votre lettre d'introduction au sergent Bulmer, il avait déjà mené plusieurs enquêtes au sujet de ce jeune homme. Le résultat n'en est pas des plus favorables.

Les habitudes de Mr Jay sont irrégulières, il fréquente les cafés et semble en termes familiers avec beaucoup de personnes dissolues. Il est en dette vis-à-vis de la plupart de ses fournisseurs et n'a pas encore payé à Mr Yatman son dernier terme de loyer. Hier soir il est rentré ivre et la semaine dernière il a été vu en conversation avec un boxeur. En résumé, quoique Mr Jay se présente lui-même comme un journaliste en vertu de sa modeste contribution aux journaux, c'est un jeune homme aux goûts et aux habitudes vulgaires ayant de mauvaises fréquentations. Rien n'a encore été découvert à son sujet qui relève son crédit si peu que ce soit.

J'ai à présent rapporté jusqu'au plus petit point tous les détails qui m'ont été communiqués par le sergent Bulmer.

Je crois que vous ne trouverez nulle part d'omission, et je pense que vous devez admettre, bien que vous soyez prévenu contre moi, que jamais plus clair état des faits n'a été exposé devant vous que celui que je vous envoie. Mon nouveau devoir est de vous dire ce que je me propose de faire à présent que l'enquête m'est confiée.

En premier lieu, c'est clairement mon affaire de reprendre le problème au point où le sergent Bulmer l'a laissée. M'appuyant sur son autorité, je suis justifié d'admettre que je n'ai plus à m'occuper de la servante ni du garçon de magasin. Leur honnêteté semble avoir été suffisamment prouvée.

Ce qui reste à découvrir secrètement, c'est la question de la culpabilité ou de l'innocence de Mr Jay. Avant de considérer les billets de banque comme perdus, nous devons nous assurer s'il est possible qu'il n'en connaisse rien.

Voici le plan que j'ai formé avec la pleine approbation de Mr et Mrs Yatman pour découvrir si leur locataire est oui ou non la personne qui a volé la caisse à argent.

Je compte me présenter à la maison aujourd'hui comme étant un jeune homme qui cherche un logement. La seconde chambre du deuxième étage me conviendra et me sera louée. Je m'y établirai ce soir comme un provincial venu à Londres pour se trouver une situation dans une respectable maison de commerce ou un bureau.

De cette façon, je vivrai dans la pièce contiguë à celle de Mr Jay. La cloison qui nous sépare n'est que du plâtre ; j'y ferai un petit trou près de la corniche à travers lequel je pourrai voir ce que ce jeune homme fait dans la sienne et entendre chaque mot qu'il dira à des amis s'il en reçoit en visite.

Dès qu'il sera dans la maison, moi je serai à mon poste d'observation. Quand il sortira, je le suivrai aussitôt à distance. Par ces moyens de surveillance continuelle, je crois pouvoir espérer surprendre son secret — s'il connaît quelque chose de la disparition des billets de banque — avec certitude.

Je ne puis savoir ce que vous penserez de mon plan d'observation. Il me semble à moi unir l'audace à la simplicité.

Fort de cette conviction, je termine la présente communication en espérant arriver prochainement à des résultats plus concrets et demeure

Votre obéissant serviteur,

Mathieu Sharpin.

Du même au même :

Monsieur,

Comme vous n'avez honoré ma dernière communication d'aucune réponse, je suppose qu'en dépit de vos préventions contre moi, elle a produit sur vous la favorable impression que je m'aventurais à espérer.

Reconnaissant et encouragé par l'approbation tacite que votre éloquent silence me confère, je continue mon rapport des progrès qui ont été réalisés au cours des dernières vingt-quatre heures.

Je suis à présent confortablement installé porte à porte avec Mr Jay, et je suis heureux de vous annoncer que j'ai deux trous dans la cloison au lieu d'un. Mon goût naturel de l'humour m'a fait commettre la pardonnable extravagance de leur donner des noms appropriés.

J'appelle l'un mon « Judas » et l'autre mon « Tuyau de pipe ». Le premier s'explique de lui-même, le second se rapporte à une sorte de mince petit tube que j'enfonce dans le trou, de telle façon que l'entrée aboutit à mon oreille tandis que je suis à mon poste d'observation.

Ainsi, pendant que je regarde Mr Jay à travers mon Judas, je puis entendre clairement par mon Tuyau de pipe toute parole prononcée dans la chambre.

Une parfaite sincérité — vertu que je possède depuis l'enfance — m'oblige à reconnaître, avant d'aller plus loin, que l'ingénieuse pensée d'ajouter le Tuyau de pipe au Judas est due à Mrs Yatman.

Cette dame — une personne très intelligente et accomplie, simple, mais de manières distinguées — est entrée dans tous mes petits plans avec un enthousiasme et une compréhension que je ne pourrais trop louer. Son mari est si abattu par la perte de son argent qu'il est tout à fait incapable de m'apporter la moindre assistance.

Mrs Yatman, qui lui est évidemment tendrement attachée, souffre de voir la dépression de son mari de façon bien plus aiguë qu'elle ne ressent la perte des billets de banque, et est stimulée jusqu'à l'épuisement par son désir de l'aider à sortir du misérable état de prostration dans lequel il est tombé.

« L'argent, Mr Sharpin... » me disait-elle hier soir les larmes aux yeux, « l'argent peut être regagné par une rigide économie et un grand soin des affaires. Mais c'est l'état d'abattement de mon mari qui me rend si anxieuse de découvrir le voleur. Je puis me tromper, mais j'ai eu confiance dans votre réussite dès que vous êtes entré dans la maison, et je crois que si le coquin qui nous a volés doit être découvert, vous êtes l'homme qui y parviendrez. »

J'ai accepté ce compliment flatteur dans le même esprit qu'il m'était adressé, et je crois fermement que je me trouverai tôt ou tard l'avoir mérité.

Mais retournons à l'affaire, c'est-à-dire à mon Judas et à mon Tuyau de pipe.

J'ai joui de quelques heures de calme observation de Mr Jay. Bien qu'étant rarement chez lui, comme je l'ai déduit des dires de Mrs Yatman, il y est pourtant demeuré aujourd'hui toute la journée. Cela éveille déjà mes soupçons. J'ai également à vous notifier qu'il s'est levé tard, très tard ce matin (toujours un mauvais signe chez un jeune homme) et qu'ensuite, il a perdu beaucoup de temps en bâillant et se plaignant à lui-même de mal de tête.

Comme beaucoup de débauchés, il mange peu ou rien au petit déjeuner. Sa première action a été de fumer une sale et courte pipe de terre qu'un gentleman aurait été honteux de mettre entre ses lèvres. Après cela, il a pris une plume et du papier et s'est assis pour écrire en poussant un gémissement — était-ce de remords pour avoir volé les billets de banque ou de dégoût pour la tâche qu'il avait devant lui, je ne sais.

Il a noirci quelques lignes (trop loin de mon Judas pour que je puisse espérer lire par-dessus son épaule), puis il s'est appuyé au dossier de sa chaise et s'est amusé à fredonner des refrains de chants populaires. J'ai reconnu *Ma Marie-Aimée*, *Automne de Robin*, *Le vieux chien de charrette* parmi d'autres mélodies. Que celles-ci soient ou ne soient pas des signaux secrets par lesquels il communique avec ses complices reste encore à découvrir.

Il s'est détendu ainsi quelque temps en fredonnant avant de se lever et de commencer à marcher autour de la chambre, s'arrêtant parfois pour ajouter une phrase sur le feuillet posé sur son pupitre. Puis, peu après, il s'est dirigé vers un buffet fermé et l'a ouvert.

J'ai appliqué fiévreusement mon œil dans l'espoir de faire une découverte, mais non : je l'ai vu prendre soigneusement quelque chose dans le meuble, se retourner... ce n'était qu'une bouteille d'une pinte de brandy. Ayant bu une certaine quantité de la liqueur, ce réprouvé extrêmement indolent s'est remis sur son lit, et en cinq minutes il était de nouveau endormi !

Après l'avoir écouté ronfler pendant au moins deux heures, j'ai été rappelé à mon Judas par un coup frappé à sa porte. Il a sauté de son lit et a ouvert, faisant montre d'une surprenante activité.

Un très petit garçon avec un visage très sale est entré dans la chambre et a dit : « S'il vous plaît, monsieur, ils attendent après vous. » Puis il s'est assis sur une chaise avec ses jambes très loin du plancher et est tombé instantanément endormi ! Mr Jay a étouffé un juron, s'est mis un bandeau mouillé autour de la tête et, revenant à ses feuillets, a commencé à écrire aussi vite que ses doigts pouvaient faire mouvoir sa plume. De temps en temps, il plongeait le bandeau dans l'eau et le rattachait.

Il a continué ce travail pendant près de trois heures, alors il a plié les feuillets couverts de son écriture, a éveillé le gamin et les lui a donnés, y ajoutant ces paroles : « Allons, jeune flemmard ! En avant, marche ! Si vous voyez le gouverneur, dites-lui d'avoir l'argent prêt pour quand j'irai le chercher. » Le garçon a ricané et il a disparu.

J'étais horriblement tenté d'accompagner le « jeune flemmard », mais en y réfléchissant, j'ai trouvé plus sûr encore de continuer à garder un œil sur les actions de Mr Jay.

Une demi-heure plus tard, il a mis son chapeau et est sorti. Évidemment, j'ai mis mon chapeau et suis sorti aussi. Comme je descendais l'escalier, j'ai croisé Mrs Yatman qui montait. La dame avait été assez bonne pour accepter d'entreprendre, d'après un arrangement pris entre nous, des recherches dans la chambre de Mr Jay quand il serait hors du chemin et que je serais naturellement retenu par l'agréable devoir de l'accompagner partout où il irait.

Cette fois-ci, il s'est dirigé droit dans la plus proche taverne et a commandé une couple de côtelettes de mouton pour son dîner. Je me suis glissé dans la case à côté de lui et ai commandé une couple de côtelettes de mouton pour mon dîner. Avant qu'une minute se soit écoulée, un jeune homme d'aspect et de manières très suspects assis à une table opposée a pris son verre de bière et est venu s'installer à la table de Mr Jay.

J'ai feint de lire le journal tandis que, comme mon devoir me le commandait, j'écoutais de toutes mes oreilles.

« Jack est venu demander après vous ! a dit le jeune homme.

— A-t-il laissé un message ? a demandé Mr Jay.

— Oui, a répondu l'autre. Il m'a demandé de vous dire si je vous voyais qu'il souhaitait très particulièrement vous voir ce soir et qu'il pousserait la tête rue Rutherford à 7 heures.

— Parfait ! a commenté Mr Jay. Je rentrerai à temps pour le recevoir. »

Là-dessus, le jeune homme à l'aspect douteux a fini sa bière en disant qu'il était très pressé, a pris congé de son ami (peut-être ne ferais-je pas mal de dire plutôt son complice) et a quitté la salle.

À 6 heures et vingt-cinq minutes — dans ces cas graves, il est important d'être très exact quant aux heures —, Mr Jay a terminé ses côtelettes. Il a payé sa note. À 6 heures et quarante-cinq minutes, je terminais les miennes et payais ma note.

Cinq minutes après, j'étais rue Rutherford et reçu dans le couloir par Mrs Yatman. Le visage de cette charmante femme exprimait tant de mélancolie et de désappointement qu'il m'a fait vraiment mal à voir.

« Je crains, madame, que vous n'ayez pas fait la plus petite découverte dans la chambre de votre locataire... » ai-je dit. Elle a secoué la tête et a soupiré. C'était un triste et languissant soupir qui m'est allé au cœur ; à cet instant j'ai oublié « l'affaire » et me suis senti dévoré de jalousie contre Mr Yatman.

« Ne vous désespérez pas, madame », ai-je poursuivi avec une insinuante douceur qui a paru la toucher. « J'ai entendu tout à l'heure une mystérieuse conversation. Je suis informé d'un coupable rendez-vous, et j'espère découvrir des choses importantes. Je vous en prie, ne soyez pas alarmée, je crois que nous sommes sur le chemin de la découverte. »

Ici mon dévouement enthousiaste pour « l'affaire » l'a emporté sur mes tendres sentiments. Je l'ai regardée, lui ai fait un clin d'œil de connivence, l'ai saluée et suis parti.

En atteignant mon observatoire, j'ai vu Mr Jay digérer ses côtelettes dans un fauteuil, sa sale pipe entre les dents. Sur la table étaient déposés deux gobelets, un pot d'eau et une bouteille d'une pinte de brandy.

Il était presque 7 heures, et comme les sept coups

sonnaient, l'individu décrit comme étant Jack est entré dans la chambre. Il paraissait agité — je suis heureux de pouvoir assurer qu'il semblait même violemment agité. La lueur joyeuse du succès se diffusait (pour employer une forte expression) en moi de la tête aux pieds. Je regardais par mon Judas avec un intérêt passionné, ayant le visiteur assis en face de moi, de l'autre côté de la table de Mr Jay. En tenant compte de la différence d'expression que révélait à ce moment leur attitude, ces deux infâmes personnages semblaient deux frères, Jack étant le plus élégant et le mieux habillé des deux, je l'admets dès le début.

C'est peut-être une de mes faiblesses de pousser la justice et l'impartialité jusqu'à leurs extrêmes limites. Je ne suis pas un Pharisien ; quand le Vice est clairement exposé, je dis : « Oui, que le Vice ait ce qu'il mérite. Oui, oui, par n'importe quel moyen, qu'il reçoive ce qu'il mérite ! »

« Qu'arrive-t-il, Jack ? a demandé Mr Jay.

— Ne pouvez-vous pas le deviner à ma figure ? a-t-il répliqué. Mon cher ami, les délais sont dangereux. Cessons de demeurer comme cela en suspens, et risquons-le après-demain !

— Si tôt que cela ! s'est écrié Mr Jay, semblant très étonné. Bien ! Je suis prêt, si vous l'êtes. Mais je vous le demande, Jack, *quelqu'un d'autre* est-il prêt aussi ? Êtes-vous tout à fait sûr de cela ? »

Il a souri tout en parlant — un effroyable sourire ! — et a mis une certaine emphase à prononcer le mot « quelqu'un ». Cela désignait évidemment un troisième bandit, un infâme sans nom mêlé aussi à l'affaire.

« Venez nous voir demain, a dit Jack, et jugez par vous-même. Soyez au parc du Régent le matin à 10 heures et attendez-nous au tournant qui mène au chemin de l'Avenue.

— J'y serai. Prenez une gorgée de brandy et d'eau. Que faites-vous ? Vous ne partez pas encore ?

— Si, je pars, a-t-il déclaré. Le fait est que je suis agité et si excité que je ne puis rester dix minutes à la même place. Quelque ridicule que cela puisse vous paraître, je suis dans un état de perpétuelle anxiété nerveuse. Je ne peux m'empêcher de craindre que nous soyons découverts. Je m'imagine que chaque homme qui me regarde deux fois dans la rue est un espion. »

À ces mots, j'ai cru que mes jambes allaient se dérober sous moi. Ma force de volonté seule est parvenue à me faire demeurer à mon Judas, et rien d'autre, je vous en donne ma parole d'honneur.

« Bêtises que tout cela ! s'est écrié Mr Jay avec toute l'effronterie d'un vétéran du crime. Nous avons gardé le secret jusqu'ici, et nous agirons avec intelligence jusqu'au bout. Prenez une gorgée d'eau et de brandy, je vous le répète, et vous en serez aussi certain que je le suis moi-même. »

Jack a refusé fermement et a persisté aussi fermement à s'en aller.

« Je deviendrais trop nerveux si je n'allais pas marcher un peu. N'oubliez pas : demain matin à 10 heures. Chemin de l'Avenue, le long du parc du Régent. »

Sur ces mots, il est sorti ; son compagnon, endurci, s'est mis à rire désespérément, puis il a repris l'horrible petite pipe de terre.

Je me suis assis un moment sur le bord de mon lit, tout frissonnant d'excitation.

Il est clair pour moi qu'aucune démarche n'a encore été tentée pour changer les billets volés, et je puis ajouter que c'était aussi l'opinion du sergent Bulmer quand il m'a remis l'affaire entre les mains.

Quelle est la conclusion naturelle à tirer de la conversation à laquelle je viens d'assister ? Évidemment que les compères se verront demain pour se partager l'argent volé et décider des moyens les plus sûrs à employer pour changer ces billets le jour suivant.

Mr Jay est sans doute le principal criminel en cette affaire, et il doit probablement courir le risque le plus lourd — celui de changer les billets de cinq livres. Je dois par conséquent m'attacher spécialement à ses pas, me trouver demain au parc du Régent et faire de mon mieux pour entendre ce qui s'y dira.

Si un autre rendez-vous est fixé pour le lendemain, je dois évidemment y être aussi. Mais je dois vous demander de m'adjoindre deux hommes compétents (en supposant que les coquins se séparent après leur rencontre) pour suivre les deux criminels mineurs. Il est clair d'ajouter que si les gredins s'en vont ensemble, je laisserai probablement mes subordonnés en réserve. Étant naturellement ambitieux, je désire si possible garder pour moi le mérite entier de découvrir le fin mot de ce vol mystérieux.

8 Juillet 18..

324

La Femme rêvée

Je dois vous adresser mes remerciements pour la rapide arrivée de mes deux subordonnés — des hommes de capacités moyennes, je le crains, mais heureusement je serai toujours là pour les diriger.

La première chose à faire ce matin était évidemment d'éviter toute erreur possible en prévenant Mr et Mrs Yatman de la présence de deux nouveaux personnages sur la scène.

Lui (entre nous un malheureux homme faible) a simplement hoché la tête à cette nouvelle et a poussé un gémissement. Son épouse (cette femme supérieure !) m'a lancé un charmant sourire d'intelligence.

« Oh ! Mr Sharpin ! s'est-elle exclamée. Je suis si fâchée de voir ces hommes ! En demandant assistance, vous avez l'air de commencer à douter du succès ! »

Je lui ai fait un clin d'œil significatif (elle est assez bonne pour ne pas s'offenser de me voir agir ainsi) et lui ai dit de ma façon facétieuse qu'elle était dans une profonde erreur.

« C'est parce que je suis sûr de réussir, madame, que je les ai demandés. Je suis déterminé à retrouver l'argent non seulement pour ma satisfaction, mais pour celle de Mr Yatman et pour la vôtre. »

J'ai prononcé ces trois derniers mots avec une force extraordinaire.

« Oh ! Mr Sharpin ! » a-t-elle répété tandis que son visage se couvrait d'une rougeur céleste. Puis elle s'est penchée sur son ouvrage. Je pourrais emmener cette femme au bout du monde, si seulement son mari voulait mourir !

J'ai envoyé mes deux subordonnés attendre mes ordres au chemin de l'Avenue, à la porte du parc du

325

Régent. Une demi-heure plus tard, je partais dans la même direction, sur les talons de Mr Jay.

Les deux compères étaient ponctuels au rendez-vous et je rougis de devoir le reconnaître, mais il est néanmoins nécessaire de préciser que le troisième coquin, l'infâme sans nom de mon rapport (ou si vous préférez, le mystérieux « quelqu'un » de la conversation entre les deux frères) était une femme ! Et ce qui est pire : une jeune femme... Ce qui est encore plus lamentable : une très jolie jeune femme.

J'ai longtemps refusé d'admettre que, quel que soit le méfait dont on s'occupe, une représentante du beau sexe y est inévitablement mêlée. Après l'expérience de ce matin, je ne puis combattre cette conclusion plus longtemps. Je renonce au beau sexe — en exceptant Mrs Yatman. Je renonce au beau sexe !

L'homme dénommé Jack a offert son bras à la dame, Mr Jay s'est placé de l'autre côté, et les trois personnes se sont promenées lentement parmi les arbres. Je les accompagnais toujours à une distance respectueuse, et mes deux subordonnés nous suivaient avec le même intervalle.

Il m'était, je regrette de devoir le dire, impossible de les approcher assez pour entendre leur conversation sans courir un risque sérieux d'être découvert. Je pouvais seulement inférer de leurs gestes et de leurs actes qu'ils parlaient tous trois avec une ardeur extraordinaire d'un sujet qui devait les concerner également.

Après une promenade d'un quart d'heure, ils se sont retournés brusquement pour revenir sur leurs pas. Ma présence d'esprit ne m'a pas abandonné dans cette extrémité. J'ai fait signe à mes subordonnés de continuer à marcher d'un air insouciant et de les croiser, tandis que je me glissais avec dextérité derrière un arbre. Quand ils sont passés près de moi, j'ai entendu Jack adresser ces mots à Mr Jay :

« Disons à 10 heures et demie demain matin, et pensez à venir dans un cab. Il vaut mieux ne pas nous risquer à en prendre un dans le voisinage. »

L'homme a fait une brève réponse que je n'ai pu saisir. Ils sont arrivés à l'endroit où ils s'étaient rencontrés et se sont serré la main avec une audacieuse cordialité qui m'a fait mal à voir. Puis ils se sont séparés. J'ai accompagné Mr Jay, mes subordonnés ayant la même délicate attention envers les deux autres.

Au lieu de me ramener rue Rutherford, Mr Jay m'a emmené au Strand. Il s'est arrêté devant une sale maison d'aspect peu respectable, qui d'après une plaque apposée sur la porte était le bureau d'un journal, mais qui à mon avis avait toute l'apparence extérieure d'un endroit destiné à recevoir des objets volés.

Après être resté quelques minutes à l'intérieur, il est sorti en sifflotant, le pouce dans la poche de son gilet. Certains l'auraient arrêté sur-le-champ, mais je me suis souvenu de la nécessité d'attraper les deux complices et de ne pas manquer le rendez-vous qui avait été fixé au lendemain matin.

Je m'imagine qu'un tel sang-froid dans des circonstances aussi difficiles est rarement rencontré chez un jeune débutant dont la réputation en tant que policier est encore à faire.

De la maison d'apparence douteuse, il s'est rendu à son club où il a lu des magazines en fumant un cigare.

Je me suis assis non loin de lui, j'ai lu des magazines et ai également fumé un cigare. Ensuite, il a flâné jusqu'à la taverne où il a pris ses côtelettes.

Je l'ai suivi dans la taverne et ai demandé des côtelettes. Enfin, quant il a eu fini, il est rentré chez lui. Après avoir achevé mon repas, j'en ai fait autant. Tôt dans la soirée, il a paru tout à coup accablé de fatigue et est allé au lit. Dès que je l'ai entendu ronfler, je me suis aperçu que j'avais aussi sommeil que lui et me suis couché.

Le lendemain matin de bonne heure, mes deux subordonnés venaient me faire leur rapport.

Ils avaient vu l'individu appelé Jack quitter la dame à la porte d'une villa d'apparence respectable, non loin du parc du Régent.

Demeuré seul, il avait tourné à droite, ce qui l'avait mené à une sorte de rue suburbaine, principalement habitée par des marchands. Il s'était arrêté à la porte particulière d'une de ces maisons, y était entré avec sa clef, regardant autour de lui pendant qu'il ouvrait la porte, fixant mes hommes d'un air soupçonneux tandis qu'ils passaient sur le trottoir opposé. Ce sont là toutes les particularités que mes subordonnés avaient à me communiquer. Je les ai emmenés dans ma chambre pour les garder sous la main s'il était nécessaire et suis allé à mon Judas pour jeter un coup d'œil à Mr Jay.

Il faisait sa toilette, prenant une peine extraordinaire à détruire toutes les traces de son habituelle négligence. C'était justement ce à quoi je m'attendais. Un vagabond comme lui sait fort bien qu'il faut se donner une respectable apparence quand on va courir le risque de changer des billets de banque volés.

À 10 heures et cinq minutes, il avait donné le dernier coup de brosse à son chapeau fripé et achevé de frotter ses gants sales avec une croûte de pain.

À 10 heures et dix minutes, il était en bas et se dirigeait vers le plus proche stationnement de voitures, tandis que mes hommes et moi marchions sur ses talons.

Un instant plus tard il montait dans un cab, et nous entrions dans un autre. En les suivant la veille dans le parc, je n'avais pu entendre quel était leur lieu de rencontre, mais j'ai bientôt découvert que nous prenions la même direction du chemin de l'Avenue. Le cab dans lequel se trouvait Mr Jay a tourné doucement dans le parc.

Nous nous sommes arrêtés à l'entrée pour ne pas éveiller de soupçons. Je suis descendu pour l'accompagner à pied. Juste à cet instant, j'ai aperçu les deux compères qui s'avançaient à travers les arbres. Ils sont montés dans la voiture qui a tourné pour repartir. J'ai alors couru à mon cab et ai dit au cocher de les laisser nous dépasser puis de les suivre comme auparavant.

L'homme a obéi à mes injonctions, mais tellement à la lettre qu'il a risqué à chaque instant de nous faire découvrir. Nous les avons ainsi accompagnés pendant trois minutes (reprenant le chemin par où nous étions venus) quand j'ai mis la tête à la portière pour voir à quelle distance nous étions les uns des autres.

Au même moment, j'ai vu deux chapeaux sortir du cab, puis deux visages regarder dans ma direction. Je suis retombé sur la banquette, baigné d'une sueur froide — l'expression est vulgaire, mais aucun autre mot ne pourrait décrire mon état à ce moment critique.

« Nous sommes découverts ! » ai-je soufflé à mes deux subordonnés. Ils me regardaient fixement, stupéfaits. Mon sentiment est immédiatement passé du plus profond désespoir à la plus violente indignation.

« C'est de la faute de ce cocher ! Que l'un de vous sorte ! » ai-je dit avec dignité. « Sortez et allez lui laver la tête. »

Au lieu d'obéir à mes injonctions (et je souhaite que cette désobéissance soit rapportée en haut lieu), ils ont regardé tous les deux par les portières. Avant que j'aie eu le temps de les tirer en arrière, ils se sont rassis de nouveau, et avant que j'aie pu leur exprimer ma juste indignation, ils ont ricané tous deux en me disant :

« Regardez dehors, s'il vous plaît, monsieur. »

J'ai regardé dehors. Leur cab s'était arrêté !

Où ?

À la porte d'une église !

Je ne sais quel effet aurait produit cette découverte sur le commun des mortels. Étant très religieux moi-même, elle m'a rempli d'horreur. J'ai souvent lu des récits de l'astuce de certains criminels sans principes, mais je n'ai jamais connu le cas de trois voleurs tentant de ruser avec leurs poursuivants en entrant dans une église ! L'audace sacrilège de ce procédé est, je le crois, sans exemple dans les annales du crime.

J'ai réprimé le ricanement de mes subordonnés par un froncement de sourcils. Il était facile d'imaginer ce qui se passait dans leurs esprits superficiels.

La Femme rêvée

Si je n'avais été capable moi-même de voir au-delà de la surface, j'aurais pu en apercevant deux messieurs soigneusement habillés et une élégante jeune femme entrer dans une église avant 11 heures du matin, un jour de semaine, en arriver à la conclusion hâtive qu'ils avaient tirée du tableau.

Mais quelles qu'elles fussent, les apparences n'avaient pas le pouvoir de m'en imposer. Je suis descendu de voiture et suis entré dans l'église suivi d'un de mes hommes. J'ai envoyé l'autre surveiller la porte de la sacristie. Vous pouvez attraper une belette engourdie, mais non votre serviteur Mathieu Sharpin.

Nous avons alors monté l'escalier de la galerie, et arrivés près de l'orgue, j'ai pu jeter un coup d'œil dans l'église entre les rideaux. Ils étaient là, tous trois assis sur un banc en dessous de nous — oui, aussi incroyable que cela puisse paraître, ils étaient en dessous de nous assis sur un banc.

Avant que j'aie pu déterminer ce que nous allions faire, un pasteur a fait son apparition, sortant de la sacristie accompagné d'un sacristain. Mon cerveau est devenu comme une boussole affolée et mes yeux se sont voilés. Le noir souvenir de vols commis dans des sacristies a flotté dans mon esprit. Je tremblais pour l'excellent homme d'église. Je tremblais pour le sacristain.

Le pasteur s'est placé sur les marches de l'autel. Les trois reprouvés se sont approchés de lui. Il a ouvert son livre et a commencé à lire. Quoi ? devez-vous vous demander.

Je réponds sans la plus légère hésitation : les premières lignes du service du mariage !

Ici, mon subordonné a eu l'audace de me regarder, puis de se fourrer son mouchoir de poche dans la bouche. J'ai à peine fait attention à lui. Après avoir découvert que le dénommé Jack était le marié et que l'individu Jay jouait le rôle du père, conduisant la mariée, je suis sorti de l'église suivi de mon homme et ai rejoint le second à la porte de la sacristie.

D'autres se seraient peut-être découragés et auraient commencé à se demander s'ils n'avaient pas fait une terrible erreur. Moi, je ne me suis pas laissé troubler par le moindre doute à ce sujet. Je ne me sentais aucunement diminué dans mon estime. Et même à présent, après un laps de temps de trois heures, mon esprit demeure, je suis heureux de le dire, dans le même calme et les mêmes excellentes conditions.

Dès que mes subordonnés et moi avons été rassemblés hors de l'église, je leur ai déclaré mon intention de continuer à suivre la voiture en dépit de ce qui venait de se passer. La raison de cette résolution va immédiatement apparaître. Mes deux aides semblaient étonnés de ma détermination et l'un d'eux a même eu l'impertinence de me demander :

« S'il vous plaît, monsieur, qui poursuivons-nous ? Un homme qui a volé de l'argent, ou un homme qui a volé une femme ? »

Son camarade l'a encouragé en riant. Tous deux méritent une réprimande officielle, et tous deux, je le crois sincèrement, sont certains de la recevoir.

Quand la cérémonie du mariage a été terminée, les trois individus sont remontés dans leur voiture, et une fois de plus, la nôtre (que j'avais fait arrêter au coin de l'église pour qu'ils ne soupçonnent pas sa présence) s'est mise en marche pour les suivre.

Nous les avons accompagnés ainsi jusqu'au terminus du chemin de fer de l'ouest. Là, le couple nouvellement marié a pris des tickets pour Richmond, les payant avec un demi-souverain, ce qui m'a privé du plaisir de les arrêter (je l'aurais sûrement fait s'il s'était servi d'un billet de banque) et a quitté Mr Jay en lui disant :

« N'oubliez pas l'adresse : 14, terrasse Babylone. Viendrez-vous dîner avec nous demain en huit ? »

Il a accepté l'invitation et a ajouté en badinant qu'il allait maintenant rentrer bien vite, se débarrasser de ses beaux vêtements afin de se retrouver à nouveau en négligé pour le reste de la journée. Je dois ajouter que je l'ai vu effectivement rentrer chez lui sans incident, et qu'il est en effet en négligé (pour me servir de sa vilaine expression) en ce moment.

Ici « l'affaire » demeure au repos, ayant atteint ce que j'appellerais la fin de son premier acte.

Je sais très bien ce que des gens aux jugements précipités seraient portés à dire de mes agissements. Ils assureraient que je me suis trompé sur toute la ligne de la façon la plus absurde. Ils déclareraient que les conversations suspectes que j'ai rapportées se référaient seulement au danger et aux difficultés d'accomplir avec succès un mariage secret, et ils en appelleraient à la scène de l'église comme preuve indéniable de la justesse de leurs assertions.

Laissons-les dire. Je ne discute même pas ce point, mais je pose une question qui m'est suggérée par ma sagesse d'homme du monde, à laquelle le plus acharné de mes ennemis ne trouvera pas, je pense, de réponse.

Ayant admis le fait du mariage, quelle preuve cela me donne-t-il de l'innocence des trois personnes impliquées dans cette transaction clandestine ? Aucune. Au contraire, cela fortifie mes soupçons contre Mr Jay et ses compères parce que cela me suggère un motif clair du vol de cet argent.

Un monsieur qui va passer sa lune de miel à Richmond a besoin d'argent. Est-ce une injustifiable imputation de mauvais motifs ? Au nom de la Moralité outragée, je le dénie ! Ces hommes ont comploté pour enlever une femme ! Pourquoi ne peuvent-ils pas avoir comploté pour obtenir une caisse d'argent ? Je m'appuie sur la logique de la plus rigide Vertu et défie tous les sophistes du Vice de me faire reculer d'un pas de ma position.

Parlant de vertu, je dois ajouter que j'ai exposé mes vues à Mr et Mrs Yatman. Cette femme charmante et accomplie a d'abord trouvé difficile de suivre la trame serrée de mon raisonnement. Je suis forcé de reconnaître qu'elle a commencé par hocher la tête, verser des larmes et se joindre aux lamentations prématurées de son mari sur la perte des deux cents livres.

Mais une plus soigneuse explication de ma part et une attention plus soutenue de la sienne ont finalement modifié son opinion. Elle a reconnu avec moi qu'il n'y avait rien dans cette circonstance inattendue du mariage clandestin qui tendait absolument à écarter les soupçons planant sur Mr Jay, Mr Jack ou la dame qui s'était enfuie, « cette audacieuse coquine », comme l'a désignée ma blonde amie en parlant d'elle. Mais passons. Je le rapporte plutôt dans le but de montrer que Mrs Yatman n'a pas perdu confiance en moi ; son mari a promis de suivre son exemple en faisant son possible pour paraître optimiste quant aux résultats futurs de l'affaire.

Devant cette tournure nouvelle des événements, je dois à présent prendre l'avis de votre bureau. J'attends de nouveaux ordres avec toute la tranquillité d'un homme qui a ajouté deux plumes à son chapeau.

J'avais deux raisons de m'obstiner à suivre les complices de l'église jusqu'à la station de chemin de fer. D'abord, j'accomplissais ainsi une chose légale puisque je les crois encore coupables du vol, et ensuite, je faisais du même coup une enquête privée dans le but de connaître l'endroit où les délinquants comptaient aller se cacher et d'avoir l'occasion de donner une très intéressante nouvelle aux parents et amis de la jeune dame.

Ainsi, quoi qu'il arrive, je puis me vanter de ne pas avoir perdu mon temps. Si le bureau approuve ma conduite, j'ai de nouveaux plans tout prêts à lui soumettre en vue d'autres progrès. S'il me blâme, je me rends avec ma compétente information à une jolie villa dans le voisinage du parc du Régent.

De toute façon, cette affaire me mettra de l'argent en poche et fera honneur à ma pénétration d'homme extraordinairement subtil.

Je n'ai plus qu'un mot à ajouter, et c'est ceci : si un individu quelconque s'aventure à prétendre que Mr Jay et ses compères sont innocents de toute parti-cipation au vol de la caisse d'argent, moi, en retour, je défie cet individu — fût-il l'inspecteur en chef lui-même ! — de me dire qui a commis ce vol de la rue Rutherford.

Fort de cette conviction, j'ai l'honneur d'être

Votre très obéissant serviteur,

Mathieu Sharpin.

De l'inspecteur chef Theakstone au sergent Bulmer :

Birmingham, Juillet 18..

Sergent Bulmer,

Cette espèce de marionnette sans cervelle qu'est Mr Mathieu Sharpin a fait un gâchis du cas de la rue Rutherford, exactement comme je l'avais prévu. Le devoir me retient dans cette ville, aussi je vous écris pour vous demander de remettre les choses en ordre.

Je joins à ma lettre les pages de gribouillis que l'individu Sharpin appelle un rapport. Lisez-les entièrement, et quand vous aurez vu clair dans ce fatras, je pense que vous serez d'avis, comme moi, que ce vaniteux garçon a cherché le voleur dans toutes les directions excepté la bonne.

Vous pouvez maintenant mettre la main sur le coupable en cinq minutes. Terminez l'affaire immédiatement, envoyez-moi votre rapport ici, et dites à Mr Mathieu Sharpin qu'il est suspendu jusqu'à nouvel ordre.

Votre

Francis Theakstone.

Du sergent Bulmer à l'inspecteur chef Theakstone :

Inspecteur Theakstone,
Votre lettre et les feuillets joints me sont bien parvenus. Un homme sage, dit le dicton, peut toujours apprendre quelque chose, même d'un fou. Au fur et à mesure que j'avançais dans la lecture du rapport révélant toute sa folie, j'ai vu assez clairement la route à suivre pour terminer cette affaire de la rue Rutherford comme vous l'avez pensé. En une demi-heure j'étais à la maison, et la première personne que j'ai aperçue était Mr Mathieu Sharpin lui-même.

« Venez-vous pour m'aider ? a-t-il demandé.

— Pas exactement, ai-je répondu. Je suis venu vous prévenir que vous étiez suspendu jusqu'à nouvel ordre.

— Très bien ! a-t-il dit, ne paraissant pas perdre un pouce du sentiment de sa valeur. Je pensais bien que vous seriez jaloux de moi. C'est très naturel et je ne vous en blâme pas. Entrez, je vous en prie, et mettez-vous à l'aise. Je vais, moi, faire un petit travail de détective pour mon compte dans le voisinage du parc du Régent. Ra ta ta, sergent ! Ra ta ta... »

Sur ces mots, il s'est mis de lui-même hors du chemin, ce qui était exactement ce que je voulais qu'il fasse.

Aussitôt que la servante a eu refermé la porte, je lui ai demandé d'informer son maître que je désirais lui dire un mot en particulier. Elle m'a conduit dans le parloir derrière la boutique, et là j'ai trouvé Mr Yatman seul, lisant son journal.

« Au sujet de l'affaire du vol, monsieur... » lui ai-je dit.

Il m'a arrêté net avec assez de mauvaise humeur — étant naturellement un pauvre homme faible et d'une sensibilité féminine.

« Oui, oui, je sais, a-t-il dit. Vous êtes venu me dire que votre collègue si étonnamment intelligent qui a foré des trous dans ma cloison du second étage a fait une erreur et renonce à découvrir le bandit qui m'a volé mon argent.

— Oui, monsieur. C'est *une* des choses que je viens vous dire, mais j'en ai une autre aussi à vous communiquer.

— Pouvez-vous m'apprendre qui est le voleur ? a-t-il demandé, plus bougon que jamais.

— Oui, monsieur, je crois que je le puis. »

Il a déposé son journal et a commencé à me fixer d'un air plutôt anxieux et effrayé.

« Ce n'est pas mon garçon de magasin ? J'espère pour ce malheureux garçon que ce n'est pas lui !

— Devinez de nouveau, monsieur, ai-je dit.

— Cette paresseuse souillon de servante ? s'est-il écrié.

— Elle est paresseuse, monsieur, et c'est une souillon. Mes premières enquêtes ne me l'ont que trop prouvé. Mais elle n'est pas le voleur !

— Alors, au nom du ciel, qui est-ce ? a-t-il demandé, très agité.

— Voulez-vous, s'il vous plaît, monsieur, vous préparer à une désagréable surprise ? Et dans le cas où vous perdriez le contrôle de vous-même, ai-je ajouté tranquillement, voulez-vous m'excuser de vous faire remarquer que de nous deux, je suis le plus fort et que si vous portiez la main sur moi, je pourrais vous blesser, sans le vouloir, en agissant seulement pour ma légitime défense ? »

Il est devenu pâle comme la cendre et a repoussé sa chaise à trois ou quatre pieds de moi.

« Vous m'avez demandé, monsieur, de vous dire qui a pris votre argent, ai-je continué. Si vous insistez pour que je vous donne la réponse...

— J'insiste, a-t-il murmuré faiblement. Qui l'a pris ?

— C'est votre femme », ai-je répondu très tranquillement, mais très fermement aussi.

Il a bondi de sa chaise comme si je lui avais donné un coup de couteau et a frappé du poing sur la table si violemment que le bois en a craqué.

« Calmez-vous, monsieur. D'entrer en fureur ne vous avancera en rien.

— C'est un mensonge ! s'est-il écrié avec un autre coup de poing sur la table. Un bas, un vil, un infâme mensonge ! Comment osez-vous ?... »

Il s'est arrêté, est retombé sur sa chaise, a regardé autour de lui d'un air égaré et a fini par éclater en sanglots.

« Quand vous serez revenu un peu à vous, monsieur, je suis sûr que vous serez assez gentleman pour vous excuser des termes que vous venez d'employer. En même temps, veuillez écouter, si vous le pouvez, un mot d'explication.

» Mr Mathieu Sharpin a envoyé à notre inspecteur le rapport le plus irrégulier et le plus ridicule qu'on peut imaginer, y relatant non seulement ses paroles et ses entreprises insensées mais aussi les paroles et les actes de Mrs Yatman. Dans la plupart des cir-

constances, un tel document aurait été digne d'être
jeté à la corbeille ; mais dans ce cas particulier, il
s'est avéré que ce tas d'insanités menait à une
conclusion que l'imbécile de rédacteur a été tout à
fait incapable de soupçonner depuis le commencement jusqu'à la fin.

» De cette conclusion, je suis aussi certain que de
perdre ma place si je ne prouve pas que Mrs Yatman
a joué de la folie et de la vanité de ce jeune homme,
et qu'elle a essayé de se mettre à l'abri de tout soupçon en l'encourageant à suspecter des gens parfaitement innocents. Je vous dis ceci confidentiellement
et je dois même aller plus loin. Je veux prendre sur
moi de vous donner mon opinion très ferme quant
au mobile qui a poussé votre femme à prendre cet
argent, et à l'usage qu'elle en a fait. Personne ne
peut regarder cette dame, monsieur, sans être frappé
par le bon goût et l'élégance de sa toilette. »

Comme j'achevais ces mots, le pauvre homme a
paru retrouver enfin la parole. Il m'a arrêté court,
tout aussi directement et hautement que s'il avait été
un duc plutôt qu'un papetier.

« Essayez d'autres moyens pour justifier votre
vile calomnie contre ma femme, a-t-il répliqué. La
note de sa couturière pour l'année passée est dans
ma file de reçus acquittés jusqu'à ce jour !

— Excusez-moi, monsieur, ai-je dit, cela ne
prouve rien. Les couturiers, je puis vous l'assurer, ont
certaine coutume criminelle que nous connaissons
dans nos bureaux par une expérience de chaque jour.
Une dame mariée qui le souhaite peut avoir deux
comptes chez sa tailleuse. L'un est celui que le mari

voit et paye, l'autre est le compte privé qui contient tous les détails extravagants et que la femme paye secrètement par acomptes quand elle le peut.

» D'après notre expérience habituelle, ces acomptes sont retirés de l'argent courant du ménage. Dans votre cas, je soupçonne qu'ils n'ont pas été payés, des mesures ont été prises, et Mrs Yatman, sachant vos revenus très diminués, s'est trouvée acculée... elle a payé les acomptes arriérés au moyen du contenu de la caisse à argent.

— Je ne veux pas le croire, a-t-il déclaré. Chacune de vos paroles est une abominable insulte que vous me faites, à moi et à ma femme.

— Avez-vous le courage, monsieur, ai-je dit en l'arrêtant de façon à tâcher de gagner du temps et des paroles, de prendre le reçu de cette note dont vous me parlez et de venir avec moi tout de suite chez la couturière où se fait habiller Mrs Yatman ? »

À cette question, il a rougi violemment, a pris la note et a mis son chapeau. J'ai sorti de mon portefeuille la liste des numéros des billets perdus, et nous sommes partis ensemble immédiatement.

Arrivés chez la couturière (une des maisons les plus chères de West End, comme je le pensais), j'ai demandé à avoir un entretien privé sur une question importante avec la maîtresse de la maison de couture. Ce n'était pas la première fois qu'elle et moi nous rencontrions pour les mêmes délicates investigations. Dès qu'elle m'a aperçu, elle a fait appeler son mari. Je lui ai expliqué qui était Mr Yatman et ce que nous voulions.

« Est-ce strictement privé ? » s'est enquis le mari.

341

J'ai incliné la tête.

« Et confidentiel ? » a ajouté sa femme.

J'ai opiné de nouveau.

« Ne faites-vous aucune objection, ma chérie, à obliger le sergent en lui permettant de jeter un coup d'œil sur nos livres ? a-t-il demandé à son épouse.

— Pas du tout, mon amour, si vous l'approuvez », a-t-elle répondu.

Tout cela pendant que le pauvre papetier, qui s'était assis, contemplait le tableau avec étonnement et détresse, ne paraissant nullement à sa place au milieu de notre petite conférence.

Enfin, les livres ont été apportés, et un regard jeté sur les pages où figurait le nom de Mrs Yatman a été suffisant, et plus que suffisant pour démontrer la vérité de tout ce que j'avais dit à son mari.

Là, dans un des livres, se trouvait le compte du mari, qui était acquitté. Ici, dans un autre registre, le compte privé de madame était acquitté aussi, mais la date du paiement était précisément celle du lendemain de la disparition des billets.

Le dit compte privé se montait à la somme de cent soixante-cinq livres et quelques shillings, et s'étendait sur une période de trois ans. Pas un seul acompte n'avait été versé pendant ce temps. Sous la dernière ligne, on pouvait lire l'indication : *Envoyé pour la troisième fois le 23 juin.*

J'ai indiqué cette date du doigt et ai demandé à la couturière s'il s'agissait du 23 juin de cette année.

« Oui, c'était le dernier mois de juin, a-t-elle acquiescé en regrettant de devoir me dire que l'envoi

était accompagné d'une menace de poursuites
légales.

— Je pense que vous avez de bons clients auxquels vous accordez un crédit de plus de trois ans ? »
ai-je demandé.

La couturière a regardé vers Mr Yatman puis m'a
murmuré : « Pas quand le mari de la cliente est en
difficulté d'argent. »

Elle me montrait les comptes tout en parlant. Les
entrées depuis le temps où les moyens de Mr Yatman avaient tellement diminué étaient aussi extrava-
gantes que durant les années précédentes. Si la dame
avait économisé sur d'autres choses, elle n'avait
sûrement rien économisé sur sa toilette.

Maintenant, il ne restait plus qu'à examiner le livre
de caisse pour voir la forme du dernier paiement. Il
avait été effectué en billets dont le nombre et les
numéros correspondaient exactement à ceux qui figu-
raient sur ma liste.

Après cela, le mieux, ai-je pensé, était d'emmener
immédiatement Mr Yatman hors de la maison. Il était
dans un état si pitoyable que j'ai arrêté un cab dans
lequel je l'ai fait monter et je l'ai accompagné jusque
chez lui.

Il s'est d'abord mis à pleurer et à divaguer comme
un enfant, mais j'ai peu à peu réussi à le calmer, et je
dois ajouter à sa louange qu'il m'a fait les plus sincères
excuses pour ses paroles injurieuses comme le cab
approchait de sa demeure. En retour, j'ai essayé de lui
donner quelques bons conseils sur la façon de diriger
les dépenses de sa femme dans l'avenir, mais il n'a
prêté aucune attention à mes paroles et est monté direc-

tement en se murmurant à lui-même quelque chose sur une séparation.

Quant à Mrs Yatman, pour sortir indemne de cette aventure, je crois qu'elle s'offrira des crises d'hystérie avec cris perçants, qui effrayeront tellement le pauvre homme qu'il lui pardonnera.

Mais ce n'est pas notre affaire. Aussi loin qu'elle nous concerne, la question est enfin réglée, et le présent rapport représente, je pense, sa conclusion.

Je reste comme toujours entièrement à vos ordres.

Thomas Bulmer

P.S. : Je dois ajouter qu'en quittant la rue Rutherford j'ai vu Mr Mathieu Sharpin revenant de sa mission.

« Imaginez-vous, a-t-il dit en se frottant les mains joyeusement, que je suis allé à la jolie villa, et qu'au moment même où j'expliquais le but de ma visite, ils m'ont jeté à la porte. Il y avait deux témoins de l'assaut et cela me vaudra au moins cent livres !

— Je vous souhaite joie et bonheur, lui ai-je dit.

— Merci ! Quand pourrai-je vous offrir le même compliment pour votre découverte du voleur ?

— Quand vous voudrez, car le voleur est découvert.

— Juste ce que je pensais ! s'est-il écrié. J'ai fait tout le travail, et à présent vous en recueillez tout l'honneur. C'est Mr Jay, naturellement ?

— Non, ai-je répondu. Demandez-le à Mrs Yatman, ai-je ajouté. Elle vous attend pour vous le dire.

— Parfait ! J'aime mieux l'apprendre des lèvres de cette charmante femme que des vôtres », a-t-il déclaré, se précipitant en toute hâte vers la maison.

Que pensez-vous de cela, inspecteur Theakstone ? Voudriez-vous chausser les souliers de Mr Sharpin ? Moi pas, je vous l'assure.

De l'inspecteur chef Theakstone à Mr Mathieu Sharpin :

Monsieur,

Le sergent Bulmer vous a déjà dit de vous considérer comme suspendu jusqu'à nouvel avis. J'ai à présent l'ordre d'ajouter que vos services comme membre de la police sont définitivement refusés. Veuillez, je vous prie, considérer cette lettre comme une notification officielle de votre démission de la Force.

Je puis vous assurer de façon privée que votre renvoi n'est pas de nature à entacher votre réputation. Il implique simplement que vous n'êtes pas tout à fait assez subtil pour cet emploi. Si vous deviez admettre de nouvelles recrues parmi nous, nous préférerions infiniment Mrs Yatman.

Votre obéissant serviteur,

Francis Theakstone.

Note sur la précédente correspondance ajoutée par Mr Theakstone :

L'inspecteur n'est pas dans la possibilité de fournir beaucoup plus d'explications importantes à la dernière de ces lettres. Il a été découvert que Mr Sharpin a quitté la maison de la rue Rutherford dix minutes après que son entretien avec le sergent Bulmer eut pris fin ; son attitude témoignait d'un profond étonnement et aussi d'une violente terreur, et sa joue gauche faisait croire qu'on venait, suivant l'expression, de lui boxer les oreilles.

On a aussi appris par le garçon de magasin qu'il avait usé en s'en allant d'une très croquante expression à l'égard de Mrs Yatman, et qu'il avait tendu le poing avec rancune dans la direction de la maison en tournant le coin de la rue.

Rien depuis n'a été entendu sur son compte, et il est à supposer qu'il a quitté Londres avec l'intention d'offrir ses inestimables services à un policier de province.

On en sait moins encore sur ce qu'il est advenu des troubles domestiques de Mr et Mrs Yatman, sinon que le médecin de la famille a été envoyé chercher en toute hâte, le jour où le papetier est rentré de chez la couturière.

Le pharmacien voisin a reçu peu après une prescription de nature calmante destinée à Mrs Yatman. Le jour suivant, son mari a acheté chez lui un flacon de sels et est apparu dans une bibliothèque circulante, demandant un roman qui parlerait du High-live pour distraire une dame invalide.

Il a été inféré de ces circonstances que Mr Yatman n'avait pas jugé désirable de mener jusqu'à exécution son projet de séparation avec sa femme, du moins dans l'état (présumé) actuel du sensitif système nerveux de cette dame.

SOMMAIRE

Retrouvez les précédentes œuvres
de Wilkie Collins
dans la collection Labyrinthes

La Dame en blanc

Dans la fournaise de l'été, en ce milieu du XIXe siècle, William Hartright, jeune professeur de dessin émérite, s'apprête à quitter Londres pour enseigner l'aquarelle à deux jeunes filles de l'aristocratie, dans le Cumberland.

Il laisse derrière lui la vie trépidante de la ville et ses étranges incidents, comme cette rencontre en pleine nuit avec une jeune femme terrorisée, toute de blanc vêtue, semblant fuir un invisible danger...

Mais la campagne anglaise, malgré ses charmes bucoliques, n'apaise pas le jeune William autant qu'il le souhaiterait. La demeure de Limmeridge recèle en effet de bien lourds secrets, et lorsque resurgit la mystérieuse Dame en blanc, il est bien difficile d'affirmer qu'il ne s'agit pas d'un présage funeste...

Le Secret

En cette nuit d'été du 23 aôut 1829, sur la côte déchiquetée des Cornouailles, la résidence d'été des Treverton n'est que silence et ténèbres.

En effet, le manoir tout entier est suspendu aux battements de cœur de la maîtresse de maison, qui ne tarde pas à rendre son dernier souffle, laissant derrière elle un époux accablé, une fille en pleurs, mais aussi un certain nombre de questions.

Que contient donc cette mystérieuse lettre, confiée par Mrs Treverton à sa femme de chambre avant de mourir ? Quel terrible secret Sarah Leeson préfère-t-elle enfouir dans les pierres de la demeure familiale, s'opposant ainsi à la dernière volonté de la défunte, avant de disparaître ?

Un secret en tout cas suffisamment destructeur pour que, des années plus tard, la domestique sorte de son silence afin d'empêcher Rosamond Treverton de retourner sur les lieux de son enfance, au risque d'y perdre son âme...

Photocomposition NORD COMPO
59650 Villeneuve d'Ascq

Imprimé en France sur Presse Offset par

BRODARD & TAUPIN

GROUPE CPI

La Flèche (Sarthe), le 21-03-2002
Dépôt édit. : 20941-03/2002
N° Impr. :12142
ISBN : 2-7024-9731-4
Édition : 01